D0522377

HARLAN COBEN

Né en 1962, Harlan Coben vit dans le New Jersey avec sa femme et leurs quatre enfants. Diplômé en sciences politiques du Amherst College, il a rencontré un succès immédiat dès ses premiers romans, tant auprès de la critique que du public. Il est le premier auteur à avoir reçu le Edgar Award, le Shamus Award et le Anthony Award, les trois prix majeurs de la littérature à suspense aux États-Unis. Il est l'auteur de *Ne le dis à personne...* (2002) – Grand Prix des lectrices de ELLE 2003 –, *Disparu à jamais* (2003), *Une chance de trop* (2004), *Juste un regard* (2005), *Innocent* (2006) et *Dans les bois* (2008), tous parus chez Belfond. Il a également publié la série des aventures du désormais célèbre agent sportif Myron Bolitar : *Rupture de contrat* (Fleuve Noir, 2003), *Balle de match* (Fleuve Noir, 2004), *Faux rebond* (Fleuve Noir, 2005), *Du sang sur le green* (Fleuve Noir, 2006), et *Promets-moi* (Belfond, 2007). *Temps mort*, qui met à nouveau en scène Myron Bolitar, a paru en septembre 2007 aux éditions Fleuve Noir.

Retrouvez l'actualité d'Harlan Coben sur :
www.harlan-coben.fr

PROMETS-MOI

DU MÊME AUTEUR

CHEZ POCKET

NE LE DIS À PERSONNE… (GRAND PRIX DES LECTRICES DE *ELLE*)

DISPARU À JAMAIS

UNE CHANCE DE TROP

JUSTE UN REGARD

INNOCENT

Dans la série Myron Bolitar :

RUPTURE DE CONTRAT

BALLE DE MATCH

FAUX REBOND

DU SANG SUR LE GREEN

HARLAN COBEN

PROMETS-MOI

Traduit de l'américain
par Roxane Azimi

BELFOND

Titre original :
PROMISE ME
publié par Dutton, a member of Penguin Group (USA) Inc.,
New York.

Ce livre est une œuvre de fiction. Les noms, les personnages, les lieux et les événements sont le fruit de l'imagination de l'auteur ou utilisés fictivement, et toute ressemblance avec des personnes réelles, vivantes ou mortes, des établissements d'affaires, des événements ou des lieux serait pure coïncidence.

Le Code de la propriété intellectuelle n'autorisant, aux termes de l'article L. 122-5, 2e et 3e alinéas, d'une part, que les « copies ou reproductions strictement réservées à l'usage privé du copiste et non destinées à une utilisation collective » et, d'autre part, que les analyses et les courtes citations dans un but d'exemple et d'illustration, « toute représentation ou reproduction intégrale ou partielle faite sans le consentement de l'auteur ou de ses ayants droit ou ayants cause est illicite » (art. L. 122-4).
Cette représentation ou reproduction, par quelque procédé que ce soit, constituerait donc une contrefaçon, sanctionnée par les articles L. 335-2 et suivants du Code de la propriété intellectuelle.

© Harlan Coben 2006. Tous droits réservés.
Et pour la traduction française
© Belfond, un département de place des éditeurs, 2007.

ISBN 978-2-266-17820-4

À Charlotte, Ben, Will et Eve.
Vous êtes de sacrés loustics,
mais mon univers, c'est vous.

1

La fille disparue – on en a parlé aux actualités, entre deux diffusions d'une photo scolaire banale à pleurer, vous savez, sur fond bariolé, cheveux trop raides, sourire trop gêné, là-dessus on enchaîne sur les parents inquiets devant la maison, des micros partout, maman pleure en silence, papa lit une déclaration, la lèvre tremblante –, cette fille-là, la fille *disparue*, venait de passer à l'instant devant Edna Skylar.

Edna s'est figée.

Stanley, son mari, a fait deux pas avant de se rendre compte que sa femme ne suivait pas. Il s'est retourné.

— Edna ?

Ils se tenaient à l'angle de la 21e Rue et de la Huitième Avenue, à Manhattan. Il n'y avait pas beaucoup de circulation, en ce samedi matin. Côté voitures. Côté piétons, c'était plutôt chargé. La fille disparue se dirigeait *uptown*.

Stanley a poussé un soupir désabusé.

— Qu'est-ce que c'est, cette fois-ci ?

— Chut.

Elle avait besoin de réfléchir. La photo de la lycéenne, cette photo sur fond bariolé… Edna a fermé les yeux. Elle devait faire resurgir l'image dans sa tête. Comparer et confronter.

Sur la photo, l'adolescente disparue avait les cheveux longs, d'un châtain terne. La femme qu'elle venait de croiser – une femme, pas une fille, car celle-là avait l'air plus âgée, mais peut-être que la photo était vieille aussi – était rousse aux cheveux courts et ondulés. La fille sur la photo ne portait pas de lunettes. La passante de la Huitième Avenue en arborait une paire à la mode, avec une monture foncée, rectangulaire. Sa tenue et son maquillage étaient l'un et l'autre – faute de meilleur terme – plus adultes.

Étudier les visages était plus qu'un dada pour Edna. À soixante-trois ans, l'une des rares femmes médecins de sa génération, elle exerçait dans le domaine de la génétique. Les visages étaient sa vie. Une partie de son cerveau était toujours en éveil, même en dehors de son lieu de travail. C'était plus fort qu'elle : le Dr Edna Skylar étudiait les visages. Amis et famille avaient l'habitude de son regard scrutateur ; les inconnus et les nouvelles connaissances trouvaient ça déroutant.

C'était donc ce qu'elle faisait en marchant dans la rue. Sans prêter attention à son environnement. Toute à son plaisir secret. Elle observait la structure des pommettes et la profondeur mandibulaire, la distance interoculaire et la hauteur des oreilles, le dessin de la mâchoire et l'espacement orbital. Et c'est pour ça, malgré les nouvelles coiffure et couleur de cheveux, malgré les lunettes à la mode, le maquillage et la tenue d'adulte, qu'Edna avait reconnu cette fille portée disparue.

— Elle était avec un homme.

— Comment ?

Inconsciemment, Edna avait parlé tout haut.

— La fille.

Stanley a froncé les sourcils.

— Qu'est-ce que tu racontes, Edna ?

Cette photo. Ce portrait d'écolière, banal à pleurer. On a vu ça des milliers de fois. On tombe dessus dans un annuaire scolaire, et ça éveille tout un tas d'émotions. En un clin d'œil, on embrasse son passé, son avenir. On ressent la joie de la jeunesse, la difficulté de grandir. On mesure son potentiel. On éprouve une bouffée de nostalgie. Et on voit défiler les années : la fac peut-être, le mariage, les gosses, tout le tintouin.

Mais lorsque la même photo est diffusée au journal télévisé, on a le cœur dans les chaussettes. On regarde ce visage, ce sourire hésitant, ces cheveux qui pendouillent, ces épaules voûtées, et l'esprit s'égare en des endroits obscurs qu'il ne devrait pas fréquenter.

Depuis combien de temps Katie – elle s'appelait Katie – avait-elle disparu ?

Edna a fouillé dans sa mémoire. Un mois peut-être. Ou six semaines. On n'en avait parlé qu'aux infos locales, et encore, pas si longtemps que ça. Certains croyaient à une fugue. Katie Rochester venait tout juste d'avoir dix-huit ans : désormais, elle était adulte, ce qui tempérait considérablement le caractère urgent de la situation. Et il semblait y avoir des problèmes à la maison, surtout avec le père autoritaire nonobstant sa lèvre tremblante.

Peut-être qu'Edna s'était trompée. Peut-être que ce n'était pas elle.

Il n'y avait qu'un seul moyen de le vérifier.

— Vite, a-t-elle dit à Stanley.

— Quoi ? Où allons-nous ?

Elle n'avait pas le temps de répondre. La fille devait

déjà avoir dépassé le carrefour suivant. Stanley n'avait qu'à suivre. Stanley Rickenback, gynécologue-obstétricien de son état, était son second mari. Le premier, un coup de foudre, trop beau, trop passionné pour être vrai, s'était révélé, eh oui, un sombre crétin. C'était probablement injuste, et alors ? L'idée d'épouser un médecin – c'était il y avait quarante ans – avait bien plu au numéro un. La réalité, toutefois, lui convenait beaucoup moins. Il s'était imaginé qu'une fois mère, Edna laisserait tomber son métier. En fait, ç'avait été l'inverse. La vérité – qui n'avait sûrement pas échappé à ses enfants –, c'est qu'Edna aimait la médecine bien plus que la maternité.

Elle s'est ruée en avant. Les trottoirs étaient encombrés. Elle longeait la bordure, pressant le pas. Stanley s'efforçait de suivre.

— Edna ?

— Ne me perds pas, c'est tout.

Il l'a rattrapée.

— Qu'est-ce qu'on fait, là ?

Elle cherchait des yeux la chevelure rousse.

Là-bas. Devant, sur la gauche.

Il fallait qu'elle la voie de plus près. Edna s'est mise à courir. Ailleurs qu'à Manhattan, on aurait trouvé bizarre de voir une femme d'une soixantaine d'années, élégamment vêtue, piquer un sprint en pleine rue. Ici, c'est tout juste si on lui accordait un coup d'œil.

Elle a contourné la fille, s'efforçant de passer inaperçue, se cachant derrière les hautes silhouettes des passants ; puis, arrivée au bon endroit, Edna a fait volte-face. La présumée Katie marchait à sa rencontre. Une infime fraction de seconde, leurs regards se sont croisés, et Edna a cessé de douter.

C'était bien elle.

Katie Rochester était avec un homme brun, âgé d'une trentaine d'années. Ils se tenaient par la main. Elle n'avait pas l'air malheureux. Pour tout dire, jusqu'au moment où leurs regards s'étaient croisés, du moins, elle paraissait plutôt épanouie. Bien sûr, ça ne voulait pas dire grand-chose. Elizabeth Smart, la jeune fille qui s'était fait enlever dans l'Utah, avait été vue en public avec son ravisseur sans qu'elle esquisse le moindre geste pour attirer l'attention des passants. C'était peut-être la même chose ici.

Mais Edna n'y croyait pas.

La présumée Katie rousse a murmuré quelque chose à l'homme brun. Ils ont accéléré le pas. Edna les a vus bifurquer à droite et s'engouffrer dans le métro. Le panneau disait : LIGNES A, C, E ET 1. Stanley l'a rejointe. Il s'apprêtait à dire quelque chose, mais en voyant l'expression d'Edna, il a changé d'avis.

— Allons-y, a-t-elle dit.

Ils se sont hâtés vers la station et ont dévalé les marches. La fille disparue et son compagnon brun avaient déjà franchi le tourniquet. Edna les a suivis.

— Oh, zut !

— Quoi ?

— Je n'ai pas de carte Metro.

— Moi, j'en ai une, a dit Stanley.

— Vite. Passe-la-moi.

Stanley a tiré la carte de son portefeuille. Edna l'a validée et, une fois de l'autre côté du tourniquet, la lui a rendue. Elle n'a pas attendu. Le couple avait emprunté un escalier sur la droite. Elle leur a emboîté le pas. Alors qu'un grondement annonçait l'arrivée d'un train, elle s'est hâtée de plus belle.

La rame s'est immobilisée dans un crissement de freins. Les portes se sont ouvertes. Le cœur d'Edna cognait follement dans sa poitrine. Elle a regardé à droite et à gauche, cherchant une chevelure rousse.

Rien.

Où était-elle passée ?

— Edna ?

C'était Stanley. Il l'avait rattrapée.

Edna n'a rien dit. Elle restait plantée sur le quai, cherchant vainement des yeux Katie Rochester. À supposer qu'elle l'ait vue, d'ailleurs, qu'aurait-elle fait, hein ? Sauté dans le train pour les suivre ? Jusqu'où ? Et ensuite ? Elle aurait repéré l'adresse, appelé la police…

Quelqu'un lui a tapé sur l'épaule.

Edna s'est retournée. C'était la fille disparue.

Pendant longtemps, Edna a cherché à décrypter l'expression de son visage. Son regard était-il implorant ? Désespéré ? Calme ? Voire joyeux ? Déterminé ? Un peu de tout cela à la fois.

Pendant un moment, elles se sont dévisagées sans rien dire. La foule pressée, les grésillements indéchiffrables dans le haut-parleur, le souffle du train… tout s'était évanoui autour d'elles.

— S'il vous plaît, a lâché la fille dans un murmure. Ne dites à personne que vous m'avez vue.

Et elle est montée dans la rame. Edna s'est sentie frissonner. Les portes se sont refermées. Elle aurait voulu faire quelque chose, n'importe quoi, mais elle était incapable de bouger. Son regard restait rivé sur le visage de Katie.

— S'il vous plaît, a mimé la jeune fille à travers la vitre.

L'instant d'après, le train disparaissait dans le noir.

2

Il y avait deux adolescentes dans le sous-sol de Myron.

C'est comme ça que tout a commencé. Par la suite, avec le recul, en repensant à la casse, à toutes ces souffrances, il serait hanté par cette première série de « si seulement ». Si seulement il n'avait pas eu besoin de glaçons. Si seulement il avait ouvert la porte du sous-sol une minute plus tôt, ou plus tard. Si seulement les deux adolescentes – qu'est-ce qu'elles fabriquaient toutes seules au sous-sol, d'ailleurs ? – avaient parlé en chuchotant, faisant en sorte qu'il ne les entende pas.

Si seulement il s'était mêlé de ses oignons.

Du haut de l'escalier, Myron a surpris leurs gloussements. Il s'est arrêté. Il a même failli refermer la porte pour les laisser tranquilles. Ses invités n'étaient pas complètement à court de glaçons. Il pourrait repasser tout à l'heure.

Mais le temps de tourner les talons, la voix de l'une des filles est montée comme une volute de fumée dans la cage d'escalier.

— Alors t'es partie avec Randy ?

Et l'autre :

— Oh ! là ! là ! on était genre complètement déchirés.

— À cause de la bière ?

— La bière et l'herbe, ouais.

— Et vous êtes rentrés comment ?

— C'est Randy qui conduisait.

En haut des marches, Myron s'est raidi.

— Mais tu as dit…

— Chut.

Puis :

— Hé, il y a quelqu'un ?

Pris en flag.

Myron est descendu au trot, en sifflotant. La désinvolture faite homme. Les deux filles étaient assises dans ce qui avait été son ancienne chambre. Le sous-sol avait été « achevé » en 1975, et ça se voyait. Le père de Myron, qui aujourd'hui bullait avec maman dans une espèce de résidence du côté de Boca Raton, n'avait pas lésiné sur le double face. Le lambris adhésif, qui vieillissait à peu près aussi bien que le Betamax, commençait à se décoller, laissant entrevoir les murs de ciment écaillé. Le carrelage, fixé, semblait-il, avec de la colle universelle, s'était déformé et crissait sous les pas, comme lorsqu'on marche sur un scarabée.

Les deux gamines – Myron connaissait l'une depuis toujours, et venait tout juste de rencontrer l'autre – le regardaient avec de grands yeux. L'espace d'un instant, personne n'a parlé. Il leur a adressé un petit signe de la main.

— Salut, les filles.

Myron Bolitar, champion de l'entrée en matière.

Les filles, toutes deux en terminale, étaient jolies

façon ados dégingandées. Celle qui était assise au bord de son vieux lit – et qu'il connaissait depuis une heure – se prénommait Erin. Cela faisait deux mois que Myron sortait avec sa mère, Ali Wilder, veuve et journaliste free-lance. Cette soirée, qui avait lieu dans la maison de son enfance, était donnée en quelque sorte pour marquer leur « coming out » en tant que couple.

L'autre fille, Aimee Biel, a imité son geste et son intonation.

— Salut, Myron.

Nouveau silence.

Sa première rencontre avec Aimee Biel remontait au lendemain de sa naissance à l'hôpital St. Barnabas. Aimee et ses parents, Claire et Erik, habitaient deux rues plus loin. Myron connaissait Claire depuis le collège d'Heritage, situé à cinq cents mètres de chez lui. Se tournant vers Aimee, il s'est senti transporté vingt-cinq ans en arrière. Elle ressemblait tant à sa mère, avec son sourire oblique, insouciant, qu'il a eu l'impression de franchir les portes du temps.

— Je viens chercher des glaçons, a-t-il dit, pointant le pouce sur le congélateur pour mieux illustrer son propos.

— Cool, a répondu Aimee.

— Tellement cool, en fait, qu'ils en sont tout gelés.

Myron a rigolé. Seul.

Sans se départir de son sourire niais, il a regardé Erin. Elle a détourné la tête. C'était son attitude depuis le début. Polie et distante.

— Je peux te poser une question ? a dit Aimee.

— Vas-y.

Elle a écarté les mains.

— C'est vraiment la chambre dans laquelle tu as grandi ?

— Eh oui.

Les deux filles ont échangé un coup d'œil. Aimee a pouffé de rire. Imitée par Erin.

— Quoi ? a fait Myron.

— Cette chambre… je veux dire, plus ringard que ça, tu meurs.

Erin a fini par ouvrir la bouche.

— Elle est presque trop rétro pour être rétro.

— Comment ça s'appelle, ce machin ? a demandé Aimee en désignant son siège.

— Un pouf.

Les filles se sont esclaffées de plus belle.

— Et comment ça se fait que cette lampe ait une ampoule noire ?

— Ça fait briller les posters.

Nouveaux rires.

— J'étais au lycée, voyons, a ajouté Myron, comme si ça expliquait tout.

— Tu as déjà ramené une fille ici ? a fait Aimee.

Myron a porté la main à son cœur.

— Un vrai gentleman n'embrasse et ne parle jamais.

Puis :

— Oui.

— Combien ?

— Combien quoi ?

— Combien de filles as-tu ramenées ici ?

— Oh, environ…

Levant les yeux au ciel, Myron a tracé des signes dans l'air avec son index.

— … je retiens trois… disons entre huit et neuf cent mille.

Cela a provoqué un énorme éclat de rire.

— En fait, a observé Aimee, maman dit que tu étais très mignon.

Myron a haussé un sourcil.

— Étais ?

Les deux filles se sont tapé dans la main, en proie à une hilarité incontrôlable. Myron a secoué la tête en maugréant contre le manque de respect vis-à-vis des aînés. Quand elles se sont calmées, Aimee a dit :

— Je peux te poser une autre question ?

— Vas-y.

— Non, sérieusement.

— Je t'écoute.

— Ces photos de toi là-haut. Dans l'escalier.

Myron a hoché la tête. Il soupçonnait déjà ce qui allait suivre.

— Tu étais en couverture de *Sports Illustrated*.

— Ça se peut.

— Maman et papa disent que tu étais genre le plus grand basketteur de tout le pays.

— Maman et papa exagèrent.

Les deux filles le dévisageaient. Cinq secondes se sont écoulées. Puis cinq autres.

— J'ai quelque chose de coincé entre les dents ? s'est enquis Myron.

— Tu n'as pas été recruté par les Lakers ?

— Les Celtics, a-t-il rectifié.

— Pardon, les Celtics.

Aimee ne le quittait pas des yeux.

— Et tu t'es blessé au genou, c'est ça ?

— Exact.

— Ta carrière était finie. Du jour au lendemain.

— C'est un peu ça, oui.

— Alors... (Aimee a haussé les épaules.) ça t'a fait quoi, hein ?

— De m'être blessé au genou ?

— D'avoir été une superstar. Et puis, paf, ne plus pouvoir jouer.

Les filles attendaient sa réponse. Myron s'est efforcé de trouver quelque chose de profond.

— Ça m'a saoulé grave, a-t-il dit.

Ça leur a bien plu.

Aimee a hoché la tête.

— T'as dû toucher le fond.

Le regard de Myron s'est posé sur Erin. Elle avait baissé les yeux. La pièce était plongée dans le silence. Il a attendu. Elle a fini par lever la tête. Elle avait l'air jeune, petite et effrayée. Il a eu envie de la prendre dans ses bras mais, nom d'un chien, ç'aurait été la dernière chose à faire.

— Non, a-t-il dit doucement, sans cesser de fixer Erin. J'en étais loin.

Quelqu'un a crié du haut de l'escalier :

— Myron ?

— J'arrive.

Il aurait pu remonter tout de suite. Encore un « si seulement » de taille. Mais ce qu'il avait entendu sur les marches – « C'est Randy qui conduisait » – résonnait dans sa tête. « La bière et l'herbe… » Il ne pouvait pas laisser passer ça, si ?

— J'ai une histoire à vous raconter.

Il s'est interrompu. Il voulait leur parler d'un drame qui s'était produit à l'époque du lycée. Il y avait eu une fête chez Barry Brenner. C'était ça qu'il voulait leur raconter. Il était en terminale… tout comme elles aujourd'hui. Ils avaient picolé sec. Son équipe, les Lancers de Livingston, venait de remporter le tournoi régional, avec quarante-trois points d'avance marqués par Myron Bolitar. Tout le monde était bourré. Il a repensé à Debbie Frankel, une fille brillante, pétillante, pleine de vie, la première à lever la main pour contredire un professeur, la première à contester, à prendre le contre-pied – c'est ce qui faisait son charme. À minuit, Debbie est venue lui dire au revoir. Ses lunettes lui étaient descendues au bout du nez. C'est surtout cette image qui lui était restée : les lunettes qui avaient glissé. On voyait bien que Debbie était beurrée. Et les deux autres filles qui sont montées dans la voiture avec elle n'étaient pas en meilleur état.

On devine la fin de l'histoire. Elles ont pris la montée dans South Orange Avenue beaucoup trop vite. L'accident a coûté la vie à Debbie. La voiture déchiquetée a été exposée à l'entrée du lycée pendant six ans. Myron s'est demandé ce qu'elle était devenue, ce qu'ils avaient fait de l'épave.

— Quoi ? a dit Aimee.

Mais il ne leur a pas parlé de Debbie Frankel. Erin et Aimee avaient sûrement entendu d'autres versions de cette histoire. Ça ne marcherait pas. Il le savait. Du coup, il a essayé une autre approche.

— Je voudrais que vous me promettiez une chose.

Les filles l'ont regardé.

Il a sorti son portefeuille de sa poche, en a tiré deux cartes professionnelles. Puis il a ouvert le tiroir du haut et trouvé un stylo qui fonctionnait.

— Voici tous mes numéros – maison, bureau, portable, mon appart à New York.

Myron a griffonné sur les cartes et les leur a données. Elles les ont prises sans dire un mot.

— Écoutez-moi bien, s'il vous plaît. Si un jour vous êtes coincées. Si vous sortez pour boire, ou si vos amis boivent, ou si vous êtes défoncées, peu importe. Promettez-moi de m'appeler. Je viendrai vous chercher où que vous soyez. Je ne poserai pas de questions. Je ne dirai rien à vos parents. C'est la promesse que moi je vous fais. Je vous conduirai où vous voudrez. Quelle que soit l'heure. Quelle que soit la distance. Quel que soit votre état. De jour comme de nuit. Appelez-moi et j'irai vous chercher.

Les filles se taisaient.

Myron s'est rapproché d'un pas, se retenant de prendre un ton suppliant.

— Simplement, s'il vous plaît… s'il vous plaît, ne montez pas en voiture avec quelqu'un qui a bu.

Elles continuaient à le dévisager en silence.

— Promettez-le-moi.

L'instant d'après – l'ultime « si seulement » –, elles ont promis.

3

Deux heures plus tard, la famille d'Aimee – les Biel – a été la première à partir.

Myron les a raccompagnés à la porte. Claire s'est penchée vers son oreille.

— Il paraît que les filles étaient en bas, dans ton ancienne chambre.

— Eh oui.

Elle l'a gratifié d'un sourire canaille.

— Tu leur as dit… ?

— Ciel, non.

Claire a secoué la tête.

— Ce que tu peux être prude.

Ils avaient été bons amis au lycée, Claire et lui. Il aimait sa liberté d'esprit. Elle se comportait – faute de terme plus adapté – comme un mec. Dans les soirées, elle avait l'habitude de draguer, souvent avec succès car, il faut bien le dire, elle était jolie fille. Son genre, c'était Monsieur Muscles. Elle en choisissait un avec lequel elle sortait une fois ou deux, et passait au suivant.

Claire était avocate, à présent. Myron et elle avaient

eu une aventure d'un soir, dans ce même sous-sol, pendant les vacances en terminale. Le lendemain, elle avait été très à l'aise, contrairement à lui. Pas de gêne, pas de silence prolongé, pas de « il faudrait qu'on parle ».

Pas de récidive non plus.

Claire avait rencontré son mari à la fac de droit. « Erik avec un *k*. » C'est comme ça qu'il se présentait. Erik était maigre et crispé. Il souriait rarement et ne riait quasiment jamais. Sa cravate était toujours nouée à la perfection. Erik avec un *k* n'était pas le genre d'homme avec qui Myron aurait cru que Claire allait faire sa vie, mais leur couple avait l'air de tenir la route. En vertu de l'attraction des contraires, probablement.

Erik lui a serré fermement la main, prenant bien soin de le regarder dans les yeux.

— On se voit dimanche ?

Dans le temps, ils se retrouvaient le dimanche matin pour improviser des matches de basket, mais Myron avait cessé d'y aller depuis des mois.

— Cette semaine je ne peux pas, non.

Erik a hoché la tête comme s'il venait de dire quelque chose de profond et a franchi la porte. Avec un rire étouffé, Aimee l'a salué d'un geste de la main.

— C'était sympa, notre petite discussion, Myron.

— Tout à fait, Aimee.

Il lui a lancé un regard comme pour dire : « Rappelle-toi ta promesse. » Il ignorait si ç'avait marché, mais elle lui a adressé un petit signe de la tête avant de s'engager dans l'allée.

Claire l'a embrassé sur la joue.

— Tu as l'air heureux, lui a-t-elle chuchoté à l'oreille.

— Je le suis.

— Ali est formidable, hein ? a-t-elle fait dans un grand sourire.

— C'est vrai.

— Je suis la reine des entremetteuses, non ?

— Comme dans une mise en scène ultraringuarde d'*Un violon sur le toit*.

— Je ne te mets pas la pression. Mais je suis la meilleure. Allez, je suis capable de l'entendre. Il n'y a pas mieux que moi.

— On parle toujours de tes qualités de marieuse ?

— Insolent, va. Je sais que je suis la meilleure pour le reste aussi.

Myron a dit :

— Eh.

Elle lui a donné un coup sur le bras avant de tourner les talons. Myron l'a suivie des yeux en souriant. Quelque part, on a toujours dix-sept ans et on attend que la vie commence.

Dix minutes plus tard, Ali Wilder, la nouvelle femme de sa vie, a appelé ses enfants. Myron les a escortés à la voiture. Jack, neuf ans, arborait fièrement un maillot des Celtics avec l'ancien numéro de Myron. C'était la nouvelle tendance de la mode hip-hop. Au début, on s'arrachait les maillots de ses stars préférées. Aujourd'hui, sur un site nommé *gros-nuls.com* ou quelque chose du même genre, on trouvait les maillots des joueurs dont la carrière avait explosé en vol.

Comme Myron.

Mais à neuf ans, Jack n'avait pas saisi le sarcasme.

Arrivé à la voiture, il a sauté au cou de Myron. Ne sachant trop comment réagir, Myron l'a serré dans ses bras, sans insister. Restée à l'écart, Erin a hoché brièvement la tête et s'est glissée sur le siège arrière. Jack a rejoint sa grande sœur. Ali et Myron sont restés là à se sourire comme deux benêts amoureux de fraîche date.

— C'était très sympa, a dit Ali.

Myron continuait à sourire. Elle a posé sur lui ses magnifiques yeux vert mordoré. Ses cheveux étaient d'un blond vénitien, et elle avait gardé quelques taches de rousseur de son enfance. Son visage était rond, et il a eu l'impression de se perdre dans son sourire.

— Quoi ? a-t-elle dit.

— Je te trouve belle.

— Et toi, tu es un beau parleur.

— Sans vouloir me vanter, oui.

Ali a jeté un coup d'œil sur la maison. Win – de son vrai nom Windsor Horne Lockwood III – se tenait adossé au chambranle de la porte, les bras croisés.

— Il a l'air gentil, ton ami Win.

— Ne te fie pas aux apparences.

— Je sais. Mais comme c'est ton meilleur ami, j'ai pensé que c'était la chose à dire.

— Win est quelqu'un de complexe.

— Il est beau gosse.

— Il en est conscient.

— Mais pas mon genre. Trop clean. Trop fils de bonne famille.

— Et toi, tu préfères les machos virils, a acquiescé Myron. Je comprends.

Elle a ricané.

— Pourquoi me regarde-t-il comme ça ?

— À mon avis, il mate ton cul.

— Enfin, quelqu'un que ça intéresse !

Myron s'est éclairci la voix, évitant de la regarder.

— Alors, on dîne ensemble demain soir ?

— Avec plaisir.

— Je passe te chercher à sept heures.

Ali a posé la main sur son torse. Il a eu le sentiment de recevoir une décharge électrique. Se haussant sur la pointe des pieds – Myron mesurait un mètre quatre-vingt-dix –, elle l'a embrassé sur la joue.

— C'est moi qui fais la cuisine.

— Ah bon ?

— On mangera à la maison.

— Super. Une petite soirée en famille, hein ? Du style « apprendre à mieux connaître les gosses » ?

— Les gosses iront dormir chez ma sœur.

— Ah, a dit Myron.

Ali lui a jeté un regard perçant avant de s'installer au volant.

— Ah, a-t-il répété.

Elle a arqué un sourcil.

— Toi qui ne voulais pas te vanter d'être un beau parleur.

Myron a regardé la voiture s'éloigner, sans se départir de son sourire imbécile. Puis il a regagné la maison. Win n'avait pas bougé. Il y avait eu beaucoup de changements dans la vie de Myron – le départ de ses parents dans le Sud, le bébé d'Esperanza, sa situation professionnelle, la Grosse Cyndi –, mais Win demeurait une constante. Ses cheveux blond cendré commençaient à grisonner aux tempes, mais autrement, c'était toujours la parfaite incarnation du wasp. Le menton racé, le nez droit, une chevelure de rêve... il empestait, à juste titre, les privilèges, les chaussures blanches et le bronzage de golfeur.

— Six virgule huit, a-t-il dit. On n'a qu'à arrondir à sept.

— Pardon ?

La paume ouverte, Win a esquissé une courbe dans l'air.

— Ta Mme Wilder. En étant généreux, je lui donnerais un sept.

— Waouh, c'est beaucoup. Surtout venant de toi.

Ils sont retournés s'asseoir dans le séjour. Win a croisé les jambes avec son élégance coutumière. L'air perpétuellement hautain, il paraissait pomponné, gâté et fragile – de visage, en tout cas. Le corps, c'était une autre histoire. Il était noueux, tout en muscles, un corps en acier trempé.

Win a joint le bout de ses doigts. Ce geste lui allait bien.

— Je peux te poser une question ?

— Non.

— Qu'est-ce que tu fais avec elle ?

— Tu plaisantes, j'espère.

— Non. Je veux savoir ce que tu trouves précisément à Mme Ali Wilder.

Myron a secoué la tête.

— Je savais bien que je n'aurais pas dû t'inviter.

— Mais tu l'as fait. Alors laisse-moi développer l'idée jusqu'au bout.

— S'il te plaît, non.

— Pendant nos années d'études à Duke, il y a eu la délicieuse Emily Downing. Ensuite, bien sûr, ton âme sœur pendant plus de dix ans, la voluptueuse Jessica Culver. Il y a eu l'idylle éclair avec Brenda Slaughter et plus récemment, hélas, cette passion pour Terese Collins.

— Ç'a un sens, cet inventaire ?

— Oui.

Win a ouvert ses doigts, les a refermés.

— Toutes ces femmes, tes anciennes amours, qu'est-ce qu'elles avaient en commun ?

— À toi de me le dire.

— En un mot : la canonité.

— Ça existe ce mot ?

— Ultrasexy, toutes autant qu'elles étaient, a poursuivi Win avec son accent snob. Sur une échelle de dix, j'accorderais un neuf à Emily. La note la plus basse. Jessica, la bombe atomique, méritait un onze. Terese Collins et Brenda Slaughter frôlaient le dix toutes les deux.

— Et à tes yeux d'expert…

— Un sept pour Mme Wilder, c'est généreux.

Myron s'est contenté de secouer la tête.

— Alors, dis-moi, je te prie, ce que tu lui trouves ?

— Tu es sérieux, là ?

— On ne peut plus sérieux.

— Eh bien, j'ai un scoop pour toi, Win. Tout d'abord, et même si ça n'a pas beaucoup d'importance, je ne suis pas d'accord avec la note que tu lui donnes.

— Ah oui ? quelle note attribuerais-tu à Mme Wilder ?

— Je n'ai pas l'intention d'entrer dans ton jeu. D'un point de vue physique, Ali est quelqu'un qui gagne à être connu. De prime abord, elle paraît charmante, et plus on la fréquente…

— Bah !

— Bah ?

— Tu cherches à te justifier après coup.

— J'ai un autre scoop pour toi : le physique n'est pas tout.

— Bah !

— Encore ?

Win a joint à nouveau le bout de ses doigts.

— Tiens, on va jouer à un jeu. Je vais te donner un mot. Et toi, tu me dis la première chose qui te passe par la tête.

Myron a fermé les yeux.

— Je ne vois pas l'intérêt de discuter d'affaires de cœur avec toi. C'est comme parler de Mozart à un sourd.

— Très drôle. Voici le premier mot. En fait, il y en a deux. Dis-moi ce qui te passe par la tête : Ali Wilder.

— Chaleur, a répondu Myron.

— Menteur.

— OK, assez parlé de ça.

— Myron ?

— Quoi ?

— C'était quand, la dernière fois que tu as essayé de sauver quelqu'un ?

Les visages familiers ont surgi en un éclair devant les yeux de Myron. Il s'est efforcé de chasser cette vision.

— Myron ?

— Ne commence pas, le pria-t-il tout bas. J'ai bien appris ma leçon.

— Tu crois ?

Il songeait maintenant à Ali, à son merveilleux sourire, à son visage ouvert. Il songeait à Aimee et Erin, en bas, dans son ancienne chambre, à la promesse qu'il leur avait arrachée.

— Ali n'a pas besoin qu'on la sauve, Myron.

— Tu penses qu'il s'agit de ça, hein ?

— Quand je prononce son nom, quelle est la première chose qui te vient à l'esprit ?

— Chaleur, a répété Myron.

Mais cette fois-ci, même lui savait qu'il mentait.

Six ans.

Voilà six ans que Myron n'avait pas joué les super-héros. Pas un coup de poing. Pas un coup de feu – pendant tout ce temps, il n'avait même pas eu à se servir d'une arme. Il n'avait pas reçu ni proféré de menaces. Ne s'était pas amusé aux dépens d'individus à l'hypophyse gorgée de stéroïdes. N'avait pas appelé Win – aujourd'hui encore, l'homme le plus redoutable qu'il connaisse – à la rescousse. En six ans, aucun de ses clients n'avait été assassiné, ce qui était un plus considérable pour sa petite entreprise. Aucun n'avait été blessé par balle ou arrêté… enfin, à l'exception de cette affaire de prostitution à Las Vegas, mais Myron persistait à dire qu'il s'agissait d'un coup monté par la police. Personne parmi ses clients, amis ou proches ne manquait à l'appel.

Il avait retenu la leçon.

Ne fourre pas ton nez dans ce qui ne te regarde pas. Tu n'es pas Batman, et Win n'est pas un clone psychotique de Robin. Bon, d'accord, Myron avait sauvé quelques innocents à son époque quasi héroïque, y compris la vie de son propre fils, Jeremy. Aujourd'hui, Jeremy avait dix-neuf ans – Myron avait peine à y croire – et effectuait son service militaire quelque part dans un lieu tenu secret, au Moyen-Orient.

Mais il y avait eu des dégâts, aussi. Il suffisait de se rappeler ce qui était arrivé à Duane, à Christian, à Greg, à Linda, à Jack. Par-dessus tout, cependant, Myron était hanté par la pensée de Brenda. Il continuait à aller trop souvent sur sa tombe. Peut-être qu'elle serait morte de toute façon, qui sait. Peut-être que ce n'était pas sa faute.

Les victoires ont tendance à glisser sur vous. Les défaites – les morts – restent à vos côtés, vous tapent sur l'épaule, alourdissent votre démarche, s'approprient votre sommeil.

D'une manière ou d'une autre, Myron avait enterré son complexe de héros. Ces six dernières années, il avait mené une existence tranquille, normale, ordinaire… limite monotone.

Myron a rincé les plats. Il logeait à temps partiel ici, à

Livingston, New Jersey, dans la ville même – la maison même – où il avait grandi. Ses parents chéris, Ellen et Alan Bolitar, avaient fait leur *aliya*, et étaient retournés cinq ans plus tôt sur la terre de leurs ancêtres (dans le sud de la Floride). Myron avait racheté la maison à titre de placement, ce qui était une bonne opération en soi, et pour permettre aux siens d'avoir un pied-à-terre lorsqu'ils migraient dans l'autre sens, pendant les mois les plus chauds. Il passait donc un tiers de son temps dans cette maison de banlieue et le reste dans l'appartement qu'il partageait avec Win dans le fameux immeuble Dakota, Central Park West, Manhattan.

Il a pensé au lendemain soir, à son rendez-vous avec Ali. Win était un crétin, ça ne faisait aucun doute, mais comme toujours, ses questions avaient touché un point sensible, peut-être même le cœur de la cible. Au diable l'apparence physique. C'était de la connerie pure. Et le complexe du héros itou. Il ne s'agissait pas de ça. Mais quelque chose le freinait, et c'était bel et bien lié au drame qui avait frappé Ali. Il avait beau essayer, il n'arrivait pas à passer outre.

Quant au côté héros, ce qu'il avait fait promettre à Aimee et Erin, c'était autre chose. Dans tous les cas de figure, l'adolescence est un âge difficile. Le lycée est une zone de guerre. En son temps, Myron avait été le chouchou de ses camarades : vous pensez bien, un basketteur classé parmi les meilleurs au niveau national, l'athlète idéal, quoi. Si quelqu'un avait dû mener la belle vie au lycée, ç'aurait bien dû être Myron Bolitar. Or ça n'avait pas été le cas. Personne, au bout du compte, ne sort indemne de ces années-là.

Ce qu'il faut, c'est survivre à l'adolescence. Tout simplement. Attendre que ça passe.

C'est peut-être ce qu'il aurait dû dire aux filles.

4

Le lendemain matin, Myron est allé au travail.

Son bureau se trouvait au douzième étage de la tour Lock-Horne – oui, le même nom que Win – au croisement de Park Avenue et de la 52e Rue au centre de Manhattan. Lorsque les portes de l'ascenseur se sont ouvertes, il a été accueilli par un grand panneau, une nouveauté, sur lequel on lisait :

MB REPS

dans une police de caractères tarabiscotée. Esperanza avait inventé un nouveau logo. M signifiait Myron. B, Bolitar. *Reps* parce qu'ils faisaient de la représentation. Le nom, c'est Myron qui l'avait trouvé. Souvent, il marquait une pause après l'avoir dit et attendait la fin des applaudissements.

À l'origine, quand ils travaillaient exclusivement dans le domaine sportif, l'agence s'appelait MB Sports. Au cours des cinq dernières années, ils avaient élargi leur champ d'action et représentaient maintenant acteurs, écrivains et célébrités de tout poil. D'où l'astuce de l'abréviation. On vire le superflu, on dégraisse. L'esprit de MB Reps transparaissait jusque dans sa raison sociale.

Myron a entendu les pleurs du bébé. Esperanza était déjà là. Il a passé la tête dans son bureau.

Elle était en train d'allaiter. Il s'est empressé de baisser les yeux.

— Euh… je repasserai tout à l'heure.

— Ne faites pas l'andouille. On dirait que vous n'avez jamais vu un sein auparavant.

— Ma foi, ça fait un moment déjà.

— Et sûrement pas aussi spectaculaire, a-t-elle ajouté. Asseyez-vous.

Au début, MB Sports se résumait à Myron, agent de choc, et Esperanza, réceptionniste-secrétaire-femme à tout faire. Vous vous souvenez peut-être d'Esperanza du temps où elle était lutteuse professionnelle, sexy et agile, connue sous le nom de Petite Pocahontas. Tous les dimanches matin sur Channel 11, ici, dans la région de New York, elle montait sur le ring arborant un bandeau orné de plumes et un bikini en faux daim à vous faire sortir les yeux des orbites. Avec sa partenaire, Big Mama, connue dans la vraie vie sous le nom de Grosse Cyndi, elle défendait son titre au championnat intercontinental de catch à quatre pour le compte de la FFL, Fédération féminine de lutte, dite également les Fabuleuses Filles de la lutte. Initialement, la fédération devait s'appeler les Fabuleuses Odalisques de la lutte, mais l'acronyme qui en découlait posait problème à la chaîne de télévision.

Actuellement, Esperanza occupait le poste de vice-présidente chez MB Reps, mais dans les faits, c'est elle qui gérait pratiquement le secteur sportif.

— Désolée d'avoir raté votre fête de coming out.

— Ce n'était pas une fête de coming out.

— Si vous le dites. Hector avait chopé un rhume.

— Ça va mieux maintenant ?

— Il va bien, oui.

— Alors, quoi de neuf ?

— Michael Discepolo. Il faut qu'on s'occupe de son contrat.

— Les Giants continuent à traîner les pieds ?

— Oui.

— Dans ce cas, il est libre de ses mouvements, a dit Myron. Ce qui est une bonne chose, vu sa façon de jouer.

— Sauf que Discepolo est un type réglo. Il préfère signer.

Esperanza a décroché Hector de son téton et l'a placé contre l'autre sein. Myron s'est efforcé de ne pas détourner les yeux trop hâtivement. Il ne savait jamais quelle contenance adopter face à une femme qui allaitait devant lui. Il voulait se comporter en adulte, mais qu'est-ce que cela signifiait, au juste ? On ne matait pas, on ne regardait pas ailleurs non plus. C'était quoi, la marge entre les deux ?

— J'ai une nouvelle à vous annoncer, a dit Esperanza.

— Ah oui ?

— Tom et moi, on va se marier.

Myron n'a rien dit. Il a ressenti un drôle de pincement au cœur.

— Alors ?

— Félicitations.

— C'est tout ?

— Je suis surpris, voilà. Mais sincèrement, je trouve ça génial. C'est quand, le grand jour ?

— Samedi dans trois semaines. J'ai quelque chose à

vous demander. Maintenant que j'épouse le père de mon enfant, suis-je toujours une femme perdue ?

— Non, je ne le crois pas.

— Zut, ça me plaisait bien d'être une femme perdue.

— Oui, bon, vous avez quand même eu un enfant hors mariage.

— Bien vu. Je m'en contenterai.

Myron la regardait.

— Qu'est-ce qu'il y a ?

— Mariée, vous ?

Il a secoué la tête.

— L'engagement, ça n'a jamais été mon truc, hein ?

— Vous changez de partenaire comme un multiplexe les films de ses salles.

Esperanza a souri.

— C'est vrai.

— Je n'ai même pas souvenir que vous soyez restée avec le même sexe pendant, disons, plus d'un mois.

— Les miracles de la bisexualité, a-t-elle dit. Mais avec Tom, c'est différent.

— Dans quel sens ?

— Je l'aime.

Myron se taisait.

— Vous pensez que je suis incapable de rester fidèle à une seule personne.

— Je n'ai jamais dit ça.

— Vous savez ce que ça veut dire, bisexuel ?

— Évidemment. J'ai fréquenté beaucoup de femmes bisexuelles : dès que je parlais sexe, la fille répondait « au revoir ».

Esperanza s'est contentée de le regarder.

— OK, c'est une vieille blague. Simplement...

Il a eu un vague haussement d'épaules.

— J'aime les femmes et j'aime les hommes. Mais si

je m'engage, c'est vis-à-vis d'une personne, quel que soit son sexe. C'est clair, ce que je dis là ?

— Tout à fait.

— Bien. Maintenant, dites-moi ce qui ne va pas entre vous et cette Ali Wilder.

— Mais rien. Tout va bien.

— Win raconte que vous n'avez toujours pas consommé.

— Win a dit ça ?

— Oui.

— Quand ?

— Ce matin.

— Win est venu et vous l'a annoncé comme ça ?

— D'abord, il a fait une remarque sur la taille de mes bonnets depuis l'accouchement, et ensuite, oui, il m'a dit que vous sortiez avec cette femme depuis presque deux mois déjà et que vous n'aviez toujours pas commis la bagatelle.

— Qu'est-ce qui lui fait croire ça ?

— Le langage du corps.

— Il a dit ça ?

— Win s'y connaît en langage du corps.

Myron a secoué la tête.

— Alors, il a raison ?

— Je dîne chez Ali ce soir. Pendant que les gosses sont chez sa sœur.

— C'est elle qui a eu cette idée ?

— Oui.

— Et vous n'avez pas... ?

Malgré Hector qui continuait à téter, Esperanza a réussi à joindre le geste à la parole.

— Eh non.

— Nom d'une pipe.

— J'attends un signal.

— Quoi, genre buisson ardent ? Elle vous a invité chez elle et vous a dit que les gosses ne dormaient pas à la maison.

— Je sais.

— C'est un signal international qui signifie « saute-moi ».

Il n'a pas répondu.

— Myron ?

— Oui.

— Elle est veuve, pas infirme. Elle doit baliser à mort.

— C'est pour ça que j'y vais mollo.

— C'est très noble et émouvant, mais stupide. Et ça n'aide pas.

— Vous suggérez donc… ?

— Une monumentale partie de jambes en l'air.

5

Myron est arrivé chez Ali à sept heures du soir.

Les Wilder habitaient à Kasselton, à un quart d'heure au nord de Livingston. Avant de partir de chez lui, il s'était livré à un étrange rituel. Eau de toilette ou pas ? Ça, c'était facile : pas d'eau de toilette. Slip en coton blanc ou boxer ? Il a opté pour une solution intermédiaire, un hybride qui pouvait passer soit pour un boxer moulant, soit pour un long slip. « Slip boxer », lisait-on sur l'emballage. Et il l'a choisi en gris. Il a mis un pull Banana Republic de couleur fauve avec un T-shirt noir par-dessous. Son jean venait de chez Gap. Des mocassins Tod's pointure 48 achetés dans une boutique de déstockage complétaient sa panoplie d'Américain relax.

Ali lui a ouvert la porte. Derrière elle, l'éclairage était tamisé. Elle portait une robe noire échancrée. Ses cheveux étaient relevés en chignon. Myron aimait bien ça. La plupart des hommes préféraient les cheveux lâchés. Lui, il avait toujours eu un faible pour les visages dégagés.

Il l'a contemplée un moment, puis :

— Waouh !

— Tu ne m'avais pas dit que tu étais beau parleur ?

— Je me retiens.

— Mais enfin, pourquoi ?

— Si je commence, a dit Myron, les femmes des trois États frontaliers vont se mettre à retirer leurs vêtements. Je suis obligé de brider mon pouvoir.

— Tant mieux pour moi, alors. Allez, entre.

Il n'était encore jamais allé plus loin que le vestibule. Ali s'est dirigée vers la cuisine. Il a senti son estomac se nouer. Il y avait des photos de famille aux murs. Myron les a parcourues du regard. Il a repéré le visage de Kevin, au moins sur quatre d'entre elles. Il ne voulait pas être indiscret, mais ses yeux se sont arrêtés sur l'image d'Erin en train de pêcher avec son papa. Elle avait un sourire à vous fendre l'âme. Il a essayé d'imaginer la fille dans son sous-sol avec ce sourire-là, en vain.

Il a regardé Ali. Une ombre a traversé son visage.

Myron a humé l'air.

— Qu'est-ce que tu nous mitonnes ?

— Du poulet à la Kiev.

— Ça sent superbon.

— Tu veux bien qu'on parle d'abord ?

— Certainement.

Ils sont entrés dans le séjour. Décidé à garder la tête froide, Myron a jeté un coup d'œil alentour, cherchant d'autres photos. Il y avait une photo du mariage encadrée. La coiffure d'Ali était trop volumineuse, mais peut-être que c'était la mode à l'époque. Il la trouvait plus jolie maintenant. Il y a des femmes comme ça. Il a aperçu également une photo de cinq hommes en smoking noir et nœud pap assorti. Ali, qui avait suivi son regard, s'est approchée et a pris la photo de groupe.

— Lui, c'est le frère de Kevin, a-t-elle dit en montrant le deuxième homme à gauche.

Myron a hoché la tête.

— Les autres travaillaient avec Kevin chez Carson Wilkie. C'étaient ses meilleurs copains.

— Est-ce qu'ils… ?

— Tous morts, a-t-elle répondu. Tous mariés et pères de famille.

L'éléphant dans le magasin de porcelaine – d'un seul coup, tous les doigts étaient pointés sur lui.

— Tu n'es pas obligée de faire ça.

— Si, Myron, il le faut.

Ils se sont assis.

— Quand Claire nous a branchés tous les deux, a-t-elle commencé, je lui ai dit que tu devrais aborder la question du 11 Septembre. Elle t'en a parlé ?

— Oui.

— Mais tu ne l'as pas fait.

Il a ouvert la bouche, l'a refermée, s'est lancé à nouveau :

— Et comment étais-je censé m'y prendre, au juste ? Tiens, bonjour, alors comme ça, vous êtes une veuve du 11 Septembre, on va manger italien ou vous préférez chinois ?

— Bon d'accord, a acquiescé Ali.

Il y avait une horloge de parquet dans un coin, une espèce de mastodonte sculpté. Elle a choisi ce moment-là pour carillonner. Myron s'est demandé d'où elle venait, d'où venaient tous les objets qui les entouraient, ce qui restait de Kevin ici, dans cette maison, *sa* maison.

— Kevin et moi, on a commencé à sortir ensemble en première, au lycée. Puis, en entrant à la fac, on a décidé de faire un break. Moi, j'étais à l'université à New York.

Lui devait aller à Wharton. On était adultes, quoi. Mais quand on s'est revus à Thanksgiving... (Elle a haussé les épaules.) Je n'ai jamais connu d'autre homme. Jamais. Voilà, je l'ai dit. Je ne sais pas si on a bien fait ou non. Bizarre, hein ? Je pense qu'en un sens, on a appris ensemble.

Myron était assis sur le canapé. Trente centimètres à peine le séparaient d'elle. Il ne savait pas trop quelle attitude adopter... comme d'habitude. Il a posé sa main à côté de la sienne. Elle l'a prise et l'a gardée.

— Je ne sais plus à quel moment j'ai senti que j'étais prête à sortir à nouveau avec quelqu'un. Il m'a fallu plus de temps qu'aux autres veuves. On en discute entre nous, bien sûr... les veuves, j'entends. On discute beaucoup. Et un jour, je me suis dit : OK, allons-y. J'en ai parlé à Claire. Et quand elle m'a suggéré de sortir avec toi, tu sais ce que j'ai pensé ?

Myron a secoué la tête.

— Que ça pourrait être marrant. J'ai cru – ça va te paraître stupide, et surtout n'oublie pas que je ne te connaissais pas alors – que tu ferais une bonne transition.

— Une transition ?

— Mais oui, tu comprends. Tu avais été un sportif de haut niveau. Tu as dû avoir des tas de femmes. Je me disais que ce serait une aventure sympa. Un truc purement physique. Et qu'ensuite, je me trouverais peut-être quelqu'un de bien. Tu vois ce que je veux dire ?

— Je pense que oui. En fait, tu n'en voulais qu'à mon corps.

— C'est à peu près ça, oui.

— Je me sens tellement minable, a-t-il dit. Ou serait-ce honoré ? Allons-y pour honoré.

Ça a fait sourire Ali.

— S'il te plaît, ne te vexe pas.

— Je ne suis pas vexé.

Puis :

— Effrontée, va.

Elle a ri. Elle avait un rire mélodieux.

— Alors, qu'est-ce qui est arrivé à ton plan ? a-t-il demandé.

— Tu ne correspondais pas à ce que j'attendais.

— C'était une bonne ou une mauvaise chose ?

— Je ne sais pas. Tu avais fréquenté Jessica Culver. J'ai lu ça dans un magazine people.

— C'est vrai.

— C'était sérieux ?

— Oui.

— C'est un superbe écrivain.

Myron a hoché la tête.

— Elle est aussi belle à couper le souffle.

— Tu es belle à couper le souffle.

— Pas de cette façon-là.

Il a failli protester, mais il craignait de paraître trop condescendant.

— Quand tu m'as invitée à sortir avec toi, j'ai pensé que tu cherchais quelque chose de… je ne sais pas, de différent.

— Différent comment ?

— Le fait que je sois une veuve du 11 Septembre. J'ai horreur de l'admettre, mais ça me donne une sorte d'aura macabre.

Il comprenait. Il a repensé aux paroles de Win, à la première chose qui vous passait par la tête quand on entendait son nom.

— J'ai donc supposé – une fois de plus, sans te connaître, sachant seulement que tu étais sportif, séduisant et que tu sortais avec des femmes qui ressemblaient à des top models – j'ai supposé que je pourrais être une pièce intéressante dans ta collection.

— Parce que tu étais une veuve du 11 Septembre ?

— Oui.

— Tu dérailles complètement.

— Pas tant que ça.

— Que veux-tu dire ?

— Je viens de te l'expliquer. Il y a cette drôle d'aura. Des gens qui normalement ne m'auraient pas adressé la parole voulaient soudain me rencontrer. Et ça continue. Il y a un mois, je me suis inscrite dans un nouveau club de tennis. Une bonne femme – une riche snobinarde qui ne m'aurait même pas laissée poser le pied sur sa pelouse quand nous sommes arrivés ici – s'est approchée de moi en tirant une tronche de cake.

— Une tronche de cake ?

— C'est comme ça que ça s'appelle. Une tronche de cake. Tu veux savoir à quoi ça ressemble ?

En guise de démonstration, Ali a pincé les lèvres, froncé les sourcils et battu des cils.

— On dirait Donald Trump aspergé de macis.

— C'est ça, une tronche de cake. J'y ai droit en permanence depuis la mort de Kevin. Je n'en veux à personne. C'est normal. Mais cette bonne femme, elle vient me voir avec sa tronche de cake, elle me prend les deux mains et, les yeux dans les yeux, dégoulinante de sollicitude, me dit : « Vous êtes Ali Wilder ? Oh, je voulais tellement vous rencontrer. Comment allez-vous ? » Tu vois le tableau ?

— Je vois, oui.

Elle l'a regardé.

— Quoi ?

— Toi, tu es devenu la version galante de la tronche de cake.

— Je crains de ne pas suivre.

— Tu n'arrêtes pas de me dire que je suis belle.

— Parce que c'est la vérité.

— On s'est rencontrés trois fois à l'époque où j'étais mariée.

Myron n'a rien dit.

— Tu me trouvais belle à ce moment-là ?

— J'évite d'avoir ce genre de pensée vis-à-vis de femmes mariées.

— Tu te souviens seulement de m'avoir rencontrée ?

— Pas vraiment, non.

— Et si j'avais ressemblé à Jessica Culver, même mariée, tu t'en serais souvenu.

Elle s'est tue.

— Que veux-tu que je te dise, Ali ?

— Rien. Mais il est temps de cesser de me traiter comme la tronche de cake. Peu importe pourquoi tu as eu envie de me fréquenter. Ce qui compte, c'est la raison pour laquelle tu es là aujourd'hui.

— Je peux faire ça ?

— Faire quoi ?

— Te dire pourquoi je suis là aujourd'hui ?

Ali a dégluti. Pour la première fois, elle avait l'air de manquer d'assurance. D'un geste de la main, elle l'a invité à continuer.

Il s'est lancé.

— Je suis là parce que tu me plais beaucoup… je marche peut-être à côté de mes pompes, et tu as peut-être raison à propos de la tronche de cake, mais le fait est que je suis là en ce moment même parce que je n'arrête pas de penser à toi. Je pense à toi tout le temps, et je souris bêtement. Comme ça.

À son tour, il lui a fait une démonstration.

— C'est pour ça que je suis là, OK ?

— Ça, a dit Ali en s'efforçant de retenir un sourire, c'est une vraie bonne réponse.

Il allait lâcher une vanne, mais il s'est retenu. Avec la maturité vient la modération.

— Myron ?

— Oui ?

— Je veux que tu m'embrasses. Que tu me prennes dans tes bras. Que tu m'emmènes en haut et que tu me fasses l'amour. Sans rien attendre parce que moi je n'attends rien. Je pourrais te jeter demain. Ou l'inverse. Peu importe. Mais je ne suis pas vulnérable. Je ne vais pas décrire l'enfer de ces cinq dernières années, mais je suis plus forte que tu ne l'imagines. Si notre relation perdure au-delà de cette nuit, ce sera à toi d'être fort, pas à moi. Ceci est une offre sans aucune obligation. Je sais à quel point tu tiens à te montrer noble et courageux. Mais je ne veux pas de ça. Tout ce que je veux ce soir, c'est toi.

Se penchant, Ali l'a embrassé sur la bouche. Délicatement d'abord, puis avec plus d'ardeur. Une lame de fond a balayé Myron.

Elle l'a embrassé à nouveau. Et il s'est senti perdu.

Une heure plus tard – ou peut-être seulement vingt minutes –, Myron s'est effondré et a roulé sur le dos.

— Alors ? a dit Ali.

— Nom d'un chien !

— Mais encore ?

— Laisse-moi reprendre mon souffle.

En riant, Ali s'est pelotonnée contre lui.

— Mes membres, a-t-il dit. Je ne sens plus mes membres.

— Rien du tout ?

— Un léger picotement peut-être.

— Pas si léger que ça. Et tu n'étais pas mauvais non plus.

— Comme l'a dit Woody Allen, je m'exerce beaucoup quand je suis tout seul.

Elle a posé la tête sur sa poitrine. Son cœur affolé commençait à ralentir. Il a fixé le plafond.

— Myron ?

— Oui.

— Il ne sortira jamais de ma vie. Pas plus qu'il ne quittera Erin et Jack.

— Je sais.

— La plupart des hommes sont incapables de gérer ça.

— Moi non plus, je ne sais pas si j'en suis capable.

Elle l'a regardé en souriant.

— Quoi ?

— Tu es honnête. J'aime bien ça.

— Finie, la tronche de cake ?

— Oh, je l'ai fait dégager il y a vingt minutes.

Il a pincé les lèvres, froncé les sourcils et battu des cils.

— Attends, elle est de retour.

Elle a reposé la tête sur son torse.

— Myron ?

— Oui ?

— Il ne sortira jamais de ma vie, a-t-elle dit. Mais il n'est pas là en ce moment. Là, tout de suite, je crois qu'il n'y a que nous deux.

6

Au troisième étage du centre médical St. Barnabas, l'enquêtrice de police du comté d'Essex, Loren Muse, a frappé à la porte sur laquelle était vissée la plaque EDNA SKYLAR, MÉDECIN GÉNÉTICIEN.

Une voix féminine a répondu :

— Entrez.

Loren a poussé la porte. Skylar s'est levée. Elle était plus grande que Loren, ce qui n'était pas bien difficile. La main tendue, elle a traversé la pièce. Les deux femmes ont échangé une ferme poignée de main accompagnée d'un regard direct. Edna Skylar l'a gratifiée d'un signe de tête fraternel. Loren avait déjà vu ça. Le fait de travailler dans un secteur à prédominance masculine, ça crée un lien, forcément.

— Je vous en prie, prenez un siège.

Elles se sont assises. Le bureau d'Edna était impeccablement rangé. Pas un papier ne dépassait de la pile de chemises en carton. La pièce elle-même était impersonnelle, dominée par une baie vitrée avec vue imprenable sur le parking.

Loren n'aimait pas beaucoup la manière dont le Dr Skylar semblait la dévisager. Elle a attendu un peu. Skylar continuait à la fixer.

— Un problème ? a demandé Loren.

Edna Skylar a souri.

— Désolée, c'est une manie chez moi.

— Quoi donc ?

— D'étudier les visages.

— Hmm.

— Ce n'est pas important. Ou peut-être que si. C'est comme ça que j'ai atterri dans ce pétrin.

Loren avait hâte d'en venir au fait.

— Vous avez dit à mon chef que vous aviez des informations sur Katie Rochester ?

— Comment va Ed ?

— Il va bien.

Edna a eu un sourire chaleureux.

— C'est un homme charmant.

— Ouais, a acquiescé Loren, un ange.

— Je le connais depuis longtemps.

— C'est ce qu'il m'a dit.

— C'est pour ça que j'ai appelé Ed. On a eu une longue conversation à propos de cette affaire.

— Tout à fait. Et c'est pour ça qu'il m'a envoyée ici.

Edna Skylar a regardé par la fenêtre. Loren a essayé de deviner son âge. La soixantaine bien tassée, sûrement, mais qu'elle portait fort bien. C'était une belle femme, cheveux gris coupés court, pommettes saillantes, capable d'arborer un tailleur beige sans paraître trop hommasse ni exagérément féminine.

— Docteur Skylar ?

— Pourriez-vous m'en dire un peu plus sur cette affaire ?

— Je vous demande pardon ?

— Katie Rochester. Est-elle officiellement portée disparue ?

— Je ne vois pas très bien le rapport.

Le regard d'Edna Skylar est revenu se poser lentement sur Loren Muse.

— Pensez-vous qu'elle a été victime d'un criminel…

— Je ne suis pas habilitée à vous parler de cela.

— … ou qu'il puisse s'agir d'une fugue ? Quand j'en ai discuté avec Ed, il semblait convaincu qu'elle avait fugué. Elle a retiré de l'argent dans un distributeur du centre-ville. Son père est un individu peu reluisant.

— Le procureur Steinberg vous a dit tout ça ?

— Oui.

— Alors pourquoi me demander mon avis ?

— Je connais son point de vue, a répondu Edna. J'aimerais avoir le vôtre.

Loren allait protester, mais le Dr Skylar s'était remise à la scruter attentivement. Elle a cherché des yeux des photos de famille sur son bureau. Il n'y en avait pas. Que fallait-il en penser ? Rien, a-t-elle décidé. Skylar attendait.

— Elle a dix-huit ans, a hasardé Loren prudemment.

— Je sais.

— Elle est donc adulte.

— Ça aussi, je le sais. Mais le père ? Croyez-vous qu'il y aurait des violences familiales là-dessous ?

Loren a hésité sur la réponse à lui donner. Pour tout dire, elle n'aimait pas le père, et ce, depuis le départ. D'après le CIPJ, Dominick Rochester entretenait des liens avec la mafia, ceci expliquant peut-être cela. Mais il y a chagrin et chagrin. Chacun réagit différemment au malheur qui le frappe. Et la réaction n'est pas nécessairement fonction de la culpabilité. Il y a des assassins qui versent des larmes à faire pâlir Al Pacino. Et d'autres qui manifestent autant d'émotion qu'un robot. Pareil avec les innocents. Prenez un groupe de gens. Une grenade est lancée au milieu de la foule : impossible de savoir à l'avance qui va se précipiter sur l'engin et qui va courir se mettre à l'abri.

Cela étant dit, le père de Katie Rochester... son chagrin ne sonnait pas tout à fait juste. Ça coulait beaucoup trop librement. Comme s'il essayait des masques pour voir lequel conviendrait le mieux en public. Et la mère, avec sa mine ravagée. Était-ce de la détresse ou de la résignation ? Difficile à dire.

— Nous n'avons aucune preuve en ce sens, a dit Loren sur le ton le plus neutre qui soit.

Edna Skylar n'a pas réagi.

— Je les trouve un peu curieuses, ces questions, a ajouté la jeune femme.

— C'est parce que je ne sais pas très bien quoi faire.

— À propos de quoi ?

— Si un crime a été commis, j'aimerais me rendre utile. Mais...

— Mais ?

— Je l'ai vue.

Loren Muse se taisait, espérant qu'elle en dirait davantage. Puis, comme rien ne venait :

— Vous avez vu Katie Rochester ?

— Oui.

— Quand ça ?

— Ça va faire trois semaines samedi.

— Et vous nous dites ça maintenant ?

Edna Skylar regardait à nouveau le parking. Les rayons obliques du soleil couchant filtraient à travers les stores vénitiens, et cet éclairage la faisait paraître plus vieille que son âge.

— Docteur Skylar ?

— Elle m'a priée de ne rien dire.

Elle avait répondu sans se retourner.

— Qui, Katie ?

Le regard toujours rivé sur le parking, Edna Skylar a hoché la tête.

— Vous lui avez parlé ?

— Une seconde, pas plus.

— Et qu'a-t-elle dit ?

— Elle m'a demandé de ne révéler à personne que je l'avais vue.

— Et ?

— C'est tout. L'instant d'après, elle était partie.

— Partie ?

— Dans une rame de métro.

Les mots venaient plus facilement, à présent. Edna a tout raconté à Loren : comment elle scrutait les visages des passants dans la rue, comment elle a repéré la fille malgré son changement d'apparence, comment elle l'a suivie dans le métro avant qu'elle ne disparaisse dans le noir.

Loren a pris des notes, mais dans l'ensemble, le récit d'Edna confirmait ce qu'elle pensait depuis le début. La gamine avait pris la tangente. Comme Ed Steinberg l'avait déjà dit à Skylar, il y avait eu un retrait au distributeur de la Citibank au centre de Manhattan, à peu près au moment de sa disparition. Loren avait visionné la vidéo de la banque. Le visage était masqué par une capuche, mais c'était très vraisemblablement la petite Rochester. Le père avait dû pousser le bouchon trop loin, côté autorité. C'est un classique, dans les affaires de fugue. Avec des parents trop libéraux, les gosses ont tendance à tomber dans la drogue. Les parents conservateurs, eux, sont confrontés à des problèmes de fugues à connotations sexuelles. C'étaient des généralités, certes, mais jusque-là Loren avait rencontré très peu d'exceptions à la règle.

Elle a posé quelques questions complémentaires. Il n'y avait pas grand-chose à faire, dans le cas présent. La fille était majeure. Ils n'avaient aucune raison, d'après ce compte rendu, de soupçonner un acte criminel. À la télé, on fait appel au FBI et on confie l'enquête à une équipe. Des choses qui n'arrivent pas dans la vraie vie.

Cependant, quelque chose titillait Loren. Certains appellent ça l'intuition. Elle avait horreur de ça. Pressentiments, impressions… ça ne marchait pas non plus. Elle s'est demandé ce que son chef, Ed Steinberg, allait faire. Rien, probablement. Ils étaient occupés à travailler avec le procureur fédéral sur deux affaires : la première concernait un présumé terroriste et la seconde, un politicien de Newark suspecté de détournement de fonds.

Avec des moyens aussi limités, fallait-il persister à enquêter sur ce qui, de toute évidence, était une fugue ? Le dilemme était de taille.

— Et pourquoi maintenant ? a demandé Loren.

— Comment ?

— Vous n'avez rien dit pendant trois semaines. Qu'est-ce qui vous a fait changer d'avis ?

— Avez-vous des enfants, inspecteur Muse ?

— Non.

— Moi, si.

Le regard de Loren a balayé le bureau, le meuble de rangement, le mur. Aucune photo de famille. Aucune trace d'enfants ou de petits-enfants. Skylar a souri, comme si elle avait deviné ce qu'elle cherchait.

— J'ai été une mère déplorable.

— Je ne comprends pas très bien.

— J'étais, disons, du style plutôt laxiste. Dans le doute, je laissais faire.

Loren n'a rien dit.

— Une erreur colossale.

— Je ne comprends toujours pas.

— Moi non plus. Seulement, cette fois…

La voix d'Edna s'est brisée. Elle a dégluti et contemplé ses mains avant de lever les yeux sur Loren.

— Ce n'est pas parce qu'une situation paraît normale qu'elle l'est forcément. Katie Rochester a peut-être besoin d'aide. Et cette fois, je ne devrais peut-être pas me contenter de laisser faire.

Le retour de manivelle a eu lieu exactement à 2 h 17 du matin.

Trois semaines avaient passé depuis la promesse faite dans le sous-sol. C'était le jour du mariage d'Esperanza. Myron était accompagné d'Ali. C'est lui qui devait conduire la mariée à l'autel. Tom – de son vrai nom Thomas Bidwell III – était un cousin de Win. L'assistance n'était pas nombreuse. Bizarrement, la famille de Tom, qui comptait dans ses rangs des membres fondateurs des Filles de la Révolution américaine, n'était pas emballée par son mariage avec une Latino du Bronx nommée Esperanza Diaz. Allez comprendre.

— C'est drôle, a dit Esperanza.

— Quoi donc ?

— J'ai toujours cru que je ferais un mariage d'argent, pas d'amour.

Elle s'est inspectée dans la glace.

— Et voilà que je me marie par amour, et que j'ai l'argent en prime.

— L'ironie n'est pas morte.

— Tant mieux. Vous allez descendre à Miami voir Rex ?

Rex Storton était une star de cinéma sur le retour dont ils s'occupaient.

— Je prends l'avion demain après-midi.

Esperanza a pivoté et, ouvrant les bras, l'a gratifié d'un sourire éclatant.

— Alors ?

Elle était éblouissante à voir. Myron a dit :

— Waouh !

— Vous trouvez ?

— Je trouve.

— Alors, allons-y. Amenez-moi à la corde qu'on va me passer au cou.

— Allons-y.

— Une chose d'abord.

Elle l'a entraîné à l'écart.

— Je veux que vous soyez heureux pour moi.

— Mais je le suis.

— Je ne vous quitte pas.

— Je sais.

Esperanza a scruté son visage.

— Nous sommes toujours les meilleurs amis, a-t-elle dit. Vous comprenez ? Vous, moi, Win, la Grosse Cyndi. Rien n'a changé.

— Bien sûr que si, a rétorqué Myron. Tout a changé.

— Je vous aime, vous savez ça ?

— Moi aussi, je vous aime.

Elle a souri. Esperanza a toujours été belle à couper le souffle. D'ordinaire, sa tenue préférée, c'était un sarrau de paysan. Mais aujourd'hui, dans cette robe, le mot « lumineuse » était trop faible pour la décrire. Elle, l'indomptable, le feu follet, elle qui avait clamé haut et fort son refus de se ranger, la voilà qui se mariait après avoir eu un bébé. Même Esperanza avait mûri.

— Vous avez raison, a-t-elle déclaré. Mais le changement, c'est dans l'ordre des choses. Et vous avez horreur du changement.

— Ne commencez pas avec ça.

— Regardez-vous. Vous avez vécu chez vos parents jusqu'à l'âge de trente-cinq ans. Vous avez acheté la maison de votre enfance. Encore maintenant, vous passez le plus clair de votre temps avec un copain de fac qui, soyons honnêtes, ne changera jamais.

Il a levé la main.

— C'est bon, j'ai compris.

— C'est quand même drôle.

— Quoi ?

— J'ai toujours cru que vous seriez le premier à convoler.

— Moi aussi.

— Win... enfin, comme je viens de le dire, ce n'est même pas la peine d'aborder le sujet. Mais vous, vous étiez si prompt à tomber amoureux, surtout de cette salope de Jessica.

— Ne l'appelez pas comme ça.

— Bref. C'est vous qui étiez à fond pour le rêve américain : se marier, avoir deux virgule six marmots, inviter des potes au barbecue et tout le tremblement.

— Et pas vous.

Esperanza a souri.

— N'est-ce pas vous qui m'avez appris : *Men tracht un Got lacht* ?

— Ah, j'adore ça, une *shiksa* qui parle yiddish.

Esperanza a passé la main dans le cercle du bras de Myron.

— Ce n'est pas forcément un mal, vous savez.

— Je sais.

Elle a pris une grande inspiration.

— On y va ?

— Vous avez le trac ?

Elle lui a lancé un regard.

— Absolument pas.

— Alors en avant.

Il l'a escortée le long de la nef centrale. Au départ, ce n'était qu'une formalité flatteuse – remplacer le père qu'elle avait perdu –, mais lorsque Myron a mis la main d'Esperanza dans celle de Tom, que Tom a souri et lui a serré la main, il a senti ses yeux déborder. Il a reculé et s'est assis au premier rang.

Le mariage n'était pas tant un mélange éclectique qu'une miraculeuse collision. Win était le témoin de Tom, tandis que la Grosse Cyndi servait de demoiselle d'honneur à la mariée. La Grosse Cyndi, son ex-partenaire de catch à quatre, mesurait un mètre quatre-vingt-quinze et avait confortablement franchi la barre des cent cinquante kilos. Ses poings ressemblaient à des jambonneaux. Elle avait hésité sur la tenue à choisir : traditionnelle robe pêche des demoiselles d'honneur ou corset de cuir noir. Et elle avait opté pour un compromis – cuir pêche avec un bord frangé, sans manches, pour dévoiler des bras dont la taille et la consistance évoquaient les colonnes de marbre d'un manoir fin XVIIIe. Sa coiffure enfin, un iroquois mauve, s'ornait d'un petit couple de mariés comme ceux qui trônent normalement au-dessus d'une pièce montée.

Alors qu'elle était en train d'essayer sa… robe, la Grosse Cyndi avait écarté les mains et pirouetté devant Myron. Des océans avaient reflué dans leur lit, des galaxies avaient chaviré.

— Qu'en pensez-vous ? a-t-elle demandé.

— Mauve et pêche ?

— C'est très hype, monsieur Bolitar.

Elle l'appelait « monsieur » ; la Grosse Cyndi aimait les formules protocolaires.

Tom et Esperanza ont échangé des vœux dans une petite église pittoresque. Les travées étaient fleuries de pavots blancs. Du côté de Tom, tout le monde était en noir et blanc… une mer de pingouins. Le côté d'Esperanza était tellement coloré qu'on aurait dit la parade de Halloween dans Greenwich Village. L'orgue jouait des airs magnifiques. Le chœur chantait comme des anges. L'atmosphère était on ne peut plus sereine.

Pour le banquet, toutefois, Tom et Esperanza avaient voulu un décor original. Ils avaient loué un club SM du côté de la Onzième Avenue, appelé Cuir et Désir. La Grosse Cyndi travaillait là comme videuse, et quelquefois, tard dans la nuit, elle montait sur scène pour un numéro défiant l'imagination.

Myron et Ali se sont garés sur un parking à côté du West Side Highway. Ils sont passés devant un sex-shop ouvert non-stop à l'enseigne du Palais de la pute du roi David. Les vitres étaient badigeonnées de peinture blanche. Sur la porte, un grand écriteau annonçait : CHANGEMENT DE DIRECTION.

— Eh ben, a dit Myron en désignant le panneau. Il était temps, hein ?

Ali a hoché la tête.

— Ç'a été si mal dirigé jusque-là.

Quand ils se sont engouffrés dans Cuir et Désir, elle s'est promenée partout comme si elle était au Louvre, lorgnant les photos aux murs, examinant les accessoires, les costumes, le matériel de bondage.

— Je suis désespérément naïve, a-t-elle fait en secouant la tête.

— Pas désespérément, non, a répondu Myron.

Ali a pointé le doigt sur quelque chose de noir et de long qui ressemblait à des intestins humains.

— Qu'est-ce que c'est ?

— Aucune idée.

— Tu es branché, euh… ?

— Oh non.

— Dommage, a dit Ali.

Puis :

— Je plaisante, voyons. Bien sûr que je plaisante.

Leur idylle progressait, mais la réalité – fréquenter une femme avec deux enfants – prévalait. Il n'y avait pas eu d'autre nuit ensemble. Myron n'avait échangé que de brefs saluts avec Erin et Jack. Ils ne savaient pas s'ils devaient aller vite ou doucement dans leur relation, mais Ali tenait absolument à ce qu'ils prennent leur temps en ce qui concernait les enfants.

Elle était obligée de partir de bonne heure. Jack avait un projet à réaliser pour l'école, et elle avait promis de l'aider. Myron l'a raccompagnée à la voiture. Lui-même avait décidé de dormir en ville.

— Tu vas rester longtemps à Miami ? a demandé Ali.

— Une nuit ou deux.

— Tu vas avoir envie de gerber si je te dis que tu me manqueras ?

— Pas trop, non.

Elle l'a embrassé tendrement. Myron l'a regardée partir, le cœur en liesse, puis il a regagné le banquet.

Dans la mesure où il avait décidé de rester de toute façon, il s'est mis à boire. Myron n'était pas ce qu'on pourrait appeler un grand buveur – il tenait l'alcool à peu près aussi bien qu'une collégienne de quatorze ans –, mais ce soir-là, avec toutes ces réjouissances aussi merveilleuses que loufoques, il se sentait d'humeur à se pinter. Win l'a suivi, même s'il lui en fallait beaucoup plus pour prendre une cuite. Il avait commencé le cognac au biberon. Et il manifestait rarement des signes extérieurs d'ébriété.

Ce soir, ça n'avait pas d'importance. La limousine de Win les attendait déjà pour les ramener à la maison.

L'appartement de Win au Dakota valait environ un milliard de dollars et était décoré dans le style château de Versailles. À leur arrivée, Win s'est servi un verre de porto millésimé, le Quinta do Noval Nacional 1963, qui coûtait les yeux de la tête. La bouteille avait été décantée plusieurs heures auparavant car, disait Win, il fallait laisser au porto le temps de respirer avant de le consommer. Normalement, Myron buvait un Yoo-Hoo au chocolat, mais son estomac n'était pas d'attaque. Et puis, le chocolat n'aurait pas eu le temps de respirer.

Win a allumé la télé, et ils ont regardé l'*Antique Roadshow*. Une femme BCBG avec un accent traînant avait apporté un immonde buste en bronze. Elle racontait au commissaire-priseur qu'en 1950, Dean Martin avait offert dix mille dollars à son père pour ce malheureux bout de métal, mais son papa, a-t-elle dit, le doigt en l'air et le sourire matois, était plus malin que ça. Il savait bien que le buste devait valoir une fortune. Le commissaire-priseur hochait patiemment la tête et, quand elle a eu terminé, il a rapproché le micro.

— Ça vaut dans les vingt dollars.

Myron et Win se sont tapé dans la main sans bruit.

— Se réjouir du malheur d'autrui, a dit Win.

— Nous sommes au-dessous de tout, a acquiescé Myron.

— Ce n'est pas nous, c'est cette émission. Elle met en lumière tout ce qui ne va pas dans notre société.

— Comment ça ?

— Les gens, ça ne leur suffit pas de posséder une babiole qui vaut une fortune. Non, c'est tellement mieux de l'avoir achetée pour une bouchée de pain à quelque pauvre gogo qui ne se doutait de rien. Personne ne tient compte du brocanteur qui s'est fait blouser dans l'histoire.

— Bien vu.

— Ah, mais ce n'est pas tout.

Myron a souri, s'est calé dans son fauteuil.

— La cupidité, passe encore, a poursuivi Win. Le plus affligeant, c'est que tout le monde – tous autant qu'ils sont – ment dans l'*Antique Roadshow*.

Myron a hoché la tête.

— Tu veux dire, quand le commissaire-priseur demande : « Avez-vous la moindre idée de ce que ça vaut ? »

— Exactement. Il pose cette question chaque fois. Et M. ou Mme Prout-Prout réagissent comme s'ils étaient pris de court… comme s'ils n'avaient jamais vu l'émission.

— C'est énervant, a confirmé Myron.

— Ils disent : « Ciel, je n'y avais pas pensé. Je n'ai aucune idée de sa valeur. »

Win a froncé les sourcils.

— Non mais, franchement. Tu as traîné ton armoire en granite qui pèse deux tonnes dans un centre de conférences anonyme, tu as fait douze heures de queue… mais jamais, au grand jamais, tu ne t'es demandé ce qu'elle pouvait valoir ?

— Un bobard, a opiné Myron. Du même ordre que « Nous vous remercions de votre appel ».

— C'est pour ça qu'on jubile quand une bonne femme comme celle-ci se prend une grosse claque. Les mensonges. La cupidité. Pareil quand un ballot, dans *La*

Roue de la fortune, connaît la réponse mais choisit toujours un tour supplémentaire pour s'arrêter sur banqueroute.

— C'est comme dans la vie, a énoncé Myron qui sentait l'alcool lui monter à la tête.

— Tu l'as dit, bouffi.

À ce moment-là, la sonnerie de l'Interphone a retenti.

L'estomac de Myron s'est noué. Il a consulté sa montre. Une heure trente du matin. Il s'est contenté de regarder Win qui affichait un masque placide. Il était encore beau, trop beau, mais l'âge, les excès, les nuits de violence ou, comme ce soir, de sexe commençaient à se faire sentir légèrement.

Myron a fermé les yeux.

— C'est une… ?

— Oui.

Il a soupiré, s'est levé.

— Tu aurais dû me prévenir.

— Pourquoi ?

Ils avaient déjà eu cette discussion. Ça ne menait à rien.

— C'est une nouvelle boîte dans l'Upper West Side, a dit Win.

— Comme c'est pratique.

Sans un mot de plus, Myron s'est dirigé vers sa chambre. Win est allé ouvrir. Tout déprimé qu'il était, Myron a risqué un coup d'œil. La fille était jeune et jolie. Elle a lancé « Salut ! » d'une voix faussement enjouée. Sans répondre, Win lui a fait signe de le suivre. Elle a obtempéré, vacillant sur des talons trop hauts. Ils se sont engouffrés dans le couloir.

Comme l'a fait remarquer Esperanza, on a beau vouloir changer certaines choses, ça ne marche pas toujours.

Myron a fermé la porte et s'est écroulé sur le lit. L'alcool l'avait assommé. Le plafond tournait. Qu'à cela ne tienne. Il s'est demandé s'il allait être malade. Probablement pas. Il a chassé la vision de la fille de son esprit. Elle est partie plus facilement que d'habitude, signe chez lui d'un changement qui ne présageait rien de bon. Il n'entendait aucun bruit – la chambre que Win utilisait (et qui n'était évidemment pas la sienne) – était insonorisée. Finalement, Myron a fermé les yeux.

L'appel est arrivé sur son portable.

Myron l'avait mis sur vibreur. Il a tressauté sur sa table de chevet. Tiré de son demi-sommeil, Myron a tendu la main. Il a roulé sur le flanc, et une douleur fulgurante lui a transpercé le crâne. C'est là qu'il a vu l'heure sur le réveil digital.

2 h 17.

Il n'a pas consulté l'identité de l'appelant avant de répondre.

— Allô ? a-t-il croassé.

Il a entendu le sanglot d'abord.

— Allô ? a-t-il répété.

— Myron ? C'est Aimee.

— Aimee !

Il s'est dressé sur son lit.

— Qu'est-ce qui se passe ? Où es-tu ?

— Tu m'as dit que je pouvais t'appeler. (Nouveau sanglot.) À n'importe quelle heure, pas vrai ?

— Absolument. Où es-tu, Aimee ?

— J'ai besoin d'aide.

— OK, pas de problème. Dis-moi seulement où tu es.

— Oh, mon Dieu…

— Aimee ?

— Tu ne le diras à personne ?

Il a hésité. Il a revu Claire, la mère d'Aimee, au même âge et a ressenti un drôle de pincement au cœur.

— Tu as promis. Tu as promis de ne rien dire à mes parents.

— Je sais. Où es-tu ?

— Tu promets de ne pas le dire ?

— Je te le promets, Aimee. Maintenant, dis-moi où tu es.

7

Myron a enfilé un survêtement de jogging.

Il était encore un peu dans les vapes, le cerveau embrumé par les effets de l'alcool. La bonne blague : il avait dit à Aimee de l'appeler pour lui éviter de monter en voiture avec quelqu'un qui avait bu, or voilà qu'il était lui-même pompette. Il s'est efforcé d'évaluer objectivement son état. Il se sentait capable de conduire, mais n'était-ce pas le propre de tous les buveurs ?

Il pouvait toujours demander à Win, sauf que ce dernier était occupé ailleurs. Et qu'il avait picolé encore plus, malgré sa sobriété de façade. Dans tous les cas de figure, il ne fallait pas foncer tête baissée, hein ?

Bonne question.

Le parquet du couloir venait d'être refait. Myron a décidé de procéder à un test. Il a marché le long d'une lame, en ligne droite, comme s'il avait été alpagué par un flic. Il a réussi, mais bon, toute modestie mise à part, il avait toujours été parfaitement coordonné. À tous les coups, il pouvait réussir ce test, même passablement beurré.

Qu'est-ce qu'il avait comme choix ? Même s'il trouvait quelqu'un d'autre pour conduire à cette heure-ci, quelle serait la réaction d'Aimee si elle le voyait se pointer avec un inconnu ? C'est lui, Myron, qui lui avait fait promettre de l'appeler en cas de pépin. Lui qui lui avait fourré la carte avec tous ses numéros de téléphone dans la main. Lui qui, comme Aimee venait de le souligner, avait juré le secret absolu.

Bref, c'était à lui d'y aller.

N'étant pas grand amateur de voitures, il possédait une Ford Taurus surnommée « Piège à filles ». Une voiture, c'était fait pour le transporter d'un point A à un point B. L'important, ce n'était pas le nombre de chevaux ni de cylindres, mais le fait d'avoir les commandes radio au volant pour pouvoir zapper d'une station à l'autre.

Il a composé le numéro d'Aimee sur son portable. Elle a répondu d'une petite voix :

— Allô ?

— J'arrive.

Elle n'a rien dit.

— Si tu restais en ligne ? a-t-il suggéré. Pour que je m'assure que tout va bien.

— Je n'ai presque plus de batterie. Je suis obligée de l'économiser.

— J'en ai pour dix minutes, un quart d'heure.

— De Livingston ?

— J'étais resté en ville.

— Ah, tant mieux. À tout de suite.

Elle a coupé la communication. Myron a jeté un œil sur l'horloge du tableau de bord. Deux heures et demie. Les parents d'Aimee devaient être fous d'inquiétude. Pourvu qu'elle les ait déjà appelés. Il a été tenté de téléphoner lui-même, mais ç'aurait été une erreur. Une fois qu'il l'aurait récupérée, en revanche, il l'inciterait à les prévenir.

Aimee se trouvait, bizarrement, quelque part dans le centre de Manhattan. Elle avait dit qu'elle l'attendrait à l'angle de la Cinquième Avenue et de la 54e Rue. C'était tout à côté du Rockefeller Center. Le plus étrange, dans le cas d'une jeune fille de dix-huit ans partie prendre une cuite dans la Grosse Pomme, c'est que ce quartier de la ville était désert pendant la nuit. Les jours de semaine, les rues grouillaient d'employés. Le week-end était réservé au commerce pour touristes. Mais le samedi soir, il n'y avait pas un chat dehors. New York a beau être la ville qui ne dort jamais, lorsqu'il s'est engagé dans la Cinquième Avenue à la hauteur des rues 50 et quelque, le centre-ville était en train de pioncer profondément.

À l'angle de la 52e, il s'est retrouvé bloqué à un feu rouge. La poignée de la portière a cliqueté ; la portière s'est ouverte, et Aimee s'est glissée sur la banquette arrière.

— Merci, a-t-elle dit.

— Ça va ?

Derrière lui, une petite voix a fait :

— Très bien.

— Je ne suis pas un chauffeur, Aimee. Viens t'asseoir à l'avant.

Elle a hésité, mais a fini par s'exécuter. Lorsqu'elle a eu refermé la portière côté passager, Myron s'est tourné vers elle. Aimee regardait droit devant. Comme la plupart des ados, elle avait eu la main lourde sur le maquillage. Les jeunes n'ont pas besoin de se maquiller, en tout cas pas autant. Elle avait les yeux rouges et ressemblait à un raton laveur. Elle portait un truc fin et moulant, style emballage de gaze, le genre de vêtement que, même avec une silhouette *ad hoc*, on ne peut pas mettre au-delà de, disons, vingt-trois ans.

La ressemblance avec sa mère au même âge était frappante.

— C'est vert, a dit Aimee.

Il a redémarré.

— Qu'est-ce qui t'arrive ?

— Il y a des gens qui buvaient trop. Je ne voulais pas rentrer avec eux.

— Où ?

— Où quoi ?

Ce n'était pas franchement un quartier où on faisait la fête. Généralement, la jeunesse fréquentait les bars de l'Upper East Side ou bien ceux du Village.

— Où étais-tu ?

— C'est important ?

— J'aimerais savoir.

Aimee s'est enfin tournée vers lui. Elle avait les yeux humides.

— Tu as promis.

Ils roulaient toujours.

— Tu as promis de ne pas poser de questions, tu te rappelles ?

— Je veux juste m'assurer que tu vas bien.

— Je vais bien.

Myron a bifurqué sur la droite, direction le sud de Manhattan.

— OK, je te ramène à la maison.

— Non.

Il a attendu.

— Je dors chez une amie.

— Où ça ?

— Elle habite Ridgewood.

Il lui a jeté un coup d'œil avant de reporter son attention sur la route.

— Dans le comté de Bergen ?

— Oui.

— Je préfère te déposer chez toi.

— Mes parents savent que je dors chez Stacy.

— Tu devrais peut-être les appeler.

— Et dire quoi ?

— Que tout va bien.

— Myron, ils pensent que je suis sortie avec des amis. Si je leur téléphone, ils vont s'inquiéter.

Elle n'avait pas tort, mais Myron n'aimait pas ça. Le voyant de l'essence s'est allumé. Il fallait refaire le plein. Il a remonté le West Side Highway et traversé le pont George-Washington. Il s'est arrêté à la première station-service sur la route 4. Il n'y avait que deux États où l'on ne pouvait pas se servir soi-même à la pompe, et le New Jersey en faisait partie. Le pompiste, coiffé d'un turban et plongé dans la lecture d'un roman de Nicholas Sparks, n'a pas semblé ravi de le voir.

— Le plein, s'il vous plaît, lui a dit Myron.

Il les a laissés seuls. Aimee a commencé à renifler.

— Tu ne m'as pas l'air ivre, a hasardé Myron.

— Je n'ai pas dit que je l'étais. C'était le type qui conduisait.

— Par contre, a-t-il poursuivi, tu as l'air d'avoir pleuré.

Elle a eu un haussement d'épaules, geste typiquement ado.

— Ton amie Stacy, où est-elle en ce moment ?

— Chez elle.

— Elle n'est pas allée en ville avec toi ?

Aimee a secoué la tête et s'est détournée.

— Aimee ?

Elle a dit tout bas :

— Je croyais que je pouvais te faire confiance.

— Tu peux.

Elle a secoué la tête de plus belle et actionné la poignée de la portière. Elle était en train de descendre quand Myron lui a saisi le poignet gauche, un peu plus fort qu'il ne l'aurait voulu.

— Hé, doucement, a-t-elle dit.

— Aimee…

Elle a tenté de se dégager. Myron ne lâchait pas prise.

— Tu vas appeler mes parents.

— J'ai juste besoin de savoir que tout va bien.

Elle a tiré sur ses doigts pour se libérer. Myron a senti ses ongles sur ses jointures.

— Lâche-moi !

Il a obéi. Elle a sauté à terre. Myron a suivi, mais il avait toujours sa ceinture de sécurité. Le harnais l'a plaqué contre le siège. Il l'a débouclé et est descendu. Aimee longeait le bas-côté en titubant, les bras croisés d'un air de défi.

Il l'a rejointe au sprint.

— Remonte dans la voiture, s'il te plaît.

— Non.

— Je te déposerai, OK ?

— Laisse-moi tranquille.

Elle s'est éloignée en fulminant. Des voitures filaient à toute allure sur la chaussée. Quelques-unes ont klaxonné. Myron lui a emboîté le pas.

— Où tu vas ?

— Je me suis trompée. Je n'aurais jamais dû t'appeler.

— Aimee, remonte dans la voiture. C'est dangereux par ici.

— Tu vas le dire à mes parents.

— Non. Je te le promets.

Elle a ralenti, puis s'est arrêtée. D'autres voitures les ont doublés sur la route 4. Le pompiste les a regardés et a écarté les mains d'un geste interrogateur. Myron a levé un doigt pour lui signifier qu'il leur fallait encore une minute.

— Excuse-moi, a-t-il dit. Je me fais du souci pour toi, c'est tout. Mais tu as raison. J'ai promis. Et je tiendrai parole.

Aimee n'avait toujours pas décroisé les bras. Elle lui a lancé un regard oblique, typique ado ça aussi.

— Juré ?

— Juré.

— Plus de questions ?

— Non, terminé.

Elle est retournée à la voiture en traînant les pieds.

Myron a donné sa carte au pompiste, puis ils sont repartis.

Aimee lui a dit de prendre la route 17. Il y avait tant de zones d'activité, tant de centres commerciaux qu'ils semblaient former un décor ininterrompu. Myron s'est rappelé que son père, chaque fois qu'ils passaient devant le centre commercial de Livingston, secouait la tête en gémissant : « Regarde-moi toutes ces voitures ! Si l'économie va tellement mal, pourquoi il y a autant de voitures ? Le parking est plein à craquer ! Regarde-moi ça ! »

Le père et la mère de Myron vivaient actuellement dans un village résidentiel à l'extérieur de Boca Raton. Papa avait finalement vendu l'entrepôt de Newark et passait maintenant son temps à s'émerveiller de ce qui faisait le quotidien de la majorité des gens depuis des années. « Myron, tu es déjà entré dans un Staples ? Mon Dieu, tout ce qu'ils ont comme papier et stylos ! Et les

Price Clubs, les grandes surfaces réservées aux adhérents ? Je ne te raconte pas. Je me suis offert dix-huit tournevis pour moins de dix dollars. On y va, on achète plein de choses, et je dis toujours au bonhomme à la caisse, je lui dis, ça le fait rire, Myron, je dis toujours : "Je viens d'économiser tellement d'argent que ça m'a ruiné." »

Myron a coulé un regard en direction d'Aimee. Il a songé à sa propre adolescence, à l'état de guerre permanent, au nombre de fois où il avait lui-même menti à ses parents. Il avait été un gentil garçon. Jamais d'histoires, de bonnes notes en classe, porté aux nues grâce à ses talents de basketteur, mais il avait caché des choses à ses parents. Comme tous les gamins. C'était peut-être plus sain ainsi. Les gosses qu'on surveille tout le temps, qu'on ne lâche pas d'une semelle… ce sont ceux-là qui finissent par craquer. Tout le monde a besoin d'un exutoire. Les ados, il faut leur laisser l'opportunité de se révolter. Sinon, la pression monte jusqu'à ce que…

— C'est la prochaine sortie, a dit Aimee. West Linwood Avenue.

Il a suivi ses indications. Myron connaissait mal le coin. Le New Jersey n'est qu'une suite de hameaux. Et le seul qu'on connaisse bien, c'est le sien. Il avait grandi dans le comté d'Essex. Ici, c'était Bergen. Il se sentait hors de son élément. Lorsqu'ils se sont arrêtés à un feu rouge, il s'est laissé aller en arrière avec un soupir et en a profité pour examiner sa passagère en douce.

Elle avait l'air jeune, angoissée et sans défense. Myron a réfléchi à ce dernier détail. Sans défense. Elle s'est tournée pour soutenir son regard avec défi. Son jugement était-il juste ? Aussi stupide que cela puisse paraître, quel rôle le sexisme jouait-il là-dedans ? Mettons-nous un instant dans la peau d'un macho. Si

Aimee avait été un garçon, un gros balèze faisant partie de l'équipe de foot du lycée par exemple, se serait-il fait autant de souci à son sujet ?

Pour être honnête, il la traitait différemment parce qu'elle était une fille.

Était-ce normal... ou bien était-il en train de s'embourber dans quelque raisonnement vaseux et politiquement correct ?

— Prends la prochaine à droite, puis au bout de la rue à gauche.

Bientôt, ils se sont retrouvés dans un dédale de maisons. Ridgewood était un vieux village, bien que passablement étendu : rues bordées d'arbres, demeures victoriennes, routes sinueuses, collines et vallées. Une topographie typique du New Jersey. Les banlieues étaient des pièces de puzzle reliées les unes aux autres, partiellement imbriquées, sans angles droits ni frontières clairement définies.

Ils ont gravi une pente raide, en ont descendu une autre, ont tourné à gauche, à droite et encore à droite. L'esprit ailleurs, Myron conduisait en pilotage automatique. Il était occupé à chercher des mots justes. Aimee avait pleuré tout à l'heure, il en était certain. Et elle avait l'air traumatisée, mais à son âge, tout était traumatisant, non ? Elle avait dû se disputer avec son copain, le Randy dont il avait entendu parler dans le sous-sol. Peut-être que Randy l'avait plaquée. Les garçons, ça leur arrivait souvent au lycée, de jouer les bourreaux des cœurs. Histoire de se sentir des hommes, des vrais.

Il s'est éclairci la voix et, optant pour la désinvolture :

— Tu sors toujours avec ce Randy ?

Réponse :

— Prochaine à gauche.

Il a tourné le volant.

— La maison est là-bas, sur la droite.
— Au fond de l'impasse ?
— Oui.
Myron s'est arrêté devant la maison. Ramassée sur elle-même, elle était plongée dans une obscurité totale. La rue non plus n'était pas éclairée. Il a cligné des paupières. Il était fatigué et plus dans les vapes qu'il ne l'aurait fallu après les festivités de la veille. Un instant, il a repensé à Esperanza, ravissante dans sa robe de mariée, et, aussi égoïste que cela paraisse, il s'est demandé encore une fois ce que ce mariage allait changer dans sa vie.
— On dirait qu'il n'y a personne là-dedans, a-t-il dit.
— Stacy doit dormir.
Aimee a sorti une clé.
— Sa chambre donne sur le jardin. Je me débrouille toujours toute seule pour rentrer.
Myron s'est mis en position parking et a coupé le contact.
— Je t'accompagne.
— Non.
— Et comment saurai-je si tu es bien rentrée ?
— Je te ferai signe.
Une autre voiture s'est engagée dans la rue derrière eux. Les phares dans le rétroviseur ont ébloui Myron. Il s'est couvert les yeux. Bizarre, s'est-il dit, deux voitures ici à une heure pareille.
La voix d'Aimee l'a tiré de ses réflexions.
— Myron ?
Il l'a regardée.
— Tu ne parles pas de ça à mes parents. Sinon ils vont flipper, OK ?
— Je ne dirai rien.
— Ça…

Elle s'est interrompue, a contemplé la maison par la vitre.

— Ça ne va pas très fort en ce moment.

— Avec tes parents ?

Elle a hoché la tête.

— Tu sais que c'est normal, n'est-ce pas ?

Nouveau hochement de tête.

Myron avait conscience de marcher sur des œufs.

— Tu peux m'en dire plus ?

— Ça… ne fera qu'envenimer les choses. Si tu leur dis. OK ?

— OK.

— N'oublie pas ta promesse.

Sur ce, Aimee est descendue et a couru vers le portail. Elle a disparu derrière la maison. Myron attendait. Elle est revenue au portail, lui a souri et fait signe que tout allait bien. Mais il y avait quelque chose, quelque chose dans son attitude, qui ne collait pas.

Myron allait descendre à son tour, mais Aimee a secoué la tête. Elle s'est glissée dans le jardin, et la nuit l'a avalée.

8

Dans les jours qui ont suivi, en repensant à cet instant, au sourire d'Aimee, à son petit signe de la main avant qu'elle ne se fonde dans le noir, Myron s'est demandé ce qu'il avait ressenti sur le coup. Avait-il eu une prémonition, un sentiment de malaise ? Avait-il ressenti un frémissement aux confins de son inconscient, une espèce d'avertissement, quelque chose qui le hanterait depuis ?

A priori, non. Mais il ne se souvenait plus très bien.

Il a attendu dix minutes de plus dans l'impasse. Sans grand résultat.

Alors il a eu une idée.

Il lui a fallu un moment pour retrouver son chemin. Aimee l'avait conduit dans cette jungle suburbaine, et peut-être qu'il aurait dû semer des cailloux blancs sur leur trajet. Il a tâtonné façon rat dans un labyrinthe pendant une vingtaine de minutes, avant de tomber sur Paramus Road qui a fini par le mener à l'artère principale, le Garden State Parkway.

Myron n'avait cependant pas l'intention de retourner à New York.

On était samedi soir – enfin, dimanche matin maintenant – et, s'il rentrait chez lui à Livingston, il aurait le temps de jouer au basket avec Erik, le père d'Aimee, avant de se rendre à l'aéroport pour prendre l'avion de Miami.

Tel était le plan immédiat, et plutôt bancal, de Myron.

Du coup, tôt le matin – beaucoup trop tôt à son goût –, il s'est levé, a enfilé short et T-shirt, épousseté sa vieille genouillère et pris la voiture pour aller au gymnase du collège d'Heritage. Avant d'entrer, il a essayé le portable d'Aimee. Il a eu sa messagerie, le ton enjoué et tellement ado, une fois de plus, jusque dans le « bon, ben laissez votre message ».

Myron allait éteindre son téléphone quand celui-ci s'est mis à vibrer dans sa main. Il a regardé l'identité de l'appelant. Rien.

— Allô ?

— Tu es un salopard.

La voix était basse et étouffée. On aurait dit un jeune homme, mais difficile d'en avoir la certitude.

— Tu m'entends, Myron ? Un salopard. Et tu vas payer pour ce que tu as fait.

Fin de la communication. Myron a composé l'astérisque, le 69, et a attendu d'avoir le numéro. Une voix mécanique le lui a donné. L'indicatif était local, oui, mais le numéro lui était inconnu. Il l'a noté ; il ferait une recherche plus tard.

En pénétrant dans son ancienne école, Myron a mis une seconde à se faire à la lumière artificielle, mais tout de suite après, il s'est retrouvé cerné par les fantômes familiers. Comme dans tous les gymnases, il régnait là-dedans une atmosphère confinée. Quelqu'un était en train de dribbler. D'autres gars riaient. Les bruits résonnaient toujours du même écho sonore.

Myron n'avait pas joué depuis des mois : il n'était pas fana de ces matches improvisés entre cols blancs. Le basket, le jeu en lui-même, lui tenait encore trop à cœur. Il aimait sentir le ballon au bout de ses doigts, le contact des rainures au moment du tir, l'arc de cercle en direction du panier – couper le ballon, se positionner pour le rebond, la passe idéale. Il aimait avoir à se décider en un éclair – passer, dribbler, shooter –, les ouvertures soudaines qui durent un dixième de seconde, le monde qui tourne brusquement au ralenti pour qu'on puisse se glisser entre les mailles du filet.

Tout cela, il l'aimait.

Ce qu'il n'aimait pas, c'était le macho entre deux âges. Le gymnase grouillait de ces maîtres de l'univers qui se rêvaient en mâles dominants et qui, malgré la grande maison, le portefeuille bien garni et la voiture de sport compensatrice, avaient encore besoin de battre quelqu'un à quelque chose. Myron avait aimé la compétition dans sa jeunesse. Un peu trop, peut-être. Gagner lui était une seconde nature. Ce qui n'était pas forcément une belle qualité, même si ça faisait toute la différence entre les très bons et les génies, les quasi-pros et les pros : ce désir – non, ce besoin – de surpasser l'autre.

Il n'en était plus là désormais. Alors que ces gars – une minorité, mais quand même –, si.

En voyant Myron, un ex-joueur de la NBA (pas bien longtemps, mais qu'importe), ils ont saisi l'occasion pour montrer que c'étaient eux les plus forts. Encore aujourd'hui. Même si la plupart affichaient une quarantaine bien sonnée. Et lorsque les réflexes sont plus lents mais que le cœur aspire toujours à la gloire, les choses tournent souvent au vinaigre, quand ce n'est pas au pugilat.

En balayant le gymnase du regard, Myron a repéré la raison de sa présence dans ces murs.

Erik était en train de s'échauffer devant le panneau du fond. Myron l'a rejoint au petit trot.

— Alors, Erik, ça boume ?

Il s'est retourné, lui a souri.

— Bonjour, Myron. Ça fait plaisir de te voir ici.

— À vrai dire, je ne suis pas du matin.

Erik lui a lancé le ballon. Myron a tiré. Le ballon a heurté le bord du panier.

— Tu t'es couché tard ? a demandé Erik.

— Plutôt, oui.

— Tu n'as pas l'air très frais.

— Je te remercie, a dit Myron.

Puis :

— Comment ça va ?

— Bien, et toi ?

— Ça roule.

Quelqu'un a crié, et dix gars sont accourus au centre de la salle. C'est comme ça que ça marchait. Si on voulait jouer dans le premier groupe, il fallait se manifester parmi les dix premiers. C'est David Rainiv, un fort en maths et directeur financier dans l'une des fameuses cinq cents entreprises les plus dynamiques du pays, qui formait les équipes. Il avait un don pour équilibrer les forces et choisir des adversaires également combatifs. Ses décisions étaient sans appel. Et personne ne songeait à les remettre en cause.

Rainiv a donc divisé les deux camps. Myron s'est retrouvé face à un jeune gars qui mesurait un mètre quatre-vingt-dix-sept. Ce qui était une bonne chose. Le complexe de Napoléon, ça se discute peut-être dans la vraie vie, mais pas dans les matches improvisés, où les petits cherchent à provoquer les grands, à leur en remontrer sur un terrain où la première qualité est la taille.

Ce jour-là, malheureusement, ç'a été l'exception qui confirme la règle. Le mètre quatre-vingt-dix-sept était tout en coudes et hargne. Il était fort et athlétique, mais peu doué pour le basket. Myron a fait de son mieux pour garder ses distances. Le fait est que, nonobstant son âge et son genou, il était capable de marquer à volonté. Pendant un moment, c'est ce qu'il a fait. Cela venait si naturellement. Il était difficile de lâcher prise. Mais il a fini par se retirer. Il fallait qu'il perde. D'autres hommes étaient arrivés. Les vainqueurs étaient censés rester sur le terrain. Lui voulait en sortir pour pouvoir parler avec Erik.

Du coup, après qu'ils ont remporté les trois premières parties, Myron s'est arrangé pour perdre.

Ses partenaires n'ont pas été ravis quand il a dribblé sur son propre pied, signant ainsi la défaite de leur équipe. À présent, ils étaient obligés de regagner les gradins. Mais tout en pleurant sur leur sort, ils jubilaient d'avoir gagné plusieurs fois d'affilée. Comme si cela avait une quelconque importance.

Erik avait apporté une bouteille d'eau, évidemment. Son short était assorti à son T-shirt. Ses baskets étaient lacées avec soin. Ses chaussettes, roulées exactement à la même hauteur sur ses chevilles, formaient deux bourrelets d'une égale épaisseur. Après s'être arrêté à la fontaine à eau, Myron est venu s'asseoir à côté de lui.

— Et comment va Claire ? a-t-il hasardé.

— Bien. Elle est allée à son cours de yoga-Pilates.

— Ah oui ?

Claire était depuis toujours accro à toutes sortes de

disciplines bizarres. Elle avait testé les leggings de Jane Fonda, les techniques de tae-bo, la Soloflex.

— Elle y est en ce moment, a dit Erik.

— À son cours ?

— Oui. En semaine, elle y va à six heures et demie du matin.

— Ouh là, c'est tôt.

— Nous sommes des lève-tôt, nous.

— Ah oui ?

Myron a saisi la perche.

— Et Aimee ?

— Quoi, Aimee ?

— Elle se lève de bonne heure, elle aussi ?

Erik a froncé les sourcils.

— Pas vraiment.

— Donc, toi tu es là, et Claire est à son entraînement. Où est Aimee ?

— Elle a dormi chez une amie la nuit dernière.

— Ah oui ?

— L'adolescence, a dit Erik comme si cela pouvait tout expliquer.

Ce qui n'était pas impossible.

— Des ennuis ?

— Tu ne peux pas t'imaginer.

— Ah oui ?

Encore un « ah oui ».

Erik n'a rien dit.

— Quel genre ? s'est enquis Myron.

— C'est-à-dire ?

Myron a ravalé un « ah oui » qui, décidément, risquait d'être de trop.

— Quel genre d'ennuis ?

— Comment ça ?

— Elle boude ? a-t-il demandé, s'efforçant de

prendre un ton nonchalant. Elle n'écoute pas ? Elle veille tard le soir, saute des cours, passe trop de temps sur Internet ou quoi ?

— Tout cela à la fois, a répondu Erik plus lentement encore, d'une voix plus mesurée. Pourquoi ces questions ?

Lève le pied, s'est dit Myron.

— Comme ça, histoire de causer.

Erik a haussé un sourcil.

— En général, ici, quand on cause, c'est pour déplorer le niveau des équipes locales.

— Non, c'était juste…

— Juste quoi ?

— Cette soirée, chez moi.

— Eh bien ?

— En voyant Aimee, je me suis rappelé à quel point c'était dur, l'adolescence.

Erik a plissé les yeux. Sur le terrain, quelqu'un avait dénoncé une faute personnelle, et d'autres étaient en train de protester.

— Je ne t'ai pas touché ! a clamé un type moustachu avec des coudières.

Et c'était parti pour un échange de noms d'oiseaux… encore une manifestation d'atavisme fréquente sur les terrains de basket.

Erik avait les yeux fixés sur la salle.

— Est-ce qu'Aimee t'aurait dit quelque chose ? a-t-il demandé.

— À quel sujet ?

— N'importe. Tu étais au sous-sol avec elle et Erin Wilder.

— Exact.

— De quoi vous avez parlé, tous les trois ?

— De rien. Elles m'ont vanné parce qu'elles trouvaient que ma chambre faisait ringard.

Maintenant, il regardait Myron qui devait faire un effort pour ne pas détourner les yeux.

— Des fois, Aimee peut se montrer rebelle.

— Comme sa mère.

— Claire ? (Erik a cillé.) Rebelle ?

Nom de Dieu, quand est-ce qu'il apprendrait à la fermer ?

— De quel point de vue ?

Myron a opté pour une réponse d'homme politique :

— Tout dépend de ce qu'on entend par « rebelle », je pense.

Mais Erik n'avait pas l'intention de lâcher.

— Et toi, qu'entends-tu par là ?

— Rien. C'est une bonne chose. Claire avait du caractère.

— Du caractère ?

Tais-toi, Myron.

— Tu vois ce que je veux dire. Du caractère. C'est une qualité, non ? Quand tu as rencontré Claire, qu'est-ce qui t'a plu chez elle… au premier regard ?

— Des tas de choses. Mais pas le fait qu'elle ait du caractère. J'ai connu beaucoup de filles, Myron. Il y en a qu'on a envie d'épouser, et d'autres qu'on a juste envie de… enfin, tu m'as compris.

Myron a hoché la tête.

— Je l'aimais tellement.

Il avait dit « je l'aimais ». Pas « je l'aime ». Mais cette fois, Myron a gardé le silence.

Comme s'il avait lu dans ses pensées, Erik a ajouté :

— Et je l'aime toujours. Peut-être plus que jamais.

Myron attendait le « mais ».

Erik a souri.

— Tu connais la bonne nouvelle, j'imagine ?

— À propos de ?

— Aimee. En fait, nous te devons une fière chandelle.

— En quel honneur ?

— Elle a été admise à Duke.

— Dis donc, mais c'est formidable !

— On l'a su il y a deux jours.

— Félicitations.

— Ta lettre de recommandation, a dit Erik. À mon avis, c'est elle qui a fait pencher la balance.

— Tu parles.

C'était pourtant la vérité, peut-être même plus qu'Erik ne le soupçonnait lui-même. Myron n'avait pas seulement écrit cette lettre, il avait téléphoné à l'un de ses anciens partenaires de basket qui travaillait maintenant au service des admissions.

— Non, sérieusement, a poursuivi Erik. La concurrence est rude pour entrer dans un bon établissement. Ta recommandation a dû jouer, j'en suis certain. Alors merci.

— Aimee est une chouette gamine. Ç'a été un plaisir.

Le match était terminé. Erik s'est levé.

— Tu viens ?

— Je crois que je vais en rester là pour aujourd'hui, a dit Myron.

— Tu as mal ?

— Un peu.

— On vieillit, Myron.

— Je sais.

— On a plus de bobos qu'autrefois.

Myron a hoché la tête.

— Quand on a mal, il y a deux solutions, me

semble-t-il, a dit Erik. On peut rester assis à attendre que ça passe… ou essayer de jouer malgré la douleur.

Et il est parti en courant, pendant que Myron se demandait s'il parlait bien toujours de basket-ball.

9

Une fois dans la voiture, le portable de Myron s'est remis à sonner. Il a jeté un œil sur l'identité de l'appelant. Toujours rien.

— Allô ?

— Tu es un salopard, Myron.

— C'est bon, j'ai compris. Tu as de nouveaux éléments ou est-ce qu'on s'en tient au texte original, comme quoi je vais payer pour ce que j'ai fait ?

Clic.

Myron a haussé les épaules. Du temps où il avait joué les superhéros, il avait eu quelques relations bien placées. Le moment était venu de vérifier si ça marchait toujours. Il a consulté le répertoire de son téléphone. Le numéro de Gail Berruti, son ancien contact aux télécommunications, y était encore. Qu'un privé à la télé obtienne des relevés téléphoniques en un clin d'œil, les gens trouvent ça irréaliste. Pourtant, c'est d'une simplicité enfantine. Tout détective qui se respecte a une source aux télécoms. Imaginez le nombre de personnes qui travaillent chez Mamie Bell. Combien d'entre elles ne rechigneraient pas à arrondir leurs fins de mois ? Le tarif en cours il y a six ans était de cinq cents dollars la prestation, mais il avait dû augmenter depuis.

Berruti n'était pas là – partie en week-end, sûrement –, mais il a laissé un message.

— Ceci est une voix du passé, a-t-il annoncé.

Il lui a demandé de localiser le numéro et de le rappeler. Puis il a essayé de nouveau le portable d'Aimee. Il est tombé sur la boîte vocale. De retour à la maison, il a cherché le numéro sur Google. Sans résultat. Il s'est douché rapidement et a consulté ses e-mails. Jeremy, le fils qu'il s'était donné, lui écrivait d'outre-Atlantique :

Salut Myron,

On a juste le droit de dire qu'on est dans la région du golfe Persique. Je vais bien. Maman a pété un câble. Passe-lui un coup de bigo, si tu peux. Elle ne comprend toujours pas. Papa non plus, mais au moins il fait semblant. Merci pour le colis. On est toujours heureux quand on reçoit des trucs.

Faut que j'y aille. Je t'écrirai plus longuement, mais il se peut que tu restes sans nouvelles pendant un bon bout de temps. Appelle maman, OK ?

Jeremy

Myron a relu le message deux fois, mais le contenu ne changeait pas. Comme d'habitude, le mail de Jeremy ne lui apprenait rien. Il n'aimait pas beaucoup l'idée de rester « un bon bout de temps sans nouvelles ». Il a songé au rôle de père, à tout ce qu'il avait raté, et à la place que ce môme, son fils, occupait aujourd'hui dans sa vie. Ça fonctionnait, s'est-il dit, pour Jeremy du moins. Mais c'était difficile. De tous les « ce qui aurait pu arriver » et les « si seulement j'avais su », le pire, c'était ce gamin, et la plupart du temps, ça faisait mal.

Les yeux sur le message, Myron a entendu sonner son portable. Il a étouffé un juron, mais cette fois-ci, l'écran lui a annoncé que c'était la divine Ali Wilder.

Myron a souri en répondant :

— Étalon Service, j'écoute.

— Chut, et si c'était un de mes gosses ?

— Je me serais fait passer pour un maquignon.

— Un maquignon ?

— Comment appelle-t-on celui qui vend des chevaux ?

— À quelle heure est ton vol ?

— Quatre heures.

— Tu es pris, là ?

— Pourquoi ?

— Les gosses ne seront pas là dans l'heure qui suit.

— Youpi !

— J'allais le dire.

— Serais-tu en train de me proposer une honnête partie de jambes en l'air ?

— Parfaitement.

Puis :

— Honnête ?

— Il me faut du temps pour venir jusque chez toi.

— Mouais.

— Ce sera un petit coup vite fait.

— N'est-ce pas une spécialité maison ?

— Alors là, c'est vache.

— Je plaisante, étalon.

Il a poussé un hennissement.

— En langage cheval, ça veut dire « j'arrive ».

— Honnête, a-t-elle dit.

Mais quand il a frappé à sa porte, c'est Erin qui lui a ouvert.

— Salut, Myron.

— Salut, a-t-il répondu, s'efforçant de masquer sa déception.

Derrière elle, Ali a haussé les épaules d'un air contrit.

Myron est entré. Erin est montée quatre à quatre. Ali s'est rapprochée de lui.

— Elle est rentrée tard et ne se sentait pas d'attaque pour aller à son atelier de théâtre.

— Ah…

— Désolée.

— Pas de souci.

— On pourrait se planquer dans un coin, a-t-elle suggéré.

— J'aurai le droit de te peloter ?

— Et comment !

Il a souri.

— Quoi ? a-t-elle dit.

— Je pensais à une chose.

— Laquelle ?

— Une chose qu'Esperanza m'a dite hier. *« Men tracht un Got lacht. »*

— C'est de l'allemand ?

— Du yiddish.

— Et ça veut dire quoi ?

— « L'homme prévoit, Dieu rit. »

Elle a répété la phrase.

— J'aime bien ça.

— Moi aussi, a-t-il acquiescé.

Il l'a prise dans ses bras. Par-dessus son épaule, il a aperçu Erin en haut de l'escalier. Elle ne souriait pas. En croisant son regard, Myron a repensé à Aimee, à la nuit qui l'avait avalée et à la promesse qu'il avait juré de tenir.

10

Myron avait du temps à tuer avant son départ.

Il est allé boire un café au Starbucks dans le centre-ville. Le barman qui a pris sa commande faisait la gueule, comme tous les gens de sa corporation. Alors qu'il lui tendait sa tasse, la soulevant au-dessus du comptoir comme si elle pesait trois tonnes, la porte derrière eux s'est ouverte avec fracas. Le barman a levé les yeux au ciel.

Ils étaient six aujourd'hui ; on aurait dit qu'ils marchaient dans une neige profonde, tête basse, diversement secoués de tremblements. Ils reniflaient et se touchaient le visage. Les quatre hommes n'étaient pas rasés. Les deux femmes sentaient la pisse de chat.

C'étaient des malades mentaux. Des vrais. La nuit, ils dormaient aux Pins, une clinique psychiatrique située dans la banlieue voisine. Leur chef – il marchait toujours en tête – se nommait Larry Kidwell. La bande passait le plus clair de son temps à errer à travers la ville. Les habitants de Livingston les appelaient les Barjos. Myron les considérait peu charitablement comme une sorte de groupe rock déjanté : Lithium Larry et les Cinq Seringués.

Aujourd'hui, ils semblaient moins léthargiques que d'habitude : l'heure de la prise des médicaments ne devait pas être bien loin. Larry était particulièrement agité. Il s'est approché de Myron et l'a salué d'un signe de la main.

— Salut, Myron, a-t-il lancé d'une voix trop forte.

— Quoi de neuf, Larry ?

— 1 487 planètes le jour de la création, Myron. 1 487. Et je n'ai pas vu un penny. Tu piges ?

Myron a hoché la tête.

— Je t'entends.

Larry Kidwell s'est avancé en traînant les pieds. Ses cheveux longs et fins s'échappaient de son chapeau à la Indiana Jones. Son visage était balafré. Son jean usé descendait si bas sur ses hanches qu'on aurait pu garer un vélo dans la raie de ses fesses.

Myron s'est dirigé vers la porte.

— Cool, Larry.

— Toi aussi, Myron.

Larry lui a tendu la main. Les autres se sont figés ; leurs yeux – dilatés, brillants à force de se gaver de médicaments – étaient fixés sur Myron. Il a serré la main de Larry, qui s'est cramponné et l'a tiré vers lui. Il avait, comme il fallait s'y attendre, l'haleine fétide.

— La prochaine planète, a chuchoté Larry, sera peut-être pour toi. Rien que pour toi.

— Super, merci.

— Non !

Le chuchotement a redoublé de véhémence.

— La planète. C'est une éclisse de lune. Et elle en a après toi, tu piges ?

— Je pense que oui.

— Ne la laisse pas passer.

Les yeux agrandis, il a lâché Myron qui a fait un pas en arrière. La nervosité de Larry était palpable.

— Tout va bien, Larry.

— Écoute-moi, vieux. Je t'aurai prévenu. Il a caressé l'éclisse de lune. Tu comprends ? Il te hait tellement qu'il a caressé l'éclisse de lune.

Les autres membres du groupe étaient de parfaits inconnus, mais Myron connaissait l'histoire tragique de Larry. Ils avaient fréquenté le même lycée, à deux années d'écart. Larry Kidwell jouissait d'un immense succès. Guitariste hors pair, choyé par les filles, il était même sorti avec Beth Finkelstein, la bombe locale, quand il était en classe de terminale. Classé deuxième de sa promotion, il était entré à Yale, sur les pas de son père, et avait eu, paraît-il, un formidable premier semestre.

Puis tout s'était écroulé.

Ce qui est étonnant, et ce qui rend la chose plus terrifiante encore, c'est la façon dont ça s'est passé. Larry n'avait connu aucun traumatisme existentiel. Aucun drame familial. Ce n'était pas une histoire de drogue, ni d'alcool, ni d'amour contrarié.

Diagnostic médical : déséquilibre chimique.

Qui sait comment on attrape un cancer ? Ç'a été pareil pour Larry. Il souffrait d'une maladie mentale. Ç'a commencé par des TOC sans gravité, puis ç'a empiré et enfin, ç'a été la dégringolade. En deuxième année de fac, Larry posait des pièges à rats pour pouvoir les manger. Il était sujet à des crises de paranoïa. Il a laissé tomber Yale. Ensuite, il a fait des tentatives de suicide, il a eu des hallucinations, des problèmes de toutes sortes. Larry a pénétré par effraction dans une maison parce que les « Cluzets de la planète 326 » cherchaient à y construire un nid. À une heure où les gens étaient chez eux.

Depuis ce temps-là, Larry Kidwell multipliait les séjours dans les institutions psy. Il devait aussi connaître des moments de lucidité, et sa souffrance était si forte, de voir ce qu'il était devenu, qu'il se lacérait le visage – d'où les cicatrices – et hurlait de douleur, si bien qu'on le mettait immédiatement sous calmants.

— OK, a dit Myron. Merci de m'avoir prévenu.

Et, n'y pensant plus, il s'est dirigé vers la sortie. Juste à côté, il y avait la teinturerie Chang. Derrière son comptoir, Maxine Chang avait l'air épuisée et débordée, comme toujours. Deux femmes se trouvaient dans la boutique, à peu près de l'âge de Myron. Elles parlaient enfants et études supérieures. C'était le principal sujet de conversation en ce moment. Tous les mois d'avril, une avalanche d'admissions à l'université s'abattait sur Livingston. L'enjeu, à écouter les parents, était on ne peut plus élevé. Ces semaines-là, ces enveloppes minces ou épaisses qui arrivaient dans leurs boîtes aux lettres décidaient du bonheur et de la prospérité de leur progéniture pour le restant de leur vie.

— Ted est en liste d'attente à Penn, mais il a été pris à Lehigh, disait l'une.

— Vous pouvez vous imaginer que Chip Thompson a été accepté à Penn ?

— Son père.

— Quoi ? Oh, attendez, c'est un ancien élève, n'est-ce pas ?

— Il leur a donné un quart de million de dollars.

— J'aurais dû m'en douter. Chip a eu des notes désastreuses aux examens.

— Ils ont engagé un pro, paraît-il, pour rédiger ses dissertations.

— J'aurais dû faire la même chose pour Cole.

Et ainsi de suite.

Myron a hoché la tête à l'adresse de Maxine. D'habitude, elle l'accueillait avec un grand sourire. Mais pas aujourd'hui. Elle a crié :

— Roger !

Roger Chang est sorti de l'arrière-boutique.

— Salut, Myron.

— Ça va, Roger ?

— Vous vouliez vos chemises emballées cette fois, hein ?

— Exact.

— Je reviens tout de suite.

— Maxine, a dit l'une des clientes, est-ce que Roger a eu des nouvelles de ses dossiers de candidature ?

Maxine a à peine levé les yeux.

— Il est pris à Rutgers. Et sur liste d'attente ailleurs.

— Eh bien, félicitations.

— Merci, a-t-elle répondu sans enthousiasme.

— Il sera le premier de la famille à aller à l'université, n'est-ce pas, Maxine ? a dit l'autre cliente, très dame patronnesse. C'est formidable pour vous.

Maxine a griffonné la facture.

— Où avait-il postulé, sinon ?

— Princeton et Duke.

En entendant le nom de son ancienne université, Myron a pensé à Aimee. Puis à Larry avec ses histoires glauques de planètes. Il ne croyait pas aux mauvais présages, mais il n'était pas non plus du genre à tenter le diable. Il s'est demandé s'il ne devait pas rappeler Aimee. Pour quoi faire ? Il a repassé en revue les événements de la nuit. Aurait-il pu réagir autrement ? Et si oui, comment ?

Roger – Myron avait oublié qu'il était déjà en

terminale – est revenu lui remettre les chemises empaquetées. Myron lui a dit de les inscrire sur son ardoise.

Il lui restait encore du temps avant son avion.

Du coup, il est allé sur la tombe de Brenda.

Le cimetière surplombait la cour d'une école. Ça, il ne le digérait toujours pas. Comme à chacune de ses visites, semblait-il, le soleil éclatant se riait de son abattement. Il était seul. Il n'y avait pas d'autre visiteur. Non loin de là, une pelleteuse était en train de creuser un trou. Immobile, Myron a levé la tête, offrant son visage au soleil. Lui pouvait sentir la caresse du soleil sur sa peau. Brenda, plus jamais.

Une pensée toute bête, mais que voulez-vous.

Brenda Slaughter n'avait que vingt-six ans quand elle est morte. Si elle avait vécu, dans deux semaines elle en aurait eu trente-quatre. Il s'est demandé où elle serait, s'il avait tenu sa promesse. Il s'est demandé si elle serait avec lui.

Interne en pédiatrie, un mètre quatre-vingt-dix, Brenda était une superbe Afro-Américaine, un vrai top model. Sur le point de passer basketteuse professionnelle, elle devait prêter son image au lancement de la nouvelle ligue féminine. Comme elle avait reçu des menaces, le patron de la ligue avait engagé Myron pour la protéger.

Bien joué, All-Star.

Il fixait la stèle en serrant les poings. Jamais il ne lui parlait quand il venait ici. Il ne s'asseyait pas pour méditer. Ne cherchait pas à évoquer les bons moments, son rire, sa beauté, son extraordinaire présence. Les voitures passaient à toute allure. La cour d'école était silencieuse. Il n'y avait pas un seul môme dehors. Myron ne bougeait pas.

Il ne venait pas parce qu'il continuait à pleurer sa mort. Au contraire.

Il se rappelait à peine le visage de Brenda. Le seul baiser qu'ils avaient échangé – en y repensant, il savait qu'il puisait davantage dans son imagination que dans ses souvenirs. Tout le problème était là. Brenda Slaughter était en train de lui échapper. D'ici peu, ce serait comme si elle n'avait jamais existé. Myron ne venait donc pas en quête de réconfort ni pour honorer sa mémoire. Il venait pour entretenir la douleur, pour éviter que la plaie ne se referme. Il voulait préserver le sentiment de révolte car se résigner à ce qui lui était arrivé serait par trop indécent.

La vie continue. Et c'est tant mieux, non ? L'indignation vacille et s'effrite petit à petit. Les cicatrices se résorbent. Mais une partie de votre âme meurt en même temps.

Du coup, Myron restait là, à crisper les poings jusqu'à ce qu'ils tremblent. Il songeait à la journée ensoleillée de ses funérailles – et à la manière atroce dont il l'avait vengée. Il a fait de nouveau appel à l'indignation. Elle est revenue le frapper de plein fouet. Ses genoux ont fléchi. Il a chancelé, mais n'a pas plié.

Il s'était planté avec Brenda. Il avait voulu la protéger. Il était allé trop loin… et, ce faisant, avait causé sa mort.

Myron a contemplé la tombe. Le soleil chauffait toujours, mais il a senti un frisson lui parcourir l'échine. Pourquoi avoir choisi ce jour-là pour lui rendre visite ? Il a repensé à Aimee, au fait d'aller trop loin, de vouloir protéger coûte que coûte et, dans un dernier tressaillement, il s'est dit… non, il a eu peur de s'être fourvoyé une fois de plus.

11

Debout devant l'évier de la cuisine, Claire Biel regardait fixement son mari, qu'elle considérait comme un étranger. La cravate rentrée à l'intérieur de la chemise, Erik mangeait soigneusement une tartine. Devant lui, il y avait un journal méticuleusement plié en quatre. Il mâchait lentement. Il portait des boutons de manchettes. Sa chemise était amidonnée. Il aimait l'amidon. Il aimait que tout soit repassé. Dans son placard, ses costumes étaient accrochés à dix centimètres de distance les uns des autres. Il ne le faisait pas exprès. C'était comme ça, point. Ses chaussures, toujours fraîchement cirées, s'alignaient comme pour une parade militaire.

Qui était cet homme ?

Leurs deux plus jeunes filles, Jane et Lizzie, étaient en train de se gaver de tranches de pain blanc avec du beurre de cacahuètes et de la confiture. Les lèvres barbouillées, elles jacassaient comme deux pies. Elles faisaient du bruit. Leurs verres de lait débordaient. Erik continuait à lire. Jane a demandé si elles pouvaient sortir de table. Claire a dit oui. Elles se sont ruées vers la porte.

— Stop, a dit Claire.

Elles se sont arrêtées.

— Les assiettes dans l'évier.

Elles ont soupiré et levé les yeux au ciel ; malgré leur jeune âge – neuf et dix ans –, elles avaient été à bonne école avec leur grande sœur. Elles sont revenues en traînant les pieds comme à travers les neiges des Adirondacks, ont soulevé les assiettes qui devaient peser aussi lourd qu'un bloc de pierre et, tant bien que mal, ont escaladé la montagne pour atteindre l'évier.

— Merci, a dit Claire.

Elles ont détalé. La cuisine s'est retrouvée d'un coup plongée dans le silence. Erik mastiquait sans bruit.

— Il reste du café ? a-t-il demandé.

Elle l'a resservi. Il a croisé les jambes, prenant garde à ne pas abîmer le pli de son pantalon. Ils étaient mariés depuis dix-neuf ans maintenant, mais la passion s'était éventée au bout de deux ans à peine. Voilà si longtemps qu'ils faisaient du surplace que ça n'était presque plus un problème. En l'occurrence, le lieu commun entre tous sur le temps qui passe vite correspondait à la réalité des faits. La passion ne semblait pas si ancienne que ça. Quelquefois, comme en ce moment, elle l'observait et se rappelait l'époque où le regarder suffisait à lui couper le souffle.

Toujours sans lever les yeux, Erik a lâché :

— Tu as des nouvelles d'Aimee ?

— Non.

Il a redressé son bras pour remonter la manche, a consulté sa montre et haussé un sourcil.

— Il est deux heures de l'après-midi.

— Elle doit être à peine réveillée.

— Il faudrait peut-être qu'on l'appelle.

Il n'a pas bougé.

— « On », ça veut dire moi ? a demandé Claire.

— Je peux le faire, si tu veux.

Elle a attrapé le téléphone et composé le numéro du portable de leur fille. Un an plus tôt, ils lui avaient offert son propre téléphone mobile. Aimee leur avait montré une pub disant qu'ils pouvaient avoir une troisième ligne pour dix dollars de plus par mois. Erik n'avait pas bronché. Mais, avait geint Aimee, tout le monde – tous ses amis ! – en avait un, argument qui, invariablement, suscitait toujours la même réponse : « Nous ne sommes pas tout le monde, Aimee. »

Toutefois, elle s'y était préparée. Changeant aussitôt de disque, elle avait fait jouer la corde sensible : « Si j'avais mon propre téléphone, je pourrais rester en contact avec vous vingt-quatre heures sur vingt-quatre. On ne sait jamais, en cas d'urgence… »

C'est ainsi que le marché avait été conclu. Toutes les mères comprennent ce simple principe de base : rien n'est aussi vendeur que la peur.

L'appel a été transféré sur la boîte vocale. La voix enthousiaste d'Aimee – elle avait enregistré son annonce aussitôt après avoir eu son portable – a proposé à Claire, bon, ben, de laisser un message. Le son de cette voix, si familier fût-il, lui a causé un pincement au cœur, sans qu'elle sache trop pourquoi.

En entendant le bip, Claire a dit :

— Bonjour, chérie, c'est maman. Rappelle-moi, OK ?

Et elle a raccroché.

Erik lisait toujours le journal.

— Elle n'a pas répondu ?

— Mince, comment tu as deviné ? Serait-ce parce que je lui ai dit de me rappeler ?

Le ton sarcastique de Claire lui a fait froncer les sourcils.

— Elle n'a peut-être plus de batterie.

— Peut-être.

— Elle ne pense jamais à la recharger, a dit Erik en secouant la tête. Chez qui elle dormait, déjà ? Steffi ?

— Stacy.

— Oui, bon, peu importe. Ne devrait-on pas appeler Stacy ?

— Pour quoi faire ?

— Il faut qu'elle rentre. Elle a un projet à rendre pour jeudi.

— Nous sommes dimanche. Et elle vient juste d'être admise à l'université.

— Tu penses que c'est une raison pour glander ?

Claire lui a tendu le téléphone.

— Appelle-la, toi.

— Très bien.

Elle lui a donné le numéro. Il l'a tapé et a porté le combiné à son oreille. À distance, Claire a entendu ses deux autres filles glousser de rire. L'une d'elles a crié :

— C'est pas moi !

Quelqu'un a décroché, et Erik s'est éclairci la voix.

— Bonjour, Erik Biel à l'appareil. Le père d'Aimee Biel. Est-ce que ma fille est là, s'il vous plaît ?

Son expression n'a pas changé. Sa voix non plus. Mais en voyant sa main se crisper sur le téléphone, Claire a eu l'impression que son cœur s'arrêtait de battre.

12

Myron ne savait pas trop quoi penser de Miami. Il y faisait tellement beau qu'il devrait aller vivre là-bas. Mais il y avait beaucoup trop de soleil. La lumière était beaucoup trop vive. Même à l'aéroport, il s'est surpris à plisser les yeux.

Ce qui n'était pas un problème pour ses parents, ces chers Ellen et Al Bolitar, affublés de lunettes surdimensionnées qui n'étaient pas sans rappeler des masques de soudeur, la classe en moins. Tous deux l'attendaient à l'aéroport. Myron leur avait dit de ne pas venir, il prendrait un taxi, mais papa avait insisté :

— Je suis toujours venu te chercher à l'aéroport, non ? Souviens-toi, quand tu es rentré de Chicago après cette grosse tempête de neige.

— C'était il y a dix-huit ans, papa.

— Et alors ? Tu crois que je ne sais plus y aller ?

— Et c'était à l'aéroport de Newark.

— Dix-huit minutes, Myron.

Les yeux de Myron se sont fermés.

— Je me souviens.

— Dix-huit minutes pile.

— Je m'en souviens, papa.

— C'est le temps qu'il m'a fallu pour aller de la maison au terminal A de l'aéroport de Newark. Je me chronométrais, tu te rappelles ?

— Oui, papa.

Ils étaient là, tous les deux, venus l'accueillir à l'aéroport, avec un profond bronzage et de nouvelles taches de vieillesse. Lorsque Myron est descendu de l'escalator, maman a couru serrer son garçon dans ses bras, comme s'il était un prisonnier de guerre rentrant chez lui en 1974. Papa est resté en arrière avec un sourire satisfait. Myron a refermé les bras autour d'elle. Elle paraissait plus petite. C'était comme ça par ici. Les parents avaient tendance à rétrécir et à noircir façon têtes d'Indiens Jivaros.

— Allons chercher tes bagages, a dit maman.

— Tout est là.

— C'est tout ? Un seul sac ?

— Je ne reste qu'une nuit.

— Quand même.

Myron a scruté son visage, ses mains. En voyant que le tremblement s'était accentué, il a eu un coup au cœur.

— Quoi ? a-t-elle fait.

— Rien.

Maman a secoué la tête.

— Tu as toujours été un piètre menteur. Tu te rappelles, quand je suis tombée sur toi et Tina Ventura, et que tu m'as dit qu'il n'y avait rien entre vous ? Tu croyais que je n'étais pas au courant ?

Son année de seconde au lycée. Demandez à papa et maman ce qu'ils ont fait hier, ils ne sauront pas répondre. Interrogez-les sur la jeunesse de leur fils, et c'est comme s'ils s'étaient repassé le film en boucle toute la nuit.

Il a levé les mains en signe de capitulation.

— J'avoue !

— Ne fais pas le malin. À ce propos…

Ils ont rejoint papa. Myron l'a embrassé sur la joue. Une habitude qu'il n'a jamais perdue. La peau était flasque. Ça sentait toujours l'*Old Spice*, mais moins fort qu'avant. Il y avait quelque chose d'autre, une autre odeur, et Myron s'est dit que c'était une odeur de vieux. Ils se sont dirigés vers la voiture.

— Devine qui j'ai croisé, a dit maman.

— Qui ?

— Dotty Kimberlot. Tu vois qui c'est ?

— Non.

— Mais si, voyons. Elle avait cette chose, comment on appelle ça, dans son jardin.

— Ah oui. Elle. Avec la chose.

Il n'avait pas la moindre idée de ce dont il était question, mais c'était plus simple comme ça.

— Enfin, bref, j'ai vu Dotty l'autre jour, et on a commencé à parler. Elle est installée ici depuis quatre ans. Ils ont un appartement à Fort Lauderdale, mais tu verrais, Myron, c'est dans un état ! Ce n'est pas entretenu du tout. Comment ça s'appelle, Al, où habite Dotty ? Quelque chose comme Sunshine Vista, non ?

— Quelle importance ? a dit papa.

— Merci de ton aide. Oui, enfin, c'est là qu'elle habite, Dotty. Et c'est dans un état ! C'est tout délabré. Hein, Al, que c'est délabré, chez Dotty ?

— Au fait, El. Viens-en au fait.

— J'y viens, j'y viens. Où en étais-je ?

— Dotty Machin-Chose, a dit Myron.

— Kimberlot. Tu vois qui c'est, n'est-ce pas ?

— Très bien.

— Bon, alors, Dotty, elle a encore des cousins là-haut, dans le nord. Les Levine. Tu te souviens d'eux ? Laisse tomber, tu n'as aucune raison de t'en souvenir. Bref, une de ses cousines vit à Kasselton. Tu connais Kasselton, n'est-ce pas ? Tu jouais contre eux au lycée…

— Je connais Kasselton.

— Ne me coupe pas la parole.

Papa a levé les bras au ciel.

— Au fait, El. Viens-en au fait.

— Oui, pardon. Tu as raison. Quand tu as raison, tu as raison. Bref, pour faire court…

— Non, El, tu es incapable de faire court, a dit papa. Pour faire long, là, pas de problème. Mais je ne t'ai encore jamais, jamais vue faire court.

— Je peux parler, Al ?

— Comme si on pouvait t'en empêcher. Comme si un fusil-mitrailleur ou un gros char de l'armée… comme si même ça pouvait t'en empêcher.

Myron n'a pu réprimer un sourire. Mesdames et messieurs, je vous présente Ellen et Alan Bolitar ou, ainsi que maman aimait à dire : « Nous sommes El Al… vous savez, comme la compagnie aérienne d'Israël. »

— Oui, enfin, j'ai discuté avec Dotty de choses et d'autres. Les potins habituels, quoi. Les Ruskin ont quitté la ville. Gertie Schwartz a eu des calculs biliaires. Antonietta Vitale, Dieu qu'elle était jolie, a épousé un millionnaire de Montclair. Ce genre de potins. Puis Dotty m'a dit – c'est Dotty qui me l'a dit, je te signale, et pas toi – que tu avais quelqu'un dans ta vie.

Myron a fermé les yeux.

— C'est vrai, ça ?

Il n'a pas répondu.

— Dotty a dit qu'elle était veuve avec six enfants.

— Deux enfants, a dit Myron.

Maman s'est tue, a souri.

— Quoi ?

— Je t'ai eu.

— Hein ?

— Si j'avais dit deux enfants, tu aurais pu nier purement et simplement. (Elle a brandi un index triomphant.) Mais en disant six, je savais que tu allais réagir. Je t'ai attrapé.

Myron a jeté un coup d'œil à son père. Al Bolitar a haussé les épaules.

— Elle a trop regardé *Matlock* ces derniers temps.

— Des enfants, Myron ? Tu fréquentes une femme avec des enfants ?

— Maman, je vais dire ça le plus gentiment possible : mêle-toi de tes oignons.

— Écoute-moi, espèce de petit futé. Quand il y a des enfants, on ne peut pas faire ce qu'on veut, comme on veut. On doit tenir compte des répercussions que ça peut avoir sur eux. Tu comprends ce que je te dis là ?

— Tu comprends le sens de l'expression « mêle-toi de tes oignons » ?

— D'accord, comme tu voudras.

Cette fois, c'est elle qui a fait mine de capituler. Telle mère, tel fils.

— Moi, ce que j'en dis…

Ils ont poursuivi leur chemin : Myron au milieu, papa sur sa droite, maman sur sa gauche. C'est toujours comme ça qu'ils marchaient. Peut-être un peu plus lentement qu'autrefois. Mais ça ne le gênait pas. Il était prêt à ralentir autant qu'il le faudrait pour qu'ils puissent suivre.

Arrivés chez eux, ils se sont garés sur la place de

parking qui leur était assignée. Maman a fait exprès un détour par la piscine pour pouvoir présenter Myron à une interminable ribambelle de voisines. À chacune elle disait :

— Vous vous souvenez de mon fils ?

Et Myron feignait de se souvenir d'elles.

Quelques-unes de ces femmes, soixante-quinze ans et plus, étaient trop bien carrossées. Ainsi que Dustin Hoffman se l'entend dire dans *Le Lauréat* : « La chirurgie plastique. » Ce n'était pas le même genre, mais bon. Myron n'avait rien contre la chirurgie esthétique, mais passé un certain âge, et toute discrimination mise à part, ça lui flanquait les jetons.

À l'intérieur de la résidence, la lumière était beaucoup trop vive également. On croit qu'en vieillissant, on a besoin de moins de lumière, mais apparemment, ce n'était pas le cas. Les cinq premières minutes, ses parents ont gardé leurs lunettes de soudeurs. Maman a demandé s'il avait faim. Myron a eu la présence d'esprit de répondre oui. Elle avait déjà commandé des hamburgers – la cuisine de maman aurait été jugée inhumaine à Guantanamo – dans un établissement appelé Chez Tony, qui était « exactement comme celui du vieil Eppes Essen », là-haut, dans le New Jersey.

Ils ont mangé, ils ont parlé, maman essayait de balayer les petits morceaux de chou collés aux commissures des lèvres de papa, mais sa main tremblait trop fort. Myron a croisé le regard de son père. Le parkinson de maman s'était aggravé, mais ils refusaient d'en parler à Myron. Ils étaient en train de vieillir. Papa avait un pacemaker. Maman, la maladie de Parkinson. Mais leur premier devoir était d'épargner tout cela à leur fils.

— Quand dois-tu partir pour ton rendez-vous ? a demandé maman.

Myron a consulté sa montre.

— Maintenant.

Ils se sont embrassés pour se dire au revoir. En sortant, Myron avait l'impression de les abandonner, de les laisser seuls face aux assauts de l'ennemi pendant qu'il allait se mettre à l'abri. Avoir des parents âgés, ça craignait, mais comme le disait Esperanza, qui avait perdu les siens de bonne heure, c'était toujours mieux que rien.

Une fois dans l'ascenseur, il a jeté un œil sur son portable. Aimee n'avait pas rappelé. Il a cherché à la joindre de nouveau et n'a pas été surpris de tomber sur sa boîte vocale. Tant pis, a-t-il décidé. Il allait téléphoner chez elle, pour savoir ce qu'il en était.

La voix d'Aimee a résonné dans sa tête : *« Tu as promis... »*

Il a composé le numéro du domicile d'Erik et Claire. C'est Claire qui a répondu.

— Allô ?

— Salut, c'est Myron.

— Salut.

— Quoi de neuf ?

— Pas grand-chose, a dit Claire.

— J'ai vu Erik ce matin... (Incroyable, était-ce vraiment le même jour ?)... et il m'a dit qu'Aimee était reçue à Duke. Je voulais vous féliciter.

— Oui, merci.

— Elle est à la maison ?

— Non, pas en ce moment.

— Je peux rappeler plus tard ?

— Oui, bien sûr.

Myron a changé le téléphone d'oreille.

— Ça va ? Tu m'as l'air contrariée.

Il allait poursuivre, mais les paroles d'Aimee – *« Tu as promis de ne rien dire à mes parents »* – sont revenues le hanter.

— Tout va bien. Enfin, je l'espère. Écoute, il faut que j'y aille. Merci d'avoir écrit cette lettre de recommandation.

— Ce n'était pas grand-chose.

— Mais si, voyons. Le quatrième et le septième de sa classe ont postulé et n'ont pas été admis. C'est toi qui as fait toute la différence.

— Ça m'étonnerait. Aimee est une supercandidate.

— Peut-être, mais merci quand même.

Il y a eu un grommellement à l'arrière-plan. On aurait dit Erik.

À nouveau, Myron a entendu la voix d'Aimee : *« Ça ne va pas très fort en ce moment. »* Il cherchait quelque chose à dire, un quelconque moyen d'enchaîner, quand Claire a raccroché.

Loren Muse avait hérité d'une affaire d'homicide toute fraîche – double homicide, en fait, deux hommes abattus à l'entrée d'un night-club à East Orange. La rumeur attribuait ces assassinats à John Asselta, dit « le Spectre », un tueur à gages tristement célèbre qui était né et avait grandi dans la région. Ces dernières années, Asselta n'avait guère fait parler de lui. S'il était de retour, ils allaient avoir du pain sur la planche.

Loren était en train de relire le rapport balistique quand le téléphone a sonné. C'était sa ligne privée. Elle a décroché et dit :

— Muse.

— Devine qui c'est !

Elle a souri.

— Lance Banner. C'est toi, vieille branche ?

— C'est moi.

Banner était officier de police à Livingston, New Jersey, la ville de leur enfance à tous les deux.

— Que me vaut le plaisir ?

— Tu enquêtes toujours sur la disparition de Katie Rochester ?

— Pas vraiment.

— Pourquoi ?

— Premièrement, il n'y a pas de traces de violences. Et deuxièmement, Katie Rochester est majeure.

— Tout juste.

— Aux yeux de la loi, qu'on ait dix-huit ou quatre-vingts ans, c'est pareil. Officiellement, il n'y a pas d'enquête en cours.

— Et officieusement ?

— J'ai rencontré une femme médecin du nom d'Edna Skylar.

Elle lui a relaté l'histoire d'Edna, telle qu'elle l'avait répétée presque mot pour mot à son patron, le procureur du comté Ed Steinberg. Après un long silence, Steinberg avait conclu, comme il fallait s'y attendre :

« Nous n'avons pas les moyens d'exploiter une piste aussi hypothétique. »

Lorsqu'elle a eu terminé, Banner a demandé :

— Et comment tu t'es retrouvée à t'occuper de ce dossier ?

— Je te l'ai dit, il n'y a pas de dossier à proprement parler. Elle est majeure, il n'y a pas de traces de violences, tu connais la chanson. En fait, on n'a pas donné suite. Il y avait la question de la juridiction aussi. Mais le père, Dominick, a fait beaucoup de bruit dans les médias, tu as dû voir ça, et puis il connaît quelqu'un qui connaît quelqu'un... ce qui l'a mené jusqu'à Ed Steinberg.

— Ce qui a mené jusqu'à toi.

— Exact. « Mené » est le mot juste. Du verbe « mener » au participe passé.

— Tu as dix minutes à me consacrer ? a dit Lance Banner.

— Tu as entendu parler du double homicide à East Orange ?

— Oui.

— C'est moi qui mène l'enquête.

— Du verbe « mener » au présent ?

— Tu as tout compris.

— Je m'en suis douté, a dit Banner. C'est pour ça que je te demande dix minutes seulement.

— C'est important ?

— Disons que c'est… (Il s'est interrompu, cherchant le mot.) très bizarre.

— Et c'est lié à la disparition de Katie Rochester ?

— Dix minutes maxi, Loren. C'est tout ce que je demande. Allez, même cinq, ça ira.

Elle a regardé sa montre.

— Quand ?

— Je suis en bas, à la réception. Tu peux nous trouver une pièce ?

— Pour cinq minutes ? Mince alors, ta femme ne rigolait pas quand elle a parlé de ton endurance au lit.

— Tu peux toujours rêver, Muse. Tu entends ce *dring* ? Je viens d'entrer dans l'ascenseur. Trouve-nous un endroit discret, vite.

Lance Banner, de la police municipale de Livingston, était grand, coiffé en brosse et tout en angles droits. Loren, qui le connaissait depuis l'école élémentaire, n'arrivait pas à chasser de son esprit l'image de Lance gamin. C'est ça, les gens avec lesquels on a grandi.

Toute leur vie, ils resteront en classe de cours élémentaire.

Loren l'a vu hésiter sur le pas de la porte ; il devait se demander comment la saluer : d'un baiser sur la joue ou d'une poignée de main plus professionnelle. Ils étaient dans une salle d'interrogatoire. Tous deux se sont dirigés vers le siège de l'interrogateur. Banner s'est arrêté et, levant les mains, s'est assis en face d'elle.

— Tu devrais peut-être m'adresser l'avertissement d'usage, a-t-il dit.

— J'attendrai d'avoir recueilli assez de preuves pour une arrestation. Alors, qu'est-ce que tu as sur Katie Rochester ?

— Même pas le temps de bavarder, hein ?

Elle s'est contentée de le regarder.

— OK, OK, allons-y. Tu connais une dénommée Claire Biel ?

— Non.

— Elle habite Livingston. Elle s'appelait Claire Garman quand on était mômes.

— Toujours pas.

— De toute façon, elle était plus âgée que nous. De quatre ou cinq ans, peut-être.

Elle a haussé les épaules.

— C'était juste histoire de vérifier.

— Hmm, a dit Loren. Sois gentil, Lance. Fais comme si j'étais ta femme et saute les préliminaires.

— Oui, eh bien, voilà. Elle m'a téléphoné ce matin. Claire Biel. Sa fille est sortie hier soir et n'est pas rentrée depuis.

— Quel âge a-t-elle ?

— Elle vient d'avoir dix-huit ans.

— Y a-t-il des éléments suspects ?

Il a grimacé, comme en proie à un débat intérieur. Puis :

— Pas encore.

— Alors ?

— En principe, on attend un peu. Tu l'as dit toi-même au téléphone : majeure, aucune trace de violences.

— Comme dans le cas de Katie Rochester.

— Tout à fait.

— Mais ?

— Je connais vaguement les parents. Claire était au lycée avec mon grand frère. On habite le même quartier. Ils sont inquiets, bien sûr. Mais bon, à première vue, on se dit que la gamine s'amuse, c'est tout. Elle a été reçue à l'université. Duke, rien que ça. Son premier choix. Elle est allée fêter l'événement avec des copains. Tu vois ce que je veux dire ?

— Oui.

— En même temps, je me dis qu'il n'y a pas de mal à se renseigner, hein ? Je fais donc au plus simple. Juste pour rassurer les parents, les convaincre que leur fille – elle s'appelle Aimee – va bien.

— Et tu as fait quoi ?

— J'ai interrogé le numéro de sa carte de crédit pour voir si elle s'en était servie pour faire des achats ou retirer de l'argent dans un distributeur.

— Et ?

— Ça n'a pas raté. Elle a retiré mille dollars, le max, dans un distributeur automatique à deux heures du matin.

— Tu as la vidéo de la banque ?

— Oui.

Loren savait que désormais l'opération prenait quelques secondes à peine. Les cassettes à l'ancienne mode n'existaient plus. Les caméras étaient numériques, et le film pouvait être téléchargé quasi instantanément.

— C'était Aimee, a-t-il dit. Aucun doute là-dessus. Elle n'a pas cherché à cacher son visage ni rien.

— Eh bien ?

— Tu penses que c'est une fugue, exact ?

— Exact.

— Elle a pris l'argent pour s'offrir du bon temps, a-t-il poursuivi. Histoire de décompresser après ses exams.

Banner a détourné le regard.

— Allez, Lance. Quel est le problème ?

— Katie Rochester.

— Parce que Katie a fait la même chose ? Elle a utilisé un distributeur avant de disparaître ?

Il a hoché la tête plusieurs fois, l'air de dire « peut-être bien que oui, peut-être bien que non ». Son regard continuait à errer sur la pièce.

— Ce n'est pas qu'elle a fait la même chose que Katie, a-t-il répondu. C'est qu'elle a fait *exactement* la même chose.

— J'ai du mal à te suivre.

— Le distributeur dont Aimee Biel s'est servie est situé à Manhattan, plus précisément… (Il parlait plus lentement, à présent.) dans une agence de la Citibank au croisement de la 52e Rue et de la Sixième Avenue.

Loren a senti un frisson naître à la base de son crâne et descendre vers le sud.

Banner a demandé :

— C'est bien l'appareil qu'a utilisé Katie Rochester, n'est-ce pas ?

Elle a acquiescé avant de sortir une énormité :

— Ça pourrait être une coïncidence.

— Ça pourrait, oui.

— Tu as autre chose ?

— On commence tout juste, mais on a récupéré le relevé de son téléphone portable.

— Et ?

— Elle a passé un coup de fil juste après son retrait.

— À qui ?

Se laissant aller en arrière, Lance Banner a croisé les jambes.

— Tu te souviens de ce gars qui avait quelques années de plus que nous… la grande star du basket du nom de Myron Bolitar ?

13

Pendant ce temps, à Miami, Myron dînait avec Rex Storton, un nouveau client, dans un immense restaurant que Rex avait choisi en raison du nombre de personnes qui le fréquentaient. Le restaurant faisait partie d'une chaîne, aussi universellement immonde que toutes les autres.

Ex-star sur le retour, Storton cherchait un rôle dans le cinéma « indé » qui le propulserait du café-théâtre de Loni Anderson à Miami vers les sommets vertigineux de Hollywood. Il était resplendissant avec son polo rose au col relevé, un pantalon blanc qu'un homme de son âge devrait pourtant bannir de sa garde-robe et son postiche gris acier parfait à condition de ne pas être assis juste en face de lui.

Des années durant, Myron n'avait représenté que des professionnels du sport. Un de ses basketteurs, qui avait voulu tâter du mélange des genres et jouer au cinéma, lui avait fait rencontrer des acteurs. Un nouveau secteur d'activité s'était mis en place ; aujourd'hui, il s'occupait presque exclusivement de ses clients de Hollywood, laissant le domaine du sport à Esperanza.

C'était étrange. En tant que sportif lui-même, on aurait cru que Myron se serait senti plus à l'aise avec les gens de son milieu. En fait, non. Il leur préférait les acteurs. La plupart des sportifs, repérés dès leur plus jeune âge, sont portés aux nues d'entrée de jeu. Ils font partie de l'élite de leur établissement scolaire. Ils sont de toutes les fêtes. Ils collectionnent les filles les plus canon. Les adultes les flattent. Les professeurs leur fichent la paix.

Les acteurs, c'est différent. La plupart ont suivi le parcours inverse. Dans ces villes de banlieue où le sport est roi, ce sont souvent des gamins qui, faute d'avoir été admis dans une équipe, se sont tournés vers d'autres activités. Ils sont généralement trop petits – vous avez déjà rencontré un acteur dans la vraie vie ? ils sont minuscules, non ? – ou maladroits. Du coup, ils se réfugient dans le jeu. Plus tard, la célébrité qui leur tombe dessus les prend au dépourvu. Ils n'ont pas l'habitude. Ils sont plus reconnaissants. Dans la majorité des cas – pas tous, non –, ça les rend plus humbles que leurs homologues sportifs.

Il y a d'autres facteurs, bien sûr. On dit que les comédiens montent sur scène pour remplir un vide que seuls les applaudissements peuvent combler. Si c'est vrai, cela ne fait que renforcer leur désir de plaire. Alors que les sportifs, habitués à avoir le monde à leurs pieds, en viennent à considérer cela comme un dû, les acteurs, eux, en ont besoin pour calmer momentanément leur sentiment d'insécurité. Les sportifs ont besoin de gagner. Ils ont besoin de vous battre. Les acteurs ont seulement besoin de vos applaudissements et, partant, de votre approbation.

C'est pourquoi il est plus facile de travailler avec eux.

Une fois de plus, c'est une généralité – Myron, bien que sportif, ne croyait pas être particulièrement difficile –, mais comme toutes les généralités, elle n'est pas dénuée de fondement.

Il a expliqué le rôle à Rex ; pour citer le pitch, il s'agissait d'un « voleur de voitures travesti, gâteux, mais au grand cœur ». Rex a hoché la tête. Il n'arrêtait pas de scruter la salle comme s'ils étaient à un cocktail et qu'il attendait l'arrivée d'un personnage important. Rex gardait constamment un œil sur l'entrée. Ils sont comme ça, les acteurs. Myron représentait un type mondialement réputé pour son animosité envers la presse. Il s'était bagarré avec des photographes. Il avait poursuivi des tabloïds en justice. Il avait réclamé le respect de sa vie privée. Et pourtant, chaque fois que Myron dînait avec lui, l'acteur en question choisissait une table centrale, face à la porte, et dès que quelqu'un entrait, il levait les yeux, juste une fraction de seconde, pour s'assurer qu'on l'avait reconnu.

Le regard toujours en mouvement, Rex a dit :

— Oui, oui, je vois. Il faudra que je mette une robe ?

— Pour certaines scènes, oui.

— Ce ne sera pas la première fois.

Myron a arqué un sourcil.

— Professionnellement parlant. Pas la peine de faire le malin. C'était fait avec beaucoup de goût. La robe, ça doit être quelque chose d'élégant.

— Pas de décolleté plongeant, alors ?

— Très drôle, Myron. Vous êtes un boute-en-train, vous. À ce propos, je devrai tourner un bout d'essai ?

— Eh oui.

— J'ai joué dans quatre-vingts films, bon sang.

— Je sais bien, Rex.

— Il ne pourrait pas en regarder un ?

Myron a haussé les épaules.

— C'est ce qu'il a dit.

— Le script, il vous plaît ?

— Oui.

— Il a quel âge, ce réalisateur ?

— Vingt-deux ans.

— Mon Dieu ! J'étais déjà un *has been* quand il est né.

— On vous paie l'avion pour L.A.

— Première classe ?

— Économique, mais je devrais pouvoir vous obtenir la classe affaires.

— Enfin, à quoi bon se voiler la face ? Je serais prêt à voyager sur l'aile vêtu d'un pagne, si le rôle me convenait.

— Bravo, voilà qui est bien dit.

Une mère et sa fille se sont approchées pour demander un autographe à Rex. Il a souri, magnanime, et bombé le torse. Puis, regardant celle qui à l'évidence était la mère, il a dit :

— Vous êtes sœurs, toutes les deux ?

Elle gloussait en partant.

— Encore une cliente heureuse, a observé Myron.

— Tout le plaisir est pour moi.

Puis ç'a été le tour d'une blonde avec une grosse poitrine. Rex lui a donné un baiser un peu trop appuyé. Après qu'elle s'est éloignée d'un pas dansant, il a brandi un bout de papier.

— Regardez.

— Qu'est-ce que c'est ?

— Son numéro de téléphone.

— Super.

— Que dire, Myron ? J'aime les femmes.

Myron a regardé à droite et à gauche.

— Qu'y a-t-il ?

— Je m'inquiète pour votre contrat de mariage.

— Très drôle.

Ils ont mangé du poulet sauté à la friteuse. Ou peut-être que c'était du bœuf. Ou des crevettes. Tout ce qui sortait de la friteuse avait le même goût. Myron sentait le regard de Rex posé sur lui.

— Qu'est-ce qu'il y a ?

— C'est dur à admettre, mais je ne suis vivant que sous les feux de la rampe. J'ai eu trois femmes et quatre gosses. Je les aime tous. J'ai passé de bons moments avec eux. Mais c'est seulement sous les lumières que j'ai vraiment l'impression d'être moi-même.

Myron se taisait.

— Vous trouvez ça pathétique ?

Myron a haussé les épaules.

— Et vous savez quoi ?

— Non.

— En leur for intérieur, je pense que la plupart des gens sont comme ça. Ils rêvent de gloire. Ils veulent qu'on les reconnaisse, qu'on les arrête dans la rue. On dit que c'est nouveau, avec toutes ces conneries de téléréalité. Mais moi, je dis que ç'a toujours existé.

Myron a inspecté le contenu pitoyable de son assiette.

— Vous êtes d'accord ?

— Je ne sais pas, Rex.

— Pour moi, les projecteurs ont baissé petit à petit, vous voyez ce que je veux dire ? J'ai eu de la chance. Mais j'ai rencontré quelques-unes de ces célébrités d'un jour. Ces gens-là ne sont jamais heureux. Plus jamais. Moi, avec l'effet fading, j'ai eu le temps de m'y habituer. Aujourd'hui encore, on me reconnaît. C'est pour ça que je dîne dehors tous les soirs. Oui, c'est affreux à dire, mais c'est la vérité. Même maintenant, à soixante-dix ans passés, je rêve de retourner tant bien que mal dans la lumière des sunlights. Vous comprenez ce que je dis ?

— Oui, a répliqué Myron. C'est pour ça que je vous aime.

— Comment ça ?

— Parce que vous êtes honnête. En général, les acteurs me disent que c'est juste une question de boulot.

Rex s'est esclaffé, moqueur.

— N'importe quoi ! Mais ce n'est pas leur faute, Myron. La célébrité est une drogue. La plus puissante de toutes. On est accro, mais on n'a pas envie de l'admettre.

Il a eu le sourire espiègle qui jadis faisait fondre les filles.

— Et vous-même, Myron ?

— Quoi, moi ?

— Comme je vous l'ai dit, pour moi, la lumière a baissé progressivement. Mais pour vous, étoile montante du basket, promis à une brillante carrière professionnelle...

Myron attendait.

— Et puis *crac*... (Rex a fait claquer ses doigts.) La lumière s'éteint. Quand on a, quoi, vingt et un, vingt-deux ans ?

— Vingt-deux, a dit Myron.

— Comment vous en êtes-vous sorti ? Moi aussi, je vous aime bien, mon pote. Alors dites-moi la vérité.

Myron a croisé les jambes. Il sentait son visage s'empourprer.

— Vous aimez le nouveau spectacle ?

— Quoi, le café-théâtre ?

— Oui.

— C'est du pipi de chat. Pis que de se mettre à poil sur la route 17 à Lodi, New Jersey.

— Et vous parlez par expérience ?

— N'essayez pas de changer de sujet. Comment vous en êtes-vous sorti ?

Myron a poussé un soupir.

— Beaucoup de gens diront admirablement bien.

La paume vers le haut, Rex a remué les doigts comme pour dire : *« Allez, allez ! »*

— Que voulez-vous savoir, exactement ?

Rex a réfléchi.

— Qu'avez-vous fait juste après ?

— Après l'accident ?

— Oui.

— De la rééducation. Énormément de rééducation.

— Et quand vous vous êtes rendu compte que le basket, c'était terminé… ?

— Je suis retourné à la fac de droit.

— Où ça ?

— Harvard.

— Très impressionnant. Vous êtes donc allé à la fac de droit. Et ensuite ?

— Vous connaissez la suite, Rex. J'ai eu mon diplôme, j'ai ouvert une agence sportive devenue agence multicarte, qui aujourd'hui représente aussi des acteurs et des auteurs.

Il a haussé les épaules.

— Myron ?

— Oui ?

— Je vous ai demandé de me dire la vérité.

S'emparant de sa fourchette, Myron a pris une bouchée qu'il a mastiquée lentement.

— Ce n'est pas seulement une lumière qui s'est

éteinte, Rex. Ç'a été la panne générale de courant. Le black-out du siècle.

— Ça, je connais.

— Il fallait que j'arrive à le dépasser.

— Et ?

— Et c'est tout.

Rex a secoué la tête avec un sourire.

— Quoi ?

— La prochaine fois, a-t-il répondu en saisissant sa fourchette. Vous me le direz la prochaine fois.

— Vous êtes un emmerdeur.

— Mais vous m'aimez bien, rappelez-vous.

Lorsqu'ils ont eu fini de manger et de boire, il était déjà tard. Deux soirs de suite passés à boire. Myron Bolitar, le poivrot mondain. Après avoir déposé Rex chez lui, il a regagné l'appartement de ses parents. Il avait une clé, qu'il a glissée dans la serrure sans faire de bruit, pour ne pas réveiller papa et maman. Ç'aurait été vraiment bête.

La télé était allumée. Son père était assis au salon. Quand Myron est entré, il a fait semblant de se réveiller. Mais il ne dormait pas. Papa avait l'habitude de veiller jusqu'à son retour. Quelle que soit l'heure. Et tant pis si Myron était déjà dans sa quatrième décennie.

Il s'est approché par-derrière du fauteuil de son père. Papa s'est retourné et l'a gratifié d'un sourire, ce sourire qu'il réservait exclusivement à son fils, pour lui signifier qu'à ses yeux il était la plus grande merveille du monde, ce qui n'était pas peu dire.

— Tu t'es bien amusé ?

— Oui, Rex est un type sympa, a dit Myron.

— J'aime bien ses films.

Son père a hoché la tête plusieurs fois.

— Assieds-toi une seconde.

— Qu'est-ce qu'il y a ?

— Rien, assieds-toi.

Myron s'est assis. Les mains sur les genoux, comme un môme de huit ans.

— C'est à propos de maman ?

— Non.

— Son parkinson s'est aggravé.

— C'est ça, le parkinson, Myron. Ça s'aggrave.

— Je peux faire quelque chose ?

— Non.

— Alors dire quelque chose, au moins.

— Non, laisse. C'est mieux comme ça. Et que dirais-tu d'ailleurs que ta mère ne sache déjà ?

Au tour de Myron de hocher plusieurs fois la tête.

— Alors de quoi tu voulais me parler ?

— De rien. Enfin, ta mère souhaite qu'on ait une discussion d'homme à homme.

— À quel sujet ?

— Le *New York Times* d'aujourd'hui.

— Pardon ?

— Il y avait quelque chose là-dedans. Ta mère pense que ça va te contrarier et que nous devrions en parler. Mais je n'ai pas l'intention de le faire. Je crois que je vais te donner le journal, pour que tu le lises tranquillement toi-même. Si tu as besoin de parler, tu viendras me voir, OK ? Sinon, je te fiche la paix.

Myron a froncé les sourcils.

— Quelque chose dans le *New York Times* ?

— Dans le supplément du dimanche, rubrique Tendances.

Se levant, papa a désigné du menton la pile de journaux.

— Page 16. Bonne nuit, Myron.

— Bonne nuit, papa.

Son père est sorti dans le couloir. Inutile de marcher

sur la pointe des pieds. Maman était capable de dormir pendant un concert de Judas Priest. Papa était le veilleur de nuit. Maman, la belle endormie. Myron a pris le journal du dimanche, trouvé la page 16 et, en voyant la photo, a senti un talon aiguille se ficher dans son cœur.

La rubrique Tendances du *New York Times* du dimanche était consacrée aux potins mondains. Mais ce qui intéressait le plus le lecteur, c'étaient les faire-part de mariage. Et là, page 16, en haut à gauche, il y avait la photo d'un homme avec un physique à la Ken et des dents trop parfaites pour être couronnées. Il avait une fossette au menton, genre sénateur républicain, et son nom était Stone Norman. D'après l'article, Stone était à la tête du BMV Investment Group, une société financière spécialisée dans les grandes opérations institutionnelles.

Mortel.

Le faire-part disait que Stone Norman et sa future épouse seraient unis par les liens du mariage à Manhattan le samedi suivant, au cours d'une cérémonie religieuse. Après quoi, les jeunes mariés s'installeraient à Scarsdale, État de New York.

Plus mortel encore. Stone mortel.

Mais ce n'est pas ça qui lui a transpercé le cœur. Non, ce qui lui a fait si mal, à lui scier les jambes, ç'a été de découvrir quelle femme Stone allait épouser, celle qui souriait à côté de lui sur la photo, d'un sourire que Myron connaissait trop bien.

Au début, il s'est contenté de la fixer. Puis, du bout du doigt, il a effleuré le visage de la future mariée. Sa biographie précisait qu'elle était auteur à succès, nominée à la fois pour le prix Pen/Faulkner et pour le National Book Award. Son nom était Jessica Culver et, même si le journal omettait de le mentionner, pendant plus de dix ans elle avait été le grand amour de Myron Bolitar.

Il la regardait sans bouger.

Jessica, celle qu'il avait longtemps crue être son âme sœur, allait épouser quelqu'un d'autre.

Il ne l'avait pas revue depuis leur rupture, sept ans plus tôt. Il avait continué à mener sa vie. Et elle, la sienne, bien sûr. Alors qu'y avait-il de si surprenant à cette annonce ?

Il a reposé le journal, puis l'a repris. Il y avait des lustres, Myron avait demandé Jessica en mariage. Elle avait dit non. Ils étaient restés ensemble, bon an mal an, durant la décennie qui avait suivi. Mais Myron voulait se marier, et pas Jessica. Elle rejetait en bloc ce concept bourgeois : la banlieue, la palissade, les enfants, les barbecues, les matches de foot, l'existence qu'avaient vécue les parents de Myron.

Sauf que maintenant Jessica épousait le grand Stone Norman et emménageait dans la banlieue ultrahuppée de Scarsdale.

Myron a soigneusement plié le journal, l'a posé sur la table basse. Il s'est levé avec un soupir et s'est engagé dans le couloir. En chemin, il a éteint les lumières. Il est passé devant la chambre de ses parents. La lampe de chevet était toujours allumée. Son père a toussoté pour lui faire comprendre qu'il était là.

— Tout va bien, a lancé Myron.

Son père n'a pas répondu, et il lui en a su gré. En funambule accompli, cet homme-là avait réussi l'exploit quasi impossible de manifester sa sollicitude tout en restant discret.

Jessica Culver, la femme de sa vie, l'âme sœur que le destin lui avait choisie, allait se marier.

Myron a décidé que la nuit lui porterait conseil. Mais le sommeil ne fut pas au rendez-vous.

14

Il était temps de parler aux parents d'Aimee Biel.

Six heures du matin. L'enquêtrice de police Loren Muse était assise par terre, en tailleur. Elle était en short, et la moquette usée jusqu'à la corde lui irritait la peau. Tout autour, il y avait des dossiers et des rapports de police. Avec, au milieu, l'horaire qu'elle avait établi.

Des ronflements rauques provenaient de la pièce d'à côté. Pendant plus de dix ans, Loren avait vécu seule dans cet appartement miteux. « Rez-de-jardin », ça s'appelait, même si la seule chose qui semblait pousser ici, c'était la brique rouge. Robustes constructions aussi chaleureuses qu'une cellule de prison, c'était une étape – qu'on soit sur une pente montante ou descendante –, sauf pour les quelques locataires échoués dans une sorte de purgatoire personnel.

Les ronflements ne venaient pas d'un petit ami. Loren en avait un, un gros loser nommé Pete. Non, c'était sa mère, la moult fois mariée, jadis désirable et aujourd'hui flasque Carmen Valos Muse Brewster et Cie qui, se trouvant entre deux hommes, avait élu domicile chez elle. Ses ronflements charriaient les résidus visqueux de toute une vie de fumeuse, mêlés à quelques longues années de picrate et de chansons ringardes.

Le plan de travail était jonché de miettes de crackers. Un pot de beurre de cacahuètes, avec un couteau planté dedans telle Excalibur, montait la garde au milieu. Loren a étudié les relevés téléphoniques, les factures des cartes de crédit, les récépissés de l'EZ Pass. Ils formaient un tableau intéressant.

OK, s'est dit Loren, mettons un peu d'ordre dans tout ceci.

• 1 h 56 : Aimee Biel retire de l'argent dans un distributeur Citibank de la 52e Rue – le même qu'a utilisé Katie Rochester trois mois plus tôt. Bizarre.

• 2 h 16 : Aimee Biel téléphone au domicile de Myron Bolitar, à Livingston. L'appel ne dure que quelques secondes.

• 2 h 17 : Aimee appelle un téléphone mobile dont le numéro est attribué à Myron Bolitar. L'appel dure trois minutes.

Loren a hoché la tête. Cela semblait logique : Aimee avait d'abord tenté de joindre Bolitar chez lui et, comme il ne répondait pas – ce qui expliquerait la brièveté du premier coup de fil –, elle l'avait appelé sur son portable.

Ensuite :

• 2 h 21 : Myron Bolitar appelle Aimee Biel. Cet appel dure une minute.

D'après ce qu'ils avaient réussi à glaner, Bolitar logeait souvent à New York, au Dakota, chez un ami nommé Windsor Horne Lockwood III. Lockwood était connu de la police et, tout fils de famille qu'il fût, il était suspecté de plusieurs agressions et, oui, même d'un meurtre ou deux. Ce type-là avait la réputation la plus folle que Loren ait jamais vue. Mais une fois de plus, ça n'avait rien à voir avec l'affaire en cours.

Seulement voilà, Bolitar se trouvait probablement chez Lockwood, à Manhattan. Sa voiture était garée sur le parking voisin. Selon le gardien de nuit, il avait pris son véhicule quelque part aux environs de 2 h 30.

Pour l'instant, ils n'avaient pas de preuves, mais Loren était sûre que Bolitar était allé chercher Aimee Biel. Ils essayaient d'obtenir des images de vidéosurveillance des commerces les plus proches. La voiture de Bolitar serait peut-être dessus. En attendant, cela semblait être l'hypothèse la plus plausible.

Toujours dans l'ordre chronologique :

• 3 h 11 : Bolitar utilise sa carte Visa dans une station-service Exxon sur la route 4 à Fort Lee, New Jersey, juste à la sortie du pont Washington.

• 3 h 55 : L'EZ Pass sur la voiture de Bolitar montre qu'il s'est dirigé vers le sud et a franchi le péage dans le comté de Bergen.

• 4 h 08 : L'EZ Pass enregistre le passage du péage du comté d'Essex, montrant que Bolitar a poursuivi sa route en direction du sud.

Voilà pour le péage. Il aurait pu prendre la sortie 145, ce qui l'aurait conduit chez lui, à Livingston. Loren a dessiné l'itinéraire. Ça ne tenait pas debout. On ne remonte pas vers le pont Washington pour redescendre sur le Garden State Parkway. Et même si c'est le cas, il ne faut pas quarante minutes pour arriver au péage de Bergen. À cette heure de la nuit, on doit mettre vingt minutes à tout casser.

Alors où Bolitar était-il allé ?

Elle s'est replongée dans son emploi du temps. Il y avait là un trou de plus de trois heures.

• 7 h 18, Bolitar appelle Aimee Biel sur son portable.

Pas de réponse. Il la rappelle à deux reprises ce matin-là. Pas de réponse. Hier, il téléphone chez elle. C'est le seul appel qui dure au-delà d'une poignée de secondes. Loren se demande s'il a parlé aux parents.

Elle a pris son téléphone et composé le numéro de Lance Banner.

— Alors, quoi de neuf ? a-t-il fait.

— Tu as parlé de Bolitar aux parents d'Aimee ?

— Pas encore.

— Je crois, a dit Loren, que c'est le moment.

Myron avait un nouveau rituel matinal. Son premier geste était d'ouvrir le journal pour consulter la liste des soldats morts à la guerre. Il regardait les noms. Tous les noms. Pour s'assurer que Jeremy Downing ne se trouvait pas parmi eux. Ensuite, il revenait en arrière et relisait les noms lentement, un par un. Nom, âge, lieu de naissance. C'étaient les seules indications. Myron imaginait que chacun de ces morts était un autre Jeremy, ce chouette gamin de dix-neuf ans qui habitait la porte d'à côté. L'espace de quelques minutes, il se représentait ce que signifiait cette mort – une jeune vie, pleine de rêves et d'espoirs, perdue à jamais –, ce que les parents pouvaient ressentir.

Il espérait que les dirigeants du pays en faisaient autant. Mais il en doutait.

Son portable s'est mis à sonner. Il a vérifié l'identité de l'appelant. L'écran affichait : DOUCES JOUES. C'était le numéro masqué de Win. Myron a répondu :

— Allô ?

Sans préambule, Win a annoncé :

— Ton vol arrive à treize heures.

— Tu travailles pour les compagnies aériennes maintenant ?

— Pour les compagnies aériennes, a répété Win. Elle est bonne, celle-là.

— Tu m'appelles pour quoi ?

— Les compagnies aériennes. Attends, laisse-moi savourer cette boutade. Les compagnies aériennes. C'est désopilant.

— Ça y est, oui ?

— Bouge pas, je vais chercher un stylo pour noter ça. Travaille. Pour. Les. Compagnies. Aériennes.

C'était tout Win.

— Tu as fini ?

— Je reprends : ton vol arrive à treize heures. Je viendrai te chercher à l'aéroport. J'ai deux places pour le match des Knicks. On sera aux premières loges, sans doute à côté de Paris Hilton ou de Kevin Bacon. Personnellement, je penche pour Kevin.

— Tu n'aimes pas les Knicks, a dit Myron.

— C'est vrai.

— D'ailleurs, tu n'aimes pas le basket. Alors pourquoi… ?

Soudain, il a compris.

— Nom de Dieu.

Silence.

— Depuis quand lis-tu la rubrique Tendances, Win ?

— Treize heures. Aéroport de Newark. À plus.

Clic.

Myron a éteint son téléphone. Il ne pouvait s'empêcher de sourire. Sacré Win.

Il est allé dans la cuisine. Son père était déjà debout, en train de préparer le petit déjeuner. Il n'a fait aucun commentaire sur les projets matrimoniaux de Jessica. Maman, toutefois, a bondi de sa chaise, s'est précipitée vers lui d'un air qui laissait présager une maladie en stade terminal, et lui a demandé s'il allait bien. Il lui a assuré que oui.

— Ça fait sept ans que je n'ai pas vu Jessica. Il n'y a pas de quoi en faire un fromage.

Ses parents ont tous deux hoché la tête, à l'évidence pour lui faire plaisir.

Quelques heures plus tard, il repartait pour l'aéroport. Il s'était tourné et retourné dans son lit, mais à la fin, il s'était fait une raison. Sept ans. Voilà sept ans qu'ils avaient rompu. Et même si c'était Jessica qui avait mené la danse tout le temps qu'ils avaient passé ensemble, c'est Myron qui avait mis un terme à leur relation.

Jessica, c'était le passé. Il a sorti son portable et appelé Ali… le présent.

— Je suis à l'aéroport de Miami, a-t-il dit.

— Ç'a été, ton voyage ?

Le son de sa voix lui a fait chaud au cœur.

— Très bien.

— Mais ?

— Mais rien. J'ai envie de te voir.

— Deux heures, ça t'irait ? Les gosses ne seront pas là, je te le promets.

— Aurais-tu une idée derrière la tête ? a-t-il demandé.

— L'expression exacte serait – attends, je vérifie dans le dictionnaire – un cinq à sept.

— Ali Wilder, petite friponne.

— J'avoue.

— Deux heures, ça ne va pas être possible. Win m'emmène voir les Knicks.

— Et tout de suite après le match ?

— Dieu, que je te hais quand tu joues les saintes-nitouches.

— Je suppose que ça veut dire oui.
— Et comment donc !
— Ça va, toi ? s'est-elle enquise.
— Oui, ça va.
— Tu as une drôle de voix, je trouve.
— Je fais mon possible pour être drôle.
— N'en fais pas trop, va.

Il y a eu un silence gêné. Il voulait lui dire qu'il l'aimait. Mais c'était trop tôt. Ou alors, après ce qu'il venait d'apprendre sur Jessica, le moment était mal choisi. On ne dit pas ces choses-là, surtout la première fois, pour une mauvaise raison.

Il a donc préféré répondre :
— Ça y est, on va embarquer.
— À bientôt, beau gosse.
— Attends, si j'arrive plus tard dans la soirée, ce sera quand même un « cinq à sept » ? Ce ne sera pas plutôt un « six à huit » ?
— Ça demande trop de réflexion. Et je n'ai pas de temps à perdre.
— Sur ce…
— Fais attention à toi, beau gosse.

Erik Biel était assis seul sur le canapé du salon tandis que Claire, sa femme, avait pris un fauteuil. Ce détail n'a pas échappé à Loren. Normalement, dans une situation pareille, des époux se seraient installés côte à côte, pour se soutenir mutuellement. Ici, tout laissait penser qu'ils voulaient être le plus loin possible l'un de l'autre. Peut-être que leur couple battait de l'aile. Ou peut-être qu'ils avaient les nerfs tellement à vif que toute tendresse – surtout la tendresse – leur était insupportable.

Claire Biel avait servi le thé. Loren n'en avait pas vraiment envie, mais elle avait constaté que les gens se sentaient plus en confiance si on les laissait faire quelque chose, n'importe quoi, une tâche courante ou domestique. Du coup, elle avait dit oui. Lance Banner, resté debout derrière elle, avait décliné.

Lance préférait qu'elle prenne la tête des opérations. Il connaissait les Biel. Ça pourrait être utile au cours de l'interrogatoire, mais c'était Loren qui menait le bal. Elle a bu une gorgée de thé. Elle attendait que le silence fasse son effet… qu'ils parlent les premiers. D'aucuns diraient que c'était cruel. Mais ça se justifiait, si ça les aidait à retrouver Aimee. Si on la retrouvait saine et sauve, ça serait vite oublié. Sinon, le malaise qu'ils éprouvaient maintenant ne serait rien comparé à ce qu'ils risquaient d'endurer.

— Voilà, a dit Erik Biel, nous avons fait la liste de ses amies les plus proches avec leurs numéros de téléphone. Nous les avons déjà toutes appelées. Ainsi que son petit copain, Randy Wolf.

Loren a consulté la liste en prenant tout son temps.

— Y a-t-il du nouveau ? a demandé Erik.

Erik Biel, s'est dit Loren, était le type même du psychorigide. Quant à la mère, Claire, l'épreuve qu'elle était en train de vivre se lisait sur ses traits. Elle n'avait pas fermé l'œil de la nuit. Elle ressemblait à une loque. Erik, avec sa chemise empesée, sa cravate et son visage rasé de frais, paraissait toutefois plus marqué. Il essayait si fort de tenir le coup qu'il semblait impossible d'envisager une déchéance progressive. Lorsqu'il craquerait, ce ne serait pas beau à voir et peut-être même que ce serait irréversible.

Loren a tendu le papier à Lance Banner. Puis elle s'est redressée dans son fauteuil et, sans quitter Erik des yeux, a lâché sa bombe :

— Est-ce que l'un de vous deux connaît un dénommé Myron Bolitar ?

Erik a froncé les sourcils. Loren a reporté son regard sur la mère. À voir la tête de Claire Biel, on aurait cru qu'elle lui demandait la permission de lécher leurs toilettes.

— C'est un ami de la famille, a dit Claire. Je le connais depuis le collège.

— Il connaît votre fille ?

— Bien sûr. Mais qu'est-ce que…

— Quel genre de relation entretiennent-ils ?

— De relation ?

— Oui. Votre fille et Myron Bolitar. Quel genre de relation entretiennent-ils ?

Pour la première fois depuis qu'ils étaient arrivés chez eux, Claire s'est tournée lentement vers son mari pour avoir son avis. Erik aussi s'est tourné vers sa femme. Tous deux avaient l'expression de quelqu'un qui vient de se faire frapper au ventre par un gringalet.

Erik a fini par prendre la parole :

— Qu'insinuez-vous par là ?

— Je n'insinue rien, monsieur Biel. Je vous pose une question.

Claire :

— Myron est un ami de la famille.

Erik :

— Il a écrit une lettre de recommandation pour l'université d'Aimee.

Claire a acquiescé vigoureusement.

Loren a continué, posément :

— Est-ce qu'il leur arrive de se voir ?

— Se voir ?

— Oui. Ou de se parler au téléphone. Ou de correspondre par e-mail. Sans que vous soyez là, a-t-elle ajouté.

Aussi invraisemblable que cela paraisse, Erik Biel s'est assis encore plus droit.

— Qu'est-ce que vous racontez, bon sang ?

OK, s'est dit Loren. Ils n'étaient pas au courant. Ils ne jouaient pas la comédie. Il était temps de passer la vitesse supérieure, de s'assurer de leur sincérité.

— La dernière fois que vous avez parlé à M. Bolitar, c'était quand ?

— Hier, a dit Claire.

— À quelle heure ?

— Je ne sais plus. En début d'après-midi, je crois.

— C'est lui qui a appelé ou c'est vous ?

— Il a téléphoné à la maison.

Loren a jeté un coup d'œil à Lance Banner. Un point pour la maman. Cela correspondait aux relevés téléphoniques.

— Que voulait-il ?

— Nous féliciter.

— De quoi ?

— Aimee a été admise à Duke.

— Autre chose ?

— Il a demandé à lui parler.

— À Aimee ?

— Oui. Il voulait la féliciter personnellement.

— Que lui avez-vous dit ?

— Qu'elle n'était pas là. Et je l'ai remercié d'avoir écrit la lettre de recommandation.

— Qu'a-t-il dit ?

— Qu'il rappellerait.

— Autre chose ?

— Non.

Loren a pris le temps de digérer l'information.

Claire Biel a précisé sa pensée :

— Vous ne pensez tout de même pas que Myron a quelque chose à voir là-dedans.

Loren s'est contentée de la dévisager, espérant que son silence l'inciterait à parler encore. Elle n'a pas été déçue.

— Il faut le connaître, a poursuivi Claire. C'est quelqu'un de bien. J'ai une confiance aveugle en lui.

Loren a hoché la tête, avant de regarder Erik.

— Et vous, monsieur Biel ?

Il avait les yeux dans le vague.

Claire a dit :

— Erik ?

— J'ai vu Myron hier, a-t-il déclaré.

Loren s'est redressée.

— Où ça ?

— Au gymnase du collège.

Il s'exprimait d'une voix éteinte, accablée.

— On y joue au basket le dimanche.

— Et il était quelle heure, à peu près ?

— Sept heures et demie, huit heures.

— Du matin ?

— Oui.

Loren s'est retournée vers Lance. Il a hoché lentement la tête. Ça ne lui avait pas échappé non plus. Bolitar avait dû rentrer chez lui à cinq ou six heures du matin, pas avant. Et voilà que deux heures plus tard il jouait au basket avec le père de la jeune fille disparue ?

— Vous jouez avec M. Bolitar tous les dimanches ?

— Non. Enfin, il venait jouer quelquefois. Mais ça faisait des mois qu'on ne l'avait pas vu là-bas.

— Lui avez-vous parlé ?

Erik a acquiescé, pensif.

— Attendez une seconde, a dit Claire. J'aimerais

savoir pourquoi vous vous intéressez tant à Myron. Qu'a-t-il à voir dans tout ça ?

L'œil rivé sur Erik Biel, Loren a ignoré sa question.

— De quoi avez-vous parlé ?

— D'Aimee, en fait.

— Et qu'a-t-il dit ?

— Il a tenté une approche indirecte.

Erik a expliqué que Myron Bolitar l'avait abordé, qu'ils avaient discuté exercice physique et réveil matinal, après quoi Myron avait embrayé sur Aimee : où elle était, les problèmes qu'on rencontrait avec les ados.

— Je me suis demandé où il voulait en venir.

— Comment ça ?

— Il voulait savoir quel genre de problèmes nous rencontrions avec Aimee. Il a demandé, je me souviens, si elle était d'humeur maussade, si elle passait trop de temps sur Internet, tout ça. Sur le coup, ça m'a paru bizarre.

— Comment était-il ?

— Dans un sale état.

— Fatigué ? Mal rasé ?

— Les deux.

— OK, ça suffit, a décrété Claire Biel. Nous avons le droit de connaître le pourquoi de toutes ces questions.

Loren a levé les yeux sur elle.

— Vous êtes avocate, n'est-ce pas, madame Biel ?

— En effet.

— Alors éclairez-moi sur un point : où, dans le Code pénal, est-il écrit que je dois vous dire quoi que ce soit ?

Claire a ouvert la bouche, l'a refermée. C'était de la méchanceté gratuite, mais la douche écossaise, s'est dit Loren, ce n'était pas seulement pour les criminels. C'était valable pour les témoins aussi. Elle n'aimait pas ça, mais c'était drôlement efficace.

Elle a regardé Lance. Obéissant au signal, il a toussoté dans son poing.

— Nous avons des informations qui relient Aimee à Myron Bolitar.

Les yeux de Claire se sont étrécis.

— Quel genre d'informations ?

— Dans la nuit d'avant-hier, à deux heures du matin, Aimee l'a appelé. D'abord chez lui. Puis sur son portable. Nous savons que M. Bolitar est allé chercher sa voiture dans un parking couvert de Manhattan.

Lance a continué à exposer les faits. Claire pâlissait à vue d'œil. Erik serrait les poings.

Lorsqu'il a eu terminé, ils étaient tous deux trop hébétés pour poser des questions. Loren s'est penchée en avant.

— Se pourrait-il que Myron soit pour Aimee autre chose qu'un ami de la famille ?

— Certainement pas, a dit Claire.

Erik a fermé les yeux.

— Claire…

— Quoi ? a-t-elle riposté sèchement. Tu ne vas pas croire que Myron soit mêlé…

— Elle l'a appelé juste avant… (Il a haussé les épaules.) Pourquoi l'aurait-elle appelé ? Pourquoi ne m'a-t-il rien dit quand on s'est vus au gymnase ?

— Je ne sais pas, mais l'idée…

Elle s'est interrompue, a fait claquer ses doigts.

— Attendez, Myron sort avec une de mes amies. Ali Wilder. Une femme adulte, excusez du peu. Une jolie veuve avec deux enfants. L'idée que Myron puisse…

Erik a plissé les paupières.

Loren s'en est rendu compte :

— Monsieur Biel ?

— Aimee était mal dans sa peau ces derniers temps.

Il avait parlé tout bas.

— Comment ça ?

Il n'avait toujours pas ouvert les yeux.

— Nous avons mis ça sur le compte de l'âge. Mais depuis quelques mois, elle est devenue cachottière.

— C'est normal, Erik, a dit Claire.

— Ça s'est aggravé.

Claire a secoué la tête.

— Tu persistes à la considérer comme ta petite fille. C'est tout.

— Tu sais bien que ce n'est pas tout, Claire.

— Non, Erik, je ne sais pas.

Il a rouvert, puis refermé les yeux.

— Oui, monsieur Biel ? a insisté Loren.

— Il y a deux semaines, j'ai essayé d'entrer dans son ordinateur.

— Pour quelle raison ?

— Parce que je voulais lire ses mails.

Sa femme l'a fusillé du regard, mais il ne s'en est pas aperçu... ou peut-être qu'il s'en moquait. Loren a repris :

— Et alors ?

— Elle avait changé son mot de passe.

— Elle voulait préserver son intimité, a dit Claire. Ça t'étonne ? Je tenais un journal quand j'étais gamine. Je le fermais à clé, mais malgré ça, je le cachais. Ça ne prouve rien.

— J'ai appelé notre fournisseur d'accès, a poursuivi Erik. Comme c'est moi qui paie l'abonnement, ils m'ont donné le nouveau mot de passe. J'ai donc pu consulter sa messagerie.

— Et ?

Il a haussé les épaules.

— Elle était vide.

— Elle savait que tu allais fouiner.

Claire était à moitié en colère, à moitié sur la défensive.

— Elle a fait ça pour se protéger.

Erik a pivoté vers elle.

— Tu le crois vraiment, Claire ?

— Tu crois vraiment qu'elle a une aventure avec Myron ?

Il n'a pas répondu.

Claire s'est tournée vers Loren et Lance.

— Vous avez interrogé Myron à propos de ces coups de fil ?

— Pas encore.

— Alors qu'est-ce qu'on attend ?

Claire s'est dirigée vers son sac à main.

— Allons-y tout de suite. On va éclaircir ça avec lui.

— Il n'est pas à Livingston, a dit Loren. Il a pris l'avion pour Miami, peu de temps après avoir joué au ballon avec votre mari.

Sur le point de poser une autre question, Claire s'est ravisée. Pour la première fois, elle avait l'air de douter. Loren a décidé d'en tirer parti. Elle s'est levée.

— On vous tient au courant.

15

Assis dans l'avion, Myron songeait à son amour d'antan, Jessica.

Ne devrait-il pas se réjouir pour elle ?

Jessica, une femme de caractère, autrement dit une emmerdeuse. Sa mère et Esperanza ne l'aimaient pas. Son père, tel un animateur-vedette de la télé, restait neutre. Win bâillait. Aux yeux de Win, les femmes étaient mettables ou ne l'étaient pas. Jessica était très indéniablement mettable… oui, bon, et après ?

Les femmes croyaient que Myron était aveuglé par la beauté de Jessica. Elle écrivait comme une déesse. Elle avait un tempérament de feu. Mais ils étaient différents. Myron rêvait de suivre l'exemple de ses parents. Jessica ricanait de ces niaiseries idylliques. Il y avait entre eux cette tension permanente qui les séparait en même temps qu'elle les poussait l'un vers l'autre.

Et voilà que Jessica s'apprêtait à épouser un golden boy nommé Stone. Rolling Stone. Stone de chez Stone. Complètement *stoned*, le mec.

Myron le détestait.

Qu'est-ce qui lui avait pris, à Jessica ?

Sept ans, Myron. Ça vous change une femme.

Oui, mais à ce point-là ?

L'avion s'est posé. Pendant qu'il roulait vers le terminal, Myron a consulté son portable. Il avait un texto de Win :

TON AVION VIENT D'ATTERRIR.

JE TE LAISSE LE SOIN DE PLACER TON BON MOT SUR MON TRAVAIL DANS LES COMPAGNIES AÉRIENNES. JE T'ATTENDS À LA SORTIE.

L'avion a ralenti sa course à l'approche de la porte de débarquement. Le commandant de bord a prié les passagers de rester assis et de ne pas détacher leurs ceintures. Personne n'a respecté la consigne. On entendait claquer les boucles des ceintures de sécurité. Pourquoi ? Qu'avaient-ils à gagner, à une seconde près ? Ou était-ce simplement par goût de la transgression ?

Il s'est demandé s'il ne devrait pas rappeler Aimee. Non, ce serait pousser le bouchon trop loin. Combien de fois pouvait-il la harceler au téléphone ? Les termes de sa promesse étaient très clairs. La conduire n'importe où. Ne pas poser de questions. Ne rien dire à ses parents. Cela ne l'étonnerait guère qu'après une telle escapade, Aimee ne veuille pas lui parler tout de suite.

Il est descendu de l'avion et se dirigeait vers la sortie quand quelqu'un l'a interpellé :

— Myron Bolitar ?

Il s'est retourné. Ils étaient deux, un homme et une femme. C'est la femme qui l'avait apostrophé. Elle était petite, un mètre cinquante et des poussières. Avec son mètre quatre-vingt-dix, Myron semblait l'écraser, mais elle n'a pas eu l'air impressionnée. L'homme qui l'accompagnait avait les cheveux coupés en brosse. Il lui a paru vaguement familier.

L'homme a brandi un insigne. Pas la femme.

— Loren Muse, police du comté d'Essex, a-t-elle dit. Et voici Lance Banner, de la police municipale de Livingston.

— Banner, a répété Myron machinalement. Vous êtes le frère de Buster ?

Lance a souri, presque.

— Ouais.

— C'était un type bien, Buster. On a fait quelques paniers ensemble.

— Je me souviens.

— Comment va-t-il ?

— Bien, je vous remercie.

Myron ignorait ce qui se passait, mais il avait une certaine expérience de la police. Plus par réflexe qu'autre chose, il a attrapé son portable et appuyé sur la touche. C'était un raccourci vers le numéro de Win. Comme ça, ce dernier pourrait l'écouter en mode silence. C'était un vieux truc entre eux, que Myron n'avait pas employé depuis des années, et pourtant, en présence d'officiers de police, il retrouvait sans peine ses anciens automatismes.

De ses démêlés avec la loi, il avait retenu quelques vérités de base qu'on pourrait résumer ainsi : ce n'est pas parce qu'on n'a rien fait qu'on n'est pas dans le pétrin. Alors autant en tenir compte.

— Je vous demande de nous accompagner, a dit Loren Muse.

— Puis-je savoir de quoi il s'agit ?

— Ça ne vous prendra pas longtemps.

— J'ai des places pour le match des Knicks.

— Nous tâcherons de ne pas perturber votre planning.

— Premières loges. (Il a regardé Lance Banner.) Carré VIP.

— Vous refusez de nous suivre ?

— C'est une arrestation ?

— Non.

— Dans ce cas, j'aimerais que vous me disiez d'abord de quoi il s'agit.

Loren Muse n'a pas hésité cette fois.

— C'est au sujet d'Aimee Biel.

Vlan ! Il aurait dû voir venir le coup. Myron a trébuché en reculant.

— Elle va bien ?

— Si vous veniez avec nous ?

— Je vous ai demandé…

— Je vous ai entendu, monsieur Bolitar.

Elle a pivoté en direction de la sortie.

— Si vous veniez avec nous pour que nous puissions en discuter plus confortablement ?

Lance Banner conduisait. Loren Muse était assise à côté de lui, et Myron, sur la banquette arrière.

— Elle va bien ? a-t-il insisté.

Ils n'ont pas répondu. C'était calculé de leur part, il le savait bien, mais ça lui était égal. Il voulait avoir des nouvelles d'Aimee. Le reste n'avait pas d'importance.

— Parlez-moi, bon sang.

Rien.

— Je l'ai vue samedi soir. Mais vous êtes déjà au courant, n'est-ce pas ?

Pas de réaction. Il en connaissait la raison. Par chance, le trajet était court. Ceci expliquait cela. Ils voulaient une trace tangible de ses aveux. Ça devait leur demander un sacré effort de volonté de ne rien dire, mais bientôt, une fois dans la salle d'interrogatoire, ils pourraient enregistrer sa déposition.

Ils ont pénétré dans un parking d'immeuble et l'ont escorté dans l'ascenseur. Ils sont montés au huitième. Ils étaient à Newark, au palais de justice du comté. Myron était déjà venu ici. On l'a conduit dans une salle d'interrogatoire. Il n'y avait pas de miroir, pas de vitre teintée. La surveillance devait se faire à l'aide d'une caméra.

— Suis-je en état d'arrestation ? s'est-il enquis.

Loren Muse a penché la tête.

— Qu'est-ce qui vous fait dire ça ?

— Cessez donc votre petit jeu, Muse.

— Asseyez-vous, je vous prie.

— Vous êtes-vous déjà renseigné à mon sujet ? Appelez Jake Courter, shérif à Reston. Il se portera garant pour moi. Et il ne sera pas le seul.

— On va y venir dans un moment.

— Qu'est-il arrivé à Aimee Biel ?

— Ça vous ennuie qu'on filme cet entretien ? a demandé Loren Muse.

— Non.

— Ça vous ennuie de signer une décharge ?

C'était une dérogation au Cinquième Amendement. Myron était bien placé pour savoir qu'il ne devait pas signer – il était juriste, après tout –, mais en l'occurrence, c'était le cadet de ses soucis. Son cœur cognait dans sa poitrine. Il était arrivé quelque chose à Aimee Biel. Et ils le croyaient de la partie. Plus vite ils éclairciraient ça, et mieux ça vaudrait pour Aimee.

— OK, a-t-il acquiescé. Alors, qu'est-il arrivé à Aimee ?

Loren Muse a écarté les mains.

— Qui a dit qu'il lui était arrivé quelque chose ?

— Mais vous-même, Muse. Quand vous m'avez

alpagué à l'aéroport. Vous m'avez dit : « C'est au sujet d'Aimee Biel. » Étant donné que, sans vouloir me vanter, je possède un formidable pouvoir de déduction, j'ai pensé que si deux policiers m'arrêtaient à l'aéroport et me disaient que ç'avait quelque chose à voir avec Aimee Biel, ce n'était pas parce qu'il lui arrivait de faire péter son chewing-gum en classe. Allez, ne m'en veuillez pas d'être naturellement doué.

— Vous avez fini ?

Il avait fini. La nervosité le rendait loquace.

Loren Muse a sorti un stylo. Il y avait déjà un bloc-notes sur la table. Lance Banner, debout, gardait le silence.

— Quand avez-vous vu Aimee Biel pour la dernière fois ?

Inutile de reposer sa question. De toute façon, Muse n'en ferait qu'à sa tête.

— Dans la nuit de samedi à dimanche.

— Quelle heure était-il ?

— Entre deux et trois heures du matin, je crois.

— Plutôt dimanche matin que samedi soir alors, non ?

Myron a ravalé une réplique cinglante.

— Tout à fait.

— Bien. Et où l'avez-vous vue pour la dernière fois ?

— À Ridgewood, New Jersey.

Elle l'a noté sur son bloc.

— Adresse ?

— Je ne la connais pas.

Son stylo s'est immobilisé.

— Vous ne la connaissez pas ?

— Il était tard. C'est elle qui m'a guidé. Je n'ai fait que suivre ses indications.

— Je vois.

Elle s'est redressée, a lâché le stylo.

— Et si vous commenciez par le commencement ?

La porte derrière eux s'est ouverte à la volée. Tout le monde a tourné la tête. Hester Crimstein a fait une entrée fracassante comme si la pièce l'avait insultée tout bas et qu'elle venait lui demander des comptes. L'espace d'un instant, personne n'a bougé ni ouvert la bouche.

Hester a attendu une fraction de seconde, puis elle a ouvert les bras, avancé le pied droit et crié :

— Surprise !

Loren Muse a haussé un sourcil.

— Hester Crimstein ?

— On se connaît, chérie ?

— Je vous ai vue à la télévision.

— Je serai ravie de vous signer un autographe, mais tout à l'heure. Pour le moment, je veux qu'on coupe la caméra et que vous deux… (Elle a désigné Loren et Lance Banner.) vous débarrassiez le plancher afin que je puisse causer avec mon client.

Loren s'est levée. Les deux femmes se sont affrontées du regard. Elles étaient à peu près de la même taille. Hester avait les cheveux frisés. Loren a essayé de lui faire baisser les yeux. Myron avait envie de rigoler. D'aucuns auraient dit que la célèbre avocate pénaliste Hester Crimstein était aussi mauvaise qu'un serpent, mais la majorité des gens auraient estimé que ç'aurait été faire injure aux serpents.

— Attendez, a dit Hester à Loren. Attendez, je sens que ça vient…

— Je vous demande pardon ?

— D'une seconde à l'autre, je vais faire dans ma culotte. De peur, j'entends. Encore un peu de patience…

Myron a dit :

— Hester…

— Silence, vous !

L'œil noir, Hester a fait claquer sa langue pour signifier sa réprobation.

— On signe une décharge et on parle en l'absence de son avocat ? Vous avez perdu la boule ou quoi ?

— Vous n'êtes pas mon avocat.

— Silence, vous dis-je.

— Je me représente moi-même.

— Vous connaissez l'expression selon laquelle un homme qui se représente lui-même a un imbécile pour client ? Eh bien, remplacez « imbécile » par « sombre crétin bouché à l'émeri ».

Myron se demandait comment elle avait fait pour arriver aussi vite. La réponse était évidente : Win. Sitôt que Myron avait ouvert son portable, sitôt que Win avait entendu les policiers, il avait dû contacter Hester et la conduire jusqu'ici.

Classée parmi les plus grands ténors du barreau, Hester Crimstein animait sa propre émission sur le câble, intitulée *Le Crime selon Crimstein*. Ils s'étaient liés d'amitié lorsqu'elle avait aidé Esperanza, accusée de meurtre quelques années plus tôt.

— Minute.

Hester s'est tournée vers Loren et Lance.

— Vous êtes encore là, vous ?

Lance a fait un grand pas en avant.

— Il vient de dire à l'instant que vous n'étiez pas son avocate.

— C'est comment votre nom déjà, joli cœur ?

— Lance Banner, police de Livingston.

— Lance, a-t-elle répété. Comme dans lance-pierres ? Tenez, Lance, j'ai un conseil à vous donner : le pas en avant, c'était bien joué, très impérieux, mais il faudrait bomber davantage le torse. Prendre une voix plus grave, et ne pas oublier de froncer le sourcil. Genre : « Hé, poulette, il vient de dire à l'instant que vous n'étiez pas son avocate. » Allez, essayez.

Myron savait qu'Hester ne s'en irait pas. Du reste, il ne voulait pas qu'elle parte. Il était prêt à coopérer, certes, pour en finir au plus vite, mais il tenait à savoir ce qui diable était arrivé à Aimee.

— Elle est mon avocate, a-t-il déclaré. S'il vous plaît, donnez-nous une minute.

Hester les a gratifiés d'un sourire satisfait, dans le plus pur style tête à claques. Ils se sont dirigés vers la porte. Elle a agité la main en remuant les doigts, comme on fait avec des bambins. Une fois la porte refermée, elle a levé les yeux vers la caméra.

— Éteignez-moi ça.

— C'est déjà fait, vous ne croyez pas ? a dit Myron.

— Ouais, c'est ça. Les flics ne jouent jamais à ces jeux-là.

Elle a sorti son portable.

— À qui téléphonez-vous ? a-t-il demandé.

— Savez-vous pourquoi vous êtes ici ?

— À cause d'une jeune fille qui s'appelle Aimee Biel, a dit Myron.

— Ça, je le sais déjà. Mais vous ignorez ce qui lui est arrivé ?

— Oui.

— C'est ce que j'essaie de découvrir. Mon enquêtrice y travaille en ce moment même. C'est la meilleure, elle connaît tout le monde ici.

Hester a porté le téléphone à son oreille.

— Ouais, Hester à l'appareil. Quoi de neuf ? Mmm. Mmm-mmm.

Elle écoutait sans prendre de notes. Au bout d'une minute, elle a dit :

— Merci, Celia. Continuez à creuser pour voir où c'en est.

Elle a raccroché. Myron a arqué un sourcil interrogateur.

— Cette fille… son nom de famille est Biel.

— Aimee Biel, a-t-il acquiescé. Alors ?

— Elle a disparu.

Il a ressenti un nouveau coup au cœur.

— Apparemment, elle n'est pas rentrée chez elle samedi soir. Elle était censée dormir chez une amie. En fait, elle n'y a jamais mis les pieds. Personne ne sait ce qu'elle est devenue. D'après les relevés téléphoniques, il y aurait un lien entre cette jeune fille et vous. Et autre chose encore. Mon enquêtrice essaie de savoir quoi.

Hester s'est assise et l'a contemplé par-dessus la table.

— Bien, jeune homme, racontez tout à tata Hester.

— Non, a dit Myron.

— Quoi ?

— Écoutez, je vous laisse le choix. Ou vous restez pendant que je leur parle, ou je vous vire sur-le-champ.

— Vous devriez me parler d'abord.

— On n'a pas de temps à perdre. Il faut que je leur explique tout.

— Parce que vous êtes innocent ?

— Bien sûr que je suis innocent.

— Et la police ne se trompe jamais, *jamais* de coupable.

— J'en prends le risque. Si Aimee a des ennuis, je ne veux pas leur faire perdre leur temps.

— Je ne suis pas d'accord.

— Alors vous êtes virée.

— Du calme, je ne fais que vous conseiller. C'est vous le client.

Elle s'est levée puis elle est allée ouvrir la porte. Loren Muse est passée devant elle pour aller se rasseoir à sa place. Lance a repris son poste dans le coin. Muse était toute rouge : elle devait s'en vouloir de ne pas l'avoir interrogé dans la voiture, avant l'arrivée de Hester.

Elle allait parler, mais Myron l'en a empêchée en levant sa paume.

— Allons-y, a-t-il déclaré. Aimee Biel a disparu. Je suis au courant maintenant. Vous avez dû contrôler ses communications téléphoniques ; vous savez donc qu'elle m'a appelé vers deux heures du matin. Comme je ne suis pas certain des informations dont vous disposez, je vais vous aider. Elle m'a demandé de lui servir de chauffeur. Je suis allé la chercher.

— Où ? a dit Loren.

— Manhattan centre. 52e Rue et Cinquième Avenue, je crois. On a traversé le pont Washington. Vous avez relevé le paiement par carte à la station-service ?

— Oui.

— Vous savez donc qu'on s'est arrêtés là-bas. Puis on a pris la route 4 et la route 17 jusqu'à Ridgewood.

Myron les a vus réagir. Il avait dû louper quelque chose, mais il a enchaîné :

— Je l'ai déposée devant une maison au fond d'une impasse. Après quoi, je suis rentré chez moi.

— Et vous ne vous souvenez pas de l'adresse, c'est bien ça ?

— C'est ça.

— Autre chose ?

— À savoir ?

— À savoir, pourquoi c'est vous qu'Aimee Biel a appelé en premier lieu ?

— Je suis un ami de la famille.

— Un ami très proche, alors.

— En effet.

— Mais pourquoi vous ? Voyons, elle a d'abord téléphoné chez vous à Livingston. Puis elle a appelé sur votre portable. Pourquoi s'est-elle adressée à vous et non à ses parents, à une tante, un oncle ou même un camarade de classe ?

Loren a levé les paumes au ciel.

— Pourquoi vous ?

— Elle m'avait fait une promesse, a dit Myron doucement.

— Une promesse ?

— Oui.

Il leur a parlé du sous-sol, de la conversation qu'il avait surprise entre les deux filles, de la promesse qu'il leur avait extorquée… et ce faisant, il les voyait changer de tête. Y compris Hester. Ses paroles, ses justifications, sonnaient creux maintenant même à ses propres oreilles, il n'aurait pas su dire pourquoi. Ses explications duraient peut-être un peu trop longtemps. Il entendait la note défensive dans sa voix.

Quand il a eu terminé, Loren a demandé :

— Cette promesse, vous l'aviez déjà faite dans le passé ?

— Non.

— Jamais ?

— Jamais.

— Pas d'autres demoiselles pompettes ou en détresse à qui vous auriez proposé vos services de chauffeur ?

— Dites donc !

Hester ne pouvait laisser passer cela.

— Vous déformez totalement ses propos. Vous avez déjà eu la réponse à votre question. On continue.

Loren a changé de position sur son siège.

— Et les garçons ? Y a-t-il des garçons à qui vous auriez fait promettre de vous appeler ?

— Non.

— Juste des filles, alors ?

— Juste ces deux filles-là, a répliqué Myron. Et ce n'était pas prémédité de ma part.

— Je vois.

Loren s'est frotté le menton.

— Et Katie Rochester ?

Hester a dit :

— Qui ça ?

Myron n'a pas relevé.

— Oui, eh bien ?

— Vous n'avez jamais fait promettre à Katie Rochester de vous appeler si elle était ivre ?

— Encore une déformation totale de ce qu'il a dit, s'est interposée Hester. Il voulait les empêcher de conduire en état d'ébriété.

— Mais oui, c'est ça, a répondu Loren. Le preux chevalier. Vous n'avez rien fait de tel avec Katie Rochester ?

— Je ne connais même pas Katie Rochester, a rétorqué Myron.

— Mais vous avez déjà entendu ce nom-là.

— Oui.

— Dans quel contexte ?

— Aux informations. C'est quoi, l'histoire, Muse… je suis soupçonné dans toutes les affaires de disparition ?

Loren a souri.

— Pas toutes.

Se penchant vers lui, Hester lui a chuchoté à l'oreille :

— Je n'aime pas ça, Myron.

Lui non plus, il n'aimait pas ça.

— Vous n'avez donc jamais rencontré Katie Rochester ?

Sa formation d'avocat a pris le dessus :

— Pas à ma connaissance.

— Pas à votre connaissance. À la connaissance de qui, alors ?

— Objection.

— Vous m'avez compris, a dit Myron.

— Et son père, Dominick Rochester ?

— Non plus.

— Ni sa mère, Joan ? Vous ne l'avez jamais rencontrée ?

— Non.

— Non, a répété Loren, ou pas à votre connaissance ?

— Je rencontre des tas de gens. Je ne retiens pas tous les noms. Mais ces noms-là ne me disent rien.

Loren Muse a contemplé la table.

— Vous avez déposé Aimee à Ridgewood, dites-vous ?

— Oui. Chez son amie Stacy.

— Chez son amie ?

Loren a dressé l'oreille.

— Vous n'en avez pas parlé jusque-là.

— J'en parle maintenant.

— Quel est le nom de famille de Stacy ?

— Aimee ne me l'a pas dit.

— Je vois. Vous l'avez rencontrée, cette Stacy ?

— Non.

— Vous avez accompagné Aimee jusqu'à la porte ?

— Non, je suis resté dans la voiture.

Loren Muse a pris un air faussement perplexe.

— Votre promesse de la protéger ne s'étendait pas au trajet de la voiture à la porte d'entrée ?

— Aimee m'a demandé de rester dans la voiture.

— Qui lui a ouvert la porte ?

— Personne.

— Elle est entrée comme ça ?

— Elle m'a dit que Stacy devait dormir et qu'elle rentrait toujours par la porte de derrière.

— Je vois.

Loren s'est levée.

— OK, allons-y.

— Où l'emmenez-vous ? a demandé Hester.

— À Ridgewood. On va tâcher de retrouver cette impasse.

Myron s'est levé aussi.

— Ne serait-il pas plus simple d'obtenir l'adresse de Stacy auprès des parents d'Aimee ?

— Nous connaissons l'adresse de Stacy, a répondu Loren. Le problème, c'est que Stacy n'habite pas Ridgewood mais Livingston.

16

En sortant de la salle d'interrogatoire, Myron a aperçu Claire et Erik Biel dans un bureau plus loin dans le couloir. Même à distance, et à travers la paroi vitrée, la tension était palpable. Il s'est arrêté.

— Qu'est-ce qui se passe ? a demandé Loren Muse.

Il a pointé le menton.

— J'aimerais leur parler.

— Pour leur dire quoi, au juste ?

Il a hésité.

— Vous préférez perdre votre temps en explications plutôt que de nous aider à retrouver Aimee ?

Elle n'avait pas tort. Que leur dirait-il là, tout de suite ? Je n'ai pas fait de mal à votre fille ? Je l'ai simplement accompagnée à Ridgewood pour lui éviter de monter avec un gamin éméché ? Et après ?

Hester lui a fait la bise.

— Ne l'ouvrez pas trop, hein ?

Il l'a regardée.

— Bon, très bien, comme vous voudrez. Mais appelez-moi si on vous arrête, OK ?

— OK.

Myron a pris l'ascenseur jusqu'au parking avec Loren Muse et Lance Banner. Banner est monté dans une voiture et a démarré. Myron a interrogé Loren du regard.

— Il va chercher un collègue de la police municipale de Ridgewood pour nous accompagner.

— Ah.

Loren s'est dirigée vers une voiture de police équipée de barreaux pour le transport de criminels. Elle a ouvert la portière arrière à Myron. En soupirant, il s'est glissé sur la banquette. Elle-même s'est installée au volant. Il y avait un ordinateur portable fixé au tableau de bord. Loren a pianoté sur le clavier.

— Et maintenant ? s'est enquis Myron.

— Je peux avoir votre téléphone mobile ?

— Pour quoi faire ?

— Passez-le-moi.

Il s'est exécuté. Elle a consulté la liste des appels, puis a jeté l'appareil sur le siège du passager.

— À quel moment exactement avez-vous appelé Hester Crimstein ? a-t-elle demandé.

— Je ne l'ai pas appelée.

— Alors comment…

— C'est un peu compliqué à expliquer.

Win n'aimerait pas entendre citer son nom.

— Ça la fiche mal, a-t-elle observé, d'appeler un avocat aussi vite.

— Rien à cirer.

— Je m'en doutais.

— Bon, qu'est-ce qu'on fait ?

— On va aller à Ridgewood. Pour tenter de retrouver l'endroit où vous êtes censé avoir déposé Aimee Biel.

Ils se sont mis en route.

— Je vous ai déjà vue quelque part, a dit Myron.

— J'ai grandi à Livingston. Quand j'étais gamine, j'ai assisté à quelques-uns de vos matches de basket au lycée.

— Non, ce n'est pas ça.

Il s'est dressé sur son siège.

— Attendez, ce n'est pas vous qui avez enquêté sur l'affaire Hunter ?

— J'ai… (Une pause.) participé à l'enquête.

— C'est ça. L'affaire Matt Hunter.

— Vous le connaissiez ?

— J'étais en classe avec son frère Bernie. Je suis allé à son enterrement.

Il s'est rassis.

— Alors, qu'est-ce qui va arriver maintenant ? Vous allez demander un mandat de perquisition pour ma maison, ma voiture ou quoi ?

— Les deux.

Elle a jeté un œil à sa montre.

— On est en train de les préparer.

— Vous trouverez certainement des empreintes d'Aimee dans l'une et dans l'autre. Je vous ai parlé de cette soirée, quand elle a squatté mon sous-sol. Et j'ai reconnu l'avoir fait monter dans ma voiture dans la nuit de samedi.

— Tout cela est d'une logique imparable, en effet.

Myron a fermé les yeux.

— Vous allez réquisitionner mon ordinateur aussi ?

— Bien sûr.

— J'ai beaucoup de correspondance privée là-dedans. Des informations concernant mes clients.

— On fera attention.

— Ça m'étonnerait. Rendez-moi un service, Muse. Inspectez vous-même mon ordinateur.

— Vous me faites confiance ? C'est presque flatteur, dites.

— OK, d'accord, cartes sur table, a déclaré Myron. Je sais bien que je fais un bon suspect.

— Ah oui ? Pourquoi ? Parce que vous êtes le dernier à l'avoir vue ? Parce que vous êtes un ancien sportif, célibataire, qui vit seul dans la maison de son enfance et ramasse des adolescentes dans la rue à deux heures du matin ?

Elle a haussé les épaules.

— Pourquoi vous soupçonnerait-on ?

— Je n'ai rien fait, Muse.

Elle gardait les yeux sur la route.

— Qu'y a-t-il ? a demandé Myron.

— Parlez-moi de la station-service.

— La…

Soudain, il a compris.

— Oh !

— Quoi, « oh » ?

— Qu'avez-vous : la vidéo de la surveillance ou le témoignage du pompiste ?

Elle n'a pas répondu.

— Aimee s'est fâchée contre moi parce qu'elle pensait que j'allais parler à ses parents.

— Et pourquoi le pensait-elle ?

— Parce que je n'arrêtais pas de poser des questions… où elle avait été, avec qui, ce qui s'était passé.

— Alors que vous aviez promis de la conduire où elle voulait sans rien demander.

— Absolument.

— Qu'est-ce qui vous a fait revenir sur votre promesse ?

— Je ne suis pas revenu sur ma promesse.

— Mais ?

— Elle n'était visiblement pas dans son assiette.

— Comment ça ?

— Ce n'était pas un quartier où les jeunes sortent boire un verre. Elle n'était pas ivre. Elle ne sentait pas l'alcool. Elle semblait plus bouleversée qu'autre chose. Du coup, j'ai essayé de savoir pourquoi.

— Et elle n'a pas apprécié ?

— C'est ça. À la station-service, elle a sauté de la voiture. Elle n'a pas voulu remonter tant que je ne lui ai pas promis de ne plus poser de questions et de ne rien raconter à ses parents. Elle a dit…

Myron a froncé les sourcils, il avait horreur de trahir ce genre de confidences.

— Elle a dit que ça n'allait pas fort à la maison.

— Avec papa et maman ?

— Oui.

— Et qu'avez-vous répondu ?

— Que c'était normal.

— Alors là, chapeau ! s'est exclamée Loren. Quelles autres vérités lui avez-vous servies ? Le temps guérit toutes les blessures ?

— Lâchez-moi, Muse, voulez-vous ?

— Vous êtes toujours mon suspect numéro un, Myron.

— Sûrement pas.

Ses sourcils se sont abaissés.

— Je vous demande pardon ?

— Vous n'êtes pas bête à ce point-là. Moi non plus, du reste.

— Ça veut dire quoi, ça ?

— Vous êtes au courant pour moi depuis hier. Vous avez dû donner quelques coups de fil. À qui avez-vous parlé ?

— Vous avez déjà cité Jake Courter.

— Vous le connaissez ?

Loren a hoché la tête.

— Et qu'a dit le shérif Courter à mon sujet ?

— Que pour foutre la merde, il n'y avait pas mieux que vous.

— Mais que je n'avais pas pu faire ça, n'est-ce pas ?

Elle n'a rien dit.

— Voyons, Muse. Vous savez bien que je ne suis pas aussi stupide. Les relevés du téléphone, de la carte Visa, l'EZ Pass, un témoin oculaire à la station-service… ça fait beaucoup, non ? Qui plus est, mon histoire tient la route. Les relevés téléphoniques prouvent que c'est Aimee qui m'a appelé. Ça confirme ce que je vous ai raconté.

Ils ont roulé en silence pendant quelque temps. La radio de la voiture s'est mise à grésiller. Loren a répondu.

— J'ai un collègue avec moi, a annoncé Lance Banner. On est sur le départ.

— Je suis presque arrivée.

Puis, à Myron :

— Quelle sortie avez-vous empruntée, Ridgewood Avenue ou Linwood ?

— Linwood.

Elle l'a répété dans le microphone, avant de désigner le panneau vert à travers le pare-brise :

— West Linwood Avenue ou East ?

— Là où c'est marqué « Ridgewood ».

— West, alors.

Myron s'est calé dans son siège. Loren s'est engagée sur la bretelle de sortie.

— C'est loin d'ici, d'après vos souvenirs ?

— Je ne sais plus très bien. Au début, c'était tout droit. Puis on a pas mal tourné. Je ne me rappelle plus.

Loren a froncé les sourcils.

— Vous n'avez pas l'air de quelqu'un qui oublie facilement, Myron.

— Les apparences sont trompeuses.

— Où étiez-vous avant son coup de téléphone ?

— À un mariage.

— Vous avez beaucoup bu ?

— Plus que de raison.

— Étiez-vous ivre quand elle a téléphoné ?

— J'aurais probablement pu souffler dans le ballon sans me faire épingler.

— Mais vous étiez, comment dire, dans le coaltar ?

— Oui.

— Quelle ironie, hein ?

— Comme dans une chanson d'Alanis Morissette, a-t-il dit. J'ai une question pour vous.

— Je n'ai pas à répondre à vos questions, Myron.

— Vous m'avez demandé si je connaissais Katie Rochester. Était-ce juste une formalité – deux jeunes filles disparues – ou avez-vous une raison de croire que leurs disparitions sont liées ?

— Vous plaisantez, non ?

— J'ai besoin de savoir…

— Que dalle. Vous avez besoin de savoir que dalle. Bon, allez, reprenons depuis le début. Tout. Ce qu'Aimee a dit, ce que vous avez dit, les coups de fil, le trajet, tout.

Myron a répété son récit. À l'angle de Linwood Avenue, il a remarqué une voiture de la police de Ridgewood qui s'était glissée dans la file derrière eux. Lance Banner était assis à la place du passager.

— Ils viennent pour une histoire de juridiction ? a-t-il demandé.

— De protocole, plutôt. Vous vous rappelez par où vous êtes passés à partir d'ici ?

— Il me semble qu'on a pris à droite après cette grande piscine.

— OK. J'ai un plan sur l'ordinateur. On essaie de localiser cette impasse, et on verra bien ce qui arrivera.

Livingston, la ville natale de Myron, était récente – d'anciens terrains agricoles convertis en lotissements quasi identiques, avec un seul centre commercial. Ridgewood, c'étaient de vieilles demeures victoriennes, un paysage plus verdoyant et un vrai centre-ville avec restaurants et boutiques. On y trouvait tous les styles d'architecture. Les rues étaient bordées d'arbres courbés par les ans jusqu'à former une voûte protectrice. L'impression de monotonie était moins présente ici.

Cette rue-là lui rappelait-elle quelque chose ?

Myron a froncé les sourcils. Il n'aurait su le dire. Pas de sentiment de monotonie le jour, mais la nuit, on se serait cru dans un bois. Loren s'est engagée dans une impasse. Il a secoué la tête. Puis une autre, et encore une autre. Les voies serpentaient apparemment sans plan ni raison, comme sur une toile abstraite.

Les impasses se succédaient.

— Vous dites qu'Aimee n'avait pas l'air ivre, a fait remarquer Loren.

— C'est exact.

— Comment était-elle, alors ?

— Elle semblait perturbée.

Il s'est redressé.

— Je me disais que peut-être elle avait rompu avec son copain. Il s'appelle Randy, je crois. Vous lui avez parlé ?

— Non.

— Pourquoi ?

— J'ai des comptes à vous rendre ?

— Non, mais une jeune fille disparaît, vous enquêtez…

— Il n'y a pas eu d'enquête. Elle est majeure, on n'a aucune trace de violences, sa disparition a été signalée il y a quelques heures à peine…

— Et c'est là que j'entre en scène.

— En effet. Claire et Erik Biel ont appelé toutes ses amies, naturellement. Randy Wolf, son petit copain, n'était pas censé la voir samedi soir. Il est resté chez lui, avec ses parents.

Myron a froncé les sourcils. Loren l'a observé dans le rétroviseur.

— Quoi, qu'est-ce qu'il y a ?

— Un samedi soir, à l'approche des grandes vacances, a-t-il lâché, et Randy reste chez lui avec papa et maman ?

— Soyez gentil, Bolitar, occupez-vous de chercher cette maison, d'accord ?

Sitôt qu'elle a eu tourné, Myron a ressenti une impression de déjà-vu.

— À droite. Au fond de l'impasse.

— C'est ici ?

— Peut-être, je n'en suis pas sûr.

Puis :

— Oui ! Oui, c'est là.

Loren s'est garée. La voiture de la police municipale de Ridgewood s'est arrêtée derrière eux. Myron a regardé par la vitre.

— Avancez de quelques mètres.

Loren s'est exécutée. Il ne quittait pas la maison des yeux.

— Alors ?

Il a hoché la tête.

— C'est bien ça. Elle a ouvert cette grille, sur le côté.

Il a failli ajouter : *Et je ne l'ai plus revue depuis.*

— Attendez dans la voiture.

Loren est descendue. Myron l'a suivie du regard. Elle est allée parler à Banner et au flic avec le logo de la police municipale de Ridgewood sur son uniforme. Ils se sont concertés en désignant la maison. Puis elle est allée sonner au portail. Une femme est venue ouvrir. Au début, Myron ne la voyait pas. Elle est sortie sur le trottoir. Non, il ne la connaissait pas. Mince, les mèches blondes pointant sous une casquette de base-ball, on aurait dit qu'elle venait juste de finir une séance de gym.

Les deux femmes ont discuté pendant une bonne dizaine de minutes. Loren n'arrêtait pas de se retourner comme si elle craignait que Myron ne prenne la tangente. Finalement, elles se sont serré la main. La femme est rentrée et a fermé sa porte. Loren est revenue à la voiture et a ouvert la portière arrière.

— Montrez-moi par où Aimee est passée.

— Que vous a-t-elle dit ?

— À votre avis ?

— Qu'elle n'a jamais entendu parler d'Aimee Biel.

Loren Muse a touché son nez avant de pointer l'index sur lui.

— C'est bien cette maison, a affirmé Myron. J'en suis certain.

Marchant dans les pas d'Aimee, il s'est arrêté à la grille. Il a revu Aimee, le signe de la main qu'elle lui avait adressé ; il s'est rappelé que quelque chose l'avait chiffonné à ce moment-là.

— J'aurais dû…

Il s'est interrompu. À quoi bon ?

— Elle est passée par là. Je l'ai perdue de vue. Puis elle est revenue et m'a fait signe de partir.

— Et vous êtes parti ?

— Oui.

Loren a jeté un œil dans le jardin avant de le raccompagner à l'autre voiture.

— Ils vont vous reconduire chez vous.

— Puis-je avoir mon téléphone portable ?

Elle le lui a lancé. Myron est monté à l'arrière de la voiture. Le flic a remis le moteur en marche.

Myron a posé la main sur la poignée de la portière.

— Muse ?

— Oui ?

— Elle n'a pas choisi cette maison par hasard.

Il a refermé la portière. Ils sont repartis en silence. Myron a regardé la grille de la maison ; il l'a regardée rapetisser, puis disparaître… disparaître comme Aimee Biel.

17

Dominick Rochester, le père de Katie, présidait la tablée dans la salle à manger. Ses trois fils étaient là. Sa femme, Joan, était dans la cuisine. Ce qui laissait deux sièges vides, le sien et celui de Katie. Il mâchait sa viande en fixant la chaise – comme si ça allait faire apparaître sa fille.

Joan est sortie de la cuisine avec un plat de rosbif coupé en tranches. Il a désigné son assiette quasi vide, mais elle s'empressait déjà de le servir. L'épouse de Dominick Rochester était femme au foyer. Pas question qu'elle travaille à l'extérieur : il ne le tolérerait pas.

Il a grommelé un merci. Joan s'est assise à sa place. Les garçons étaient en train de mastiquer en silence. Joan a lissé sa jupe et repris sa fourchette. Dominick l'observait. Elle avait été si belle, bon sang. Aujourd'hui, amorphe et le regard vitreux, elle était comme recroquevillée en permanence sur elle-même. Elle picolait trop pendant la journée, persuadée qu'il ne le savait pas. Tant pis. Elle restait la mère de ses enfants et, tant qu'elle ne faisait pas de vagues, il laissait pisser.

Le téléphone a sonné. Joan a bondi de sa chaise, mais Dominick lui a fait signe de se rasseoir. Il s'est essuyé la figure comme si c'était un pare-brise et s'est levé pour répondre. Dominick Rochester était un homme épais. Pas gros. Épais. Un cou épais, des épaules épaisses, un torse épais, des bras épais, des cuisses épaisses.

Il détestait son nom de famille, Rochester. C'est son père qui avait changé de nom pour quelque chose de moins ethnique. Son vieux était un faible, un raté. Dominick avait songé à reprendre leur ancien nom, mais ç'aurait été une preuve de faiblesse aussi. On aurait pu croire qu'il se souciait trop du regard des autres. Dans son monde à lui, on ne manifestait pas sa faiblesse. Ils avaient marché sur son père, en long et en large. L'avaient obligé à fermer son salon de coiffure. S'étaient moqués de lui. Son père croyait pouvoir dépasser tout ça. Mais Dominick avait son propre avis là-dessus.

On cogne ou bien on se fait cogner. On ne pose pas de questions. On ne cherche pas à discuter. Au début, tout au moins. On commence par leur exploser la tête. On leur explose la tête et on encaisse les coups jusqu'à ce qu'ils vous respectent. Ensuite seulement, on discute. On leur montre qu'on est prêt à morfler. Qu'on n'a pas peur du sang, même pas du sien. On veut gagner, on sourit à travers le sang. Ça leur en bouche un coin.

Le téléphone continuait à sonner. Il a jeté un œil sur l'identité de l'appelant. Le numéro était masqué : en général, les gens qui téléphonaient ici n'aimaient pas trop qu'on se mêle de leurs affaires. Il mastiquait toujours quand il a décroché.

— J'ai quelque chose pour vous, a dit la voix à l'autre bout du fil.

C'était son contact au bureau du procureur. Il a avalé la viande.

— Je vous écoute.

— Une autre fille a disparu.

Dominick a dressé l'oreille.

— Elle est de Livingston également. Même âge, même classe.

— Son nom ?

— Aimee Biel.

Ce nom-là ne lui disait rien, mais bon, il ne connaissait pas très bien les amies de Katie. Il a posé la main sur le récepteur.

— L'un de vous connaît une fille nommée Aimee Biel ?

Pas de réponse.

— Eh, j'ai posé une question. Elle est en même année que Katie.

Les garçons ont fait non de la tête. Joan n'a pas bronché. Leurs regards se sont croisés. Lentement, elle a secoué la tête elle aussi.

— Il y a autre chose, a dit son contact.

— Quoi ?

— Ils ont découvert un lien avec votre fille.

— Quel genre de lien ?

— Je ne sais pas. Je n'ai fait qu'écouter aux portes. Je crois que c'est en rapport avec le lieu de la disparition. Vous connaissez un type nommé Myron Bolitar ?

— L'ancienne star du basket ?

— C'est ça.

Rochester l'avait vu à plusieurs reprises. Il savait aussi que Bolitar avait eu des prises de bec avec quelques-uns de ses collègues parmi les moins fréquentables.

— Qu'est-ce qu'il vient faire là-dedans ?

— Il est impliqué.

— Comment ?

— Il est allé chercher la fille au centre-ville. On ne l'a plus revue depuis. Elle a utilisé le même distributeur de billets que votre Katie.

Il a ressenti un coup au cœur.

— Quoi ?

Le contact de Dominick lui a expliqué que ce type, Bolitar, avait ramené Aimee Biel dans le New Jersey, qu'un pompiste les avait vus se disputer, et que depuis elle restait introuvable.

— La police lui a parlé ?

— Oui.

— Qu'est-ce qu'il a dit ?

— Pas grand-chose. Il a fait venir son avocate.

— Il…

Dominick a vu rouge.

— Le fils de pute. Est-ce qu'on l'a arrêté ?

— Non.

— Pourquoi ?

— Il n'y avait pas de motif suffisant.

— Alors on l'a laissé repartir, comme ça ?

— Oui.

Dominick Rochester n'a rien dit. Il était très silencieux, tout à coup. Plus personne n'osait bouger autour de la table. Lorsqu'il a repris la parole, sa voix était si calme que sa famille a retenu son souffle.

— Autre chose ?

— Pas pour l'instant.

— Continuez à chercher.

Il a raccroché, s'est tourné vers la table. Tout le monde le regardait.

Joan a dit :

— Dom ?

— Ce n'est rien.

Inutile de leur expliquer. Ceci ne les concernait pas. C'était son boulot à lui. Le père. C'était lui qui montait la garde afin que les siens puissent dormir tranquilles.

Il s'est dirigé vers le garage. Une fois dedans, il a fermé les yeux pour étouffer la rage qui montait en lui. Ça n'arriverait pas.

Katie…

Son regard s'est posé sur la batte de base-ball en métal. Bolitar s'était blessé au genou, il l'avait lu dans la presse. S'il croyait que ça faisait mal, qu'une simple blessure au genou le faisait souffrir…

Il a donné quelques coups de fil, histoire de sonder le terrain. Jadis, Bolitar avait eu maille à partir avec les frères Ache qui régnaient sur New York. Ce gars-là passait pour un coriace ; il n'hésitait pas à jouer des poings et était comme cul et chemise avec un taré du nom de Windsor Machin-Chose.

S'attaquer à Bolitar ne serait pas facile.

Mais ce n'était pas un problème. À condition d'y mettre les moyens.

Son téléphone mobile était un appareil jetable, de ceux qu'on achète en liquide sous un faux nom et qu'on balance après avoir épuisé ses minutes. Avec ça, impossible de l'identifier. Dominick en a attrapé un neuf sur l'étagère. Le téléphone à la main, il a réfléchi à ce qu'il allait faire. Il respirait avec effort.

Des têtes, il en avait explosé en son temps, mais s'il composait ce numéro-là, s'il contactait les jumeaux, il franchirait une ligne qu'il n'avait jamais frôlée jusque-là.

Il a songé au sourire de sa fille. À l'appareil dentaire qu'elle avait dû porter à l'âge de douze ans, à sa façon de se coiffer, à sa manière de le regarder quand elle était petite et qu'il était l'homme le plus puissant de la terre.

Dominick a pressé les touches. Une fois l'appel terminé, il devrait se débarrasser du téléphone. C'était l'une des règles des jumeaux. Ils étaient comme ça, ces deux-là, et on avait beau être ce qu'on était, on avait beau s'être battu bec et ongles pour acquérir cette belle maison à Livingston, on évitait de se fâcher avec les jumeaux.

On lui a répondu dès la deuxième sonnerie. Pas d'allô. Pas de bonjour. Juste le silence.

— Je vais avoir besoin de vous deux, a dit Dominick.

— Quand ?

Il a saisi la batte métallique. Cette sensation de poids, c'était bien agréable. Il a pensé à ce type, Bolitar, ce type qui était parti avec la fille portée disparue, qui ensuite avait pris un avocat et qui maintenant était libre, en train de regarder la télé ou de gueuletonner.

Pas question de laisser passer ça. Quitte à faire appel aux jumeaux.

— Tout de suite, a dit Dominick. J'ai besoin de vous tout de suite.

18

Quand Myron est arrivé chez lui, à Livingston, Win était déjà là.

Affalé dans un transat sur la pelouse. Jambes croisées. Vêtu d'un pantalon kaki sans chaussettes, d'une chemise bleue et d'une cravate Lily Pulitzer vert fluo. Il y a des gens, ils peuvent mettre n'importe quoi, tout leur va. Win était de ceux-là.

Les yeux clos, il offrait son visage à la caresse du soleil. Myron s'est approché. Win n'a pas bougé.

— Tu as toujours envie d'aller voir les Knicks ? a-t-il demandé.

— Je crois que je vais zapper.

— Ça ne t'ennuie pas que j'emmène quelqu'un d'autre ?

— Non.

— J'ai rencontré une nana au Scores hier soir.

— Une strip-teaseuse ?

— Je t'en prie. (Win a levé un doigt.) Elle est danseuse érotique.

— Voilà une femme qui se voue corps et âme à son métier.

— Elle s'appelle Bambi, je crois. Ou alors Bibiche.

— C'est son vrai nom ?

— Il n'y a rien de vrai chez elle, a répondu Win. Au fait, les flics sont venus.

— Ils ont fouillé la maison ?

— Oui.

— Ils ont pris mon ordinateur ?

— Oui.

— Zut.

— Pas de panique. J'étais là avant eux. J'ai sauvegardé tes fichiers personnels, puis j'ai effacé le disque dur.

— Toi alors, a dit Myron. Tu es trop fort.

— Le plus fort de tous.

— Et où as-tu sauvegardé tout ça ?

— La clé USB qui est sur mon porte-clés.

Win a agité le porte-clés sans rouvrir les yeux.

— Tu veux bien te décaler un petit chouia sur la droite ? Tu me caches le soleil.

— L'enquêtrice de Hester, elle a du nouveau ?

— La jeune Mlle Biel s'est servie de sa carte de crédit dans un distributeur, a dit Win.

— Aimee a retiré de l'argent ?

— Non, un livre de bibliothèque. Oui, de l'argent. Juste avant de t'appeler, Aimee Biel aurait pris mille dollars dans un distributeur de billets.

— Autre chose ?

— Quel genre ?

— Ils ont fait le rapprochement avec une autre disparition. Une certaine Katie Rochester.

— Deux filles qui disparaissent au même endroit. Évidemment qu'ils ont fait le rapprochement.

Myron a froncé les sourcils.

— J'ai l'impression qu'il y a autre chose.

Win a ouvert un œil.

— Mauvaise limonade.

— Hein ?

Sans répondre, Win continuait à regarder droit devant lui. Myron s'est retourné et a senti son estomac se nouer.

C'étaient Erik et Claire.

Au début, personne n'a bougé.

Win a dit :

— Tu me caches à nouveau le soleil.

Myron a vu le visage d'Erik. On y lisait de la rage. Il s'est avancé à leur rencontre, mais quelque chose l'a arrêté. Claire a posé la main sur le bras de son mari, lui a parlé à l'oreille. Erik a fermé les yeux. Elle s'est dirigée vers Myron, la tête haute. Lui est resté en arrière.

Claire s'est approchée de la porte. Myron lui a emboîté le pas.

— Tu sais que je n'ai pas…

— Dans la maison. Tu vas tout me dire quand on sera dans la maison.

Ed Steinberg, le procureur du comté d'Essex et le patron de Loren, l'attendait dans son bureau.

— Alors ?

Elle lui a fait son compte rendu. Grand et bedonnant, Steinberg avait l'air d'un gros nounours qu'on avait envie de serrer dans ses bras. Il était marié, bien sûr. Des hommes potables qui ne l'étaient pas, Loren n'en avait pas rencontré depuis des lustres.

Quand elle a eu terminé, Steinberg a dit :

— Je me suis renseigné un peu plus sur Bolitar. Saviez-vous que lui et son ami Win avaient à l'occasion travaillé avec le FBI ?

— Il y a eu des rumeurs, a-t-elle acquiescé.

— J'ai parlé à Joan Thurston.

Thurston était le procureur fédéral auprès de l'État du New Jersey.

— Tout ça est en grande partie top secret, mais j'ai cru comprendre qu'à quelques frites près, Win n'est pas loin de la case prison, alors que Bolitar est clean.

— C'est l'impression que j'ai eue aussi, a dit Loren.

— Vous croyez à son histoire ?

— Pour l'essentiel, oui. Même si elle est à dormir debout. Et puis, comme il l'a fait remarquer lui-même, un type avec son expérience serait-il assez crétin pour semer autant d'indices derrière lui ?

— Vous pensez qu'on lui a tendu un piège ?

Loren a esquissé une moue.

— Ça ne colle pas non plus. Aimee Biel l'a appelé elle-même. Il faudrait qu'elle soit dans le coup.

Steinberg a joint les mains sur son bureau. Ses manches étaient retroussées. Ses gros avant-bras étaient suffisamment velus pour qu'on puisse parler de fourrure.

— Il y a des chances alors pour que ce soit une fugue ?

— Il y a des chances, a dit Loren.

— Et le fait qu'elle a utilisé le même distributeur que Katie Rochester ?

Loren a haussé les épaules.

— À mon avis, ce n'est pas une coïncidence.

— Peut-être qu'elles se connaissent.

— D'après les parents, non.

— Ça ne veut rien dire, a déclaré Steinberg. Les parents, ils savent macache sur leurs enfants. Faites-moi confiance, j'ai deux filles. Les papas et les mamans qui affirment tout connaître de leur progéniture sont généralement ceux qui en savent le moins.

Il a remué sur son siège.

— La fouille du domicile et de la voiture de Bolitar n'a rien donné ?

— C'est en cours, a répondu Loren. Mais que voulez-vous qu'on trouve ? Elle a été et dans la maison, et dans la voiture.

— C'est la police municipale qui mène la perquisition ?

Elle a hoché la tête.

— Eh bien, il n'y a qu'à les laisser faire. On n'a même pas de quoi ouvrir une enquête… la fille est majeure, n'est-ce pas ?

— Oui.

— Dans ce cas, c'est réglé. On laisse ça à la police municipale. Je voudrais que vous vous consacriez à ces homicides à East Orange.

Steinberg lui a parlé plus en détail de l'affaire. Elle écoutait en essayant de se concentrer. C'était un gros dossier, pas de doute là-dessus. Un double meurtre. Peut-être qu'un tueur à gages réputé était de retour dans la région. C'était le genre d'enquête qu'elle aimait. Ça lui prendrait tout son temps. Elle en était consciente. Et elle connaissait l'enjeu. Aimee Biel avait retiré de l'argent avant d'appeler Myron. Ce qui signifiait qu'elle n'avait probablement pas été enlevée, qu'elle allait bien… et que, d'une manière ou d'une autre, Loren Muse n'avait plus à s'en préoccuper.

On prétend que le chagrin et l'inquiétude, ça fait vieillir, mais dans le cas de Claire Biel, c'était presque l'inverse. Ses traits étaient tirés à un point tel que son visage en paraissait exsangue. Et sans une seule ride. Elle était pâle et quasi décharnée.

Un souvenir banal a traversé l'esprit de Myron. Salle d'étude, classe de terminale. Ils bavardaient, assis côte à côte, et il la faisait rire. Claire était quelqu'un de calme, de réservé même. Elle s'exprimait d'une voix douce. Mais quand il s'y mettait de bon cœur, qu'il imitait ses scènes préférées tirées des pires navets, elle pleurait de rire. Myron adorait son rire. Il adorait la voir s'abandonner à une gaieté spontanée et sans retenue.

Claire ne le quittait pas des yeux. Il y a des moments comme ça où l'on regarde en arrière, on se revoit heureux et on essaie de comprendre comment tout a commencé, comment on en est arrivé là. On se demande alors s'il n'y aurait pas moyen de changer le cours de l'histoire pour que, d'un coup de baguette magique, l'on soit transporté dans un autre présent, plus radieux.

— Raconte-moi, a dit Claire.

Il lui a parlé de cette soirée chez lui où il avait surpris la conversation entre Aimee et Erin, de la promesse, du coup de fil nocturne. Il n'a omis aucun détail. Ni l'arrêt à la station-service, ni la remarque d'Aimee sur le fait que ça n'allait pas fort avec ses parents.

Claire, très raide, écoutait sans rien dire. Ses lèvres tremblaient. De temps à autre, elle fermait les yeux. Ou grimaçait légèrement, comme si elle voyait venir le coup, mais ne se sentait pas la force de l'esquiver.

Une fois son récit terminé, il y a eu un silence. Claire n'a posé aucune question. Elle restait là, sans bouger, toute frêle. Myron a fait un pas vers elle pour se rendre compte aussitôt que ce n'était pas le bon réflexe.

— Tu sais bien que je ne lui ferais pas de mal, a-t-il dit.

Elle n'a pas répondu.

— Claire ?

— Tu te rappelles, le jour où on s'est retrouvés à Little Park du côté du cercle ?

Myron a marqué une brève pause.

— On s'y est vus plein de fois, Claire.

— Sur l'aire de jeux. Aimee avait trois ans. La camionnette du marchand de glaces est arrivée. Tu lui as acheté un cône à la pistache.

— Qu'elle a détesté.

Claire a souri.

— Tu t'en souviens ?

— Oui.

— Tu te souviens comment j'étais, ce jour-là ?

Il a réfléchi.

— Je ne vois pas où tu veux en venir.

— Aimee ne connaissait pas ses limites. Elle voulait tout essayer. Elle voulait aller sur le grand toboggan. L'échelle était haute. Elle était trop petite pour y monter. En tout cas, c'est ce que je pensais. Elle était ma première, j'avais tout le temps peur. Comme je ne pouvais pas l'en empêcher, je l'ai laissée grimper sur cette échelle, mais je restais derrière elle. Tu m'as chambrée là-dessus.

Il a hoché la tête.

— Avant sa naissance, j'avais juré de ne pas être une mère poule. Je l'avais juré. Mais voilà qu'Aimee escaladait cette échelle et que j'étais postée derrière elle, les mains sous ses fesses. Juste au cas où. Au cas où elle glisserait car, où que l'on soit, même dans un lieu aussi anodin qu'un terrain de jeux, les parents imaginent toujours le pire. Je voyais son pied minuscule manquer un barreau. Je voyais ses doigts se desserrer, son petit corps tomber à la renverse, elle allait atterrir sur la tête, se tordre le cou…

Sa voix s'est brisée.

— Je suis donc restée derrière elle. Prête à tout.

Claire l'a dévisagé.

— Jamais je ne lui ferais de mal, a dit Myron.

— Je sais, a-t-elle répliqué doucement.

Ç'aurait dû le rassurer, mais non, il y avait quelque chose dans sa voix qui le maintenait sur des charbons ardents.

— Tu serais incapable de lui nuire, je le sais.

Ses yeux lançaient des éclairs.

— Mais tu n'es pas tout blanc non plus.

Il ne voyait pas ce qu'il aurait pu répondre à cela.

— Pourquoi n'es-tu pas marié ? a-t-elle questionné.

— Quel rapport avec la choucroute ?

— Tu es le plus gentil, le plus doux des hommes. Tu adores les enfants. Tu es cent pour cent hétéro. Alors pourquoi n'es-tu toujours pas marié ?

Myron se taisait. Claire était en état de choc. Sa fille avait disparu. Elle avait besoin de se défouler, c'était normal.

— À mon avis, c'est parce que tu sèmes la destruction, Myron. Où que tu ailles, tu provoques des dégâts. C'est pour ça, je pense, que tu ne t'es jamais marié.

— Qu'est-ce que tu crois… que je suis maudit ?

— Non, absolument pas. Mais ma petite fille a disparu.

Elle parlait plus lentement – chaque mot était pesé, réfléchi.

— Tu es le dernier à l'avoir vue. Tu avais promis de veiller sur elle.

Il restait planté devant elle.

— Tu aurais dû me prévenir, a-t-elle dit.

— J'avais donné ma parole…

— Arrête, a-t-elle interrompu en levant la main. Ce

n'est pas une excuse. Aimee ne l'aurait même pas su. Tu aurais pu me prendre à part et me dire : « Écoute, j'ai proposé à Aimee de m'appeler si jamais elle avait un problème. » J'aurais compris. J'aurais été contente, même, car j'aurais continué ainsi à veiller sur elle, comme dans l'histoire du toboggan. J'aurais pu la protéger, étant donné que c'est le rôle d'un parent. D'un parent, Myron, pas d'un ami de la famille.

Il aurait voulu se défendre, mais les arguments ne venaient pas.

— Mais tu ne l'as pas fait, poursuivait-elle en martelant ses paroles. Tu as promis de ne rien dire à ses parents. Puis tu l'as conduite quelque part et tu l'as laissée, mais tu n'as pas fait attention à elle, comme je l'aurais fait moi. Tu comprends ça ? Tu n'as pas pris soin de mon bébé. Et maintenant, elle a disparu.

Il n'a rien dit.

— Qu'est-ce que tu comptes faire ? a-t-elle ajouté.

— Comment ça ?

— Je t'ai demandé ce que tu comptais faire.

Il a ouvert la bouche. Aucun son n'en est sorti. Il a fait une nouvelle tentative.

— Je ne sais pas.

— Si, tu le sais.

Son regard était soudain clair et perçant.

— La police a deux solutions devant elle. Je vois ça d'ici. Ils sont en train de faire machine arrière. Aimee a retiré de l'argent dans un distributeur de billets avant de t'appeler. Ils vont donc soit considérer que c'est une fugue, soit croire que tu es mêlé à l'affaire. Ou les deux. Peut-être que tu l'as aidée à fuguer. Tu es son amant. Dans tous les cas de figure, elle a dix-huit ans. Ils n'iront pas chercher plus loin. Ils ne la trouveront pas. Ils ont d'autres priorités.

— Que veux-tu que je fasse ?

— Je veux que tu la retrouves.

— Je ne sauve pas les gens. Tu l'as fait remarquer toi-même.

— Alors c'est le moment de t'y mettre. Ma fille a disparu à cause de toi. Je te tiens pour responsable.

Myron a secoué la tête. Mais elle n'en démordrait pas.

— Tu lui as arraché une promesse. Ici même, dans cette maison. À ton tour, nom d'un chien. Promets-moi que tu retrouveras mon bébé. Promets-moi de nous la ramener.

Et l'instant d'après – le tout dernier « si seulement » –, Myron a promis.

19

Ali Wilder a finalement cessé de penser à l'imminente visite de Myron, le temps d'appeler son rédacteur en chef qu'elle surnommait généreusement Caligula.

— Écoutez, Ali, ce paragraphe, ça ne passe pas.

Elle a ravalé un soupir.

— Pourquoi, Craig ?

C'était le nom qu'il utilisait pour se présenter, mais elle était sûre et certaine que son vrai nom était Caligula.

Avant le 11 Septembre, Ali avait travaillé dans un grand magazine new-yorkais. Mais après la mort de Kevin, il lui avait paru impossible de garder son poste. Erin et Jack avaient besoin d'elle à la maison. Elle avait pris une année sabbatique avant de devenir pigiste. Elle écrivait principalement pour des magazines. Au début, tout le monde lui avait offert du travail. Elle avait refusé, dans un accès d'amour-propre qu'elle jugeait aujourd'hui stupide. L'idée qu'on puisse l'engager par « charité » l'horripilait. Maintenant, elle le regrettait.

Caligula s'est éclairci – ostensiblement – la voix et a lu son paragraphe tout haut :

— « La ville la plus proche est Pahrump. *Pahrump*, le bruit que ferait un busard qui aurait englouti Las Vegas et recraché tous les bas morceaux sur le bord de la route. La vulgarité comme une forme d'art. Le bordel déguisé en fast-food fait penser à une mauvaise plaisanterie. Les panneaux avec des cow-boys géants le disputent aux réclames pour des magasins de farces et attrapes, des casinos, des cités de mobile homes et de la viande séchée. Et tous les fromages sont allégés. »

Après une pause éloquente, Caligula a déclaré :

— Commençons par la dernière phrase.

— Mmm.

— Vous dites que tous les fromages commercialisés dans cette ville sont allégés ?

— Oui.

— Vous en êtes sûre ?

— Pardon ?

— Vous êtes allée dans un supermarché de cette ville ?

— Non.

Ali s'est mise à se ronger un ongle.

— Ce n'est pas un constat. J'essaie de recréer l'atmosphère générale.

— En écrivant des contrevérités ?

Elle pressentait déjà la suite. Et Caligula ne l'a pas déçue.

— Comment savez-vous, Ali, qu'il n'y a pas d'autres sortes de fromages dans cette ville ? Avez-vous examiné tous les rayons de tous ses supermarchés ? Et même si c'était le cas, n'avez-vous pas envisagé la possibilité que quelqu'un aille faire ses courses dans la ville d'à côté et qu'il en rapporte du fromage à Pahrump ? Ou qu'il s'en fasse livrer par la poste ? Vous voyez ce que je veux dire ?

Ali a fermé les yeux.

— Nous publions ça, le fait qu'on ne trouve que des fromages allégés dans cette ville, et soudain le maire nous appelle : « Dites, ce n'est pas vrai. Nous avons des tas de variétés de fromages ici. On a du gouda, du gruyère, du cheddar, du provolone… »

— J'ai compris, Craig.

— « … du roquefort, du bleu, de la mozzarella… »

— Craig…

— Et le fromage frais, tiens ?

— Le fromage frais ?

— Ben, c'est du fromage aussi, non ? Le fromage frais. Même dans un trou paumé, on doit trouver du fromage frais. Vous me suivez ?

— Hmm, oui.

Elle continuait à mâchouiller son ongle.

— Cette phrase, il va falloir la supprimer.

Elle a entendu son stylo crisser sur le papier.

— Bien, parlons maintenant de la phrase qui précède, sur les cités de mobile homes et la viande séchée.

Craig était petit. Ali détestait les petits rédacteurs en chef. Ç'avait été un sujet de plaisanterie entre elle et Kevin. Son mari avait été son premier lecteur. Son job était de lui dire que le texte qu'elle venait de pondre était excellent. Comme la plupart des gens qui écrivent, Ali doutait d'elle. Elle avait besoin d'entendre cela. La moindre critique, pendant qu'elle écrivait, la paralysait. Kevin le savait. Du coup, il la couvrait d'éloges. Et, lorsqu'elle se colletait avec un rédacteur en chef, surtout s'il était affligé d'une petitesse de taille et d'esprit comme Craig, Kevin prenait invariablement son parti.

Elle s'est demandé si Myron aimerait sa prose.

Il avait exprimé le désir de voir son travail, mais elle

n'était pas pressée. Cet homme-là avait vécu avec Jessica Culver, l'une des plus célèbres romancières du pays. Jessica Culver avait fait la première page du supplément littéraire du *New York Times*. Son nom figurait sur la liste de tous les grands prix littéraires. Et comme si cela ne suffisait pas que Jessica Culver écrase professionnellement Ali Wilder, elle était belle à se damner par-dessus le marché.

Comment Ali pouvait-elle rivaliser avec ça ?

On a sonné à la porte. Elle a jeté un œil à sa montre. Trop tôt pour Myron.

— Je peux vous rappeler, Craig ?

Caligula a poussé un soupir.

— OK, d'accord. Entre-temps, je vais apporter quelques petites rectifications par-ci par-là.

Elle a grimacé en entendant ces mots. Il y a une vieille blague sur le fait de se retrouver sur une île déserte avec un rédac chef. Vous avez faim. Tout ce qui vous reste, c'est un verre de jus d'orange. Les jours passent. Vous êtes à deux doigts de la mort. Vous vous apprêtez à boire le jus d'orange quand le rédac chef vous arrache le verre des mains et pisse dedans. Vous le regardez, abasourdi. « Tenez, dit-il en vous rendant le verre, il fallait juste le rectifier un peu. »

On a sonné à nouveau. Erin a dévalé l'escalier en criant :

— J'y vais.

Ali a raccroché. Erin a ouvert la porte. Ali l'a vue se raidir. Elle a pressé le pas.

Il y avait deux hommes devant la porte. Avec une plaque de police à la main.

— Lance Banner, police de Livingston. Et voici mon collègue de Kasselton, John Greenhall.

— De quoi s'agit-il ?

— Nous aimerions vous poser quelques questions.

— À quel sujet ?

— Pouvons-nous entrer ?

— Je voudrais savoir d'abord pourquoi vous êtes là.

— C'est à propos de Myron Bolitar, a répondu Banner.

Ali a hoché la tête en réfléchissant. Puis elle s'est tournée vers sa fille.

— Erin, monte dans ta chambre pendant que je parle à ces messieurs, OK ?

— En fait, euh… madame ?

C'était encore Banner.

— Les questions que nous avons à poser, a-t-il dit en franchissant le seuil et en désignant Erin du menton. Elles sont pour votre fille, pas pour vous.

Myron se tenait dans la chambre d'Aimee.

La maison des Biel était à quelques minutes de marche de la sienne. Claire et Erik l'avaient précédé. Avant de les rejoindre, Myron avait parlé à Win et lui avait demandé de découvrir ce que la police savait sur Katie Rochester et Aimee.

Quand il est entré dans la maison, Erik était déjà parti.

— Il a pris la voiture pour faire le tour du quartier, a dit Claire en l'escortant dans le couloir. Erik croit qu'en allant dans les endroits qu'elle fréquente, il va la retrouver.

Ils se sont arrêtés devant la porte d'Aimee. Claire l'a ouverte.

— Qu'est-ce que tu cherches ?

— Si je le savais moi-même, a répondu Myron. Aimee connaissait-elle une fille nommée Katie Rochester ?

— Celle qui a disparu ?

— Oui.

— Je ne le pense pas. D'ailleurs, je lui avais posé la question, tu sais, quand on en a parlé aux infos.

— Je vois.

— Aimee m'a dit qu'elle la connaissait de vue, c'est tout. Katie était à Mount Pleasant, Aimee à Heritage. Tu sais comment c'est.

En effet. Au moment d'entrer au lycée, les cercles d'amis étaient déjà définitivement constitués.

— Tu veux que j'appelle ses copines pour leur demander ?

— Ce serait pas mal, oui.

Pendant un moment, aucun des deux n'a bougé.

— Tu préfères que je te laisse seul ? a dit Claire.

— Pour l'instant, oui.

En sortant, elle a fermé la porte. Myron a regardé autour de lui. Il avait été sincère – il n'avait pas la moindre idée de ce qu'il cherchait –, mais il serait bon, pensait-il, de commencer par là. Ils avaient affaire à une adolescente. Qui cachait forcément des choses dans sa chambre, non ?

Qui plus est, il se sentait dans son élément. Depuis qu'il avait fait cette promesse à Claire, il voyait les choses d'un autre œil. Ses sens étaient curieusement aiguisés. Cela faisait un moment qu'il n'enquêtait plus, mais il n'a eu aucun mal à réactiver le muscle de sa mémoire. Rien que d'être dans cette chambre, il retrouvait tous ses réflexes. Au basket, pour donner le meilleur de soi, il faut pénétrer dans la zone. Eh bien là, c'était un peu pareil. Se trouver ici, dans la chambre de la victime, lui faisait le même effet. Ça le replaçait dans la zone.

Il y avait deux guitares dans la pièce. Myron ne connaissait rien aux instruments de musique, mais l'une d'elles était très clairement électrique, et l'autre acoustique. Un poster de Jimi Hendrix ornait le mur. Il y avait aussi des médiators enchâssés dans des blocs de plexiglas. Myron a parcouru les étiquettes. C'étaient des pièces de collection. L'un d'eux avait appartenu à Keith Richards ; les autres à Nils Lofgren, Eric Clapton, Buck Dharma.

Myron a presque souri. Elle avait bon goût, la gamine.

L'ordinateur était allumé, avec un aquarium en guise d'économiseur d'écran. Sans être un expert en informatique, Myron possédait les bases nécessaires pour trouver ce qu'il cherchait. Claire lui avait donné le mot de passe d'Aimee. Erik avait déjà consulté ses mails ; néanmoins, il s'est connecté sur AOL pour accéder à sa messagerie.

Effectivement, tous les mails avaient été effacés.

Il a ouvert Windows Explorer et rangé ses fichiers par ordre chronologique, pour voir sur quoi elle avait travaillé récemment. Aimee écrivait des chansons. Où était-elle maintenant, l'artiste ? Il a parcouru les derniers documents de traitement de texte. Rien de spécial là-dedans. Ni dans ce qu'elle avait téléchargé – des photos d'elle avec des camarades de classe –, mais il serait bon peut-être que Claire jette un œil là-dessus.

Les ados, il le savait, raffolaient de messageries instantanées. Dans le calme relatif de leur chambre, ils conversaient certains jours avec plusieurs dizaines de personnes à la fois. Les parents s'en exaspéraient, mais à leur époque, ils passaient bien des heures pendus au téléphone à bavarder avec les copains. En quoi les échanges par MSN étaient-ils pires ?

Il a affiché sa liste de correspondants. Ils étaient une bonne cinquantaine, avec des pseudos comme SpazaManiacJack11, MSGWatkins et TiBlaine742. Myron a imprimé tous les noms. Claire et Erik pourraient les montrer à l'une des amies d'Aimee, histoire de voir s'il n'y avait pas un intrus là-dedans, quelqu'un que personne ne connaissait. Les chances étaient faibles, mais au moins, ça les occuperait.

Il a lâché la souris de l'ordinateur et s'est mis à fouiller la pièce selon la bonne vieille méthode d'antan. Le bureau d'abord. Il a inspecté le contenu des tiroirs. Stylos, papiers, cartes en bristol, piles de rechange, CD de logiciels informatiques en vrac. Rien de personnel. Juste quelques facturettes d'un magasin appelé Planet Music. Myron a examiné les guitares. Elles portaient des autocollants Planet Music au dos.

Super.

Tiroir suivant. Toujours rien.

Dans le troisième tiroir, il est tombé en arrêt devant quelque chose qu'il a exhumé avec précaution. Il souriait. Protégée par une pochette en plastique... c'était sa carte de basketteur débutant. Myron a contemplé son image en plus jeune. Il se rappelait cette séance photo. Il avait essayé différentes poses – tir en suspension, passe mimée, position démodée de la triple menace –, mais pour finir, on l'avait immortalisé penché, en train de dribbler. Avec une salle déserte en toile de fond. Sur la photo, il portait son maillot vert des Boston Celtics... maillot qu'il avait dû revêtir peut-être cinq fois dans sa vie. L'éditeur de cartes en avait imprimé plusieurs milliers avant son accident. Aujourd'hui, c'étaient des pièces de collection.

Ça faisait plaisir de savoir qu'Aimee en avait une, mais qu'en penserait la police ?

Il a remis la carte dans le tiroir. Maintenant, il y avait ses empreintes digitales dessus, comme dans toute la pièce, du reste. Tant pis. Il a poursuivi ses recherches. Il voulait trouver un journal intime. C'est ce qu'on voit généralement au cinéma. La jeune fille tient un journal qui parle de son amoureux caché, d'une double vie et tout le bazar. Dans la fiction, ça marche. Dans la vie réelle, manifestement non.

Myron en était arrivé au tiroir des sous-vêtements. Il n'était pas très fier, mais il a persévéré. Si elle devait cacher quelque chose, ça pourrait très bien être là. Il n'y avait rien. Ses goûts semblaient plutôt sains pour une adolescente. Les débardeurs étaient atroces, comme il se devait. Tout au fond, cependant, il a déniché quelque chose de particulièrement coquin. Il l'a sorti. Ça portait l'étiquette d'une boutique de lingerie située dans le centre commercial et qui s'appelait Bedroom Rendezvous. C'était blanc et transparent, genre fantasme d'infirmière. Il a froncé les sourcils, se demandant ce qu'il fallait en penser.

Il y avait une flopée de figurines à tête branlante. Un iPod avec des oreillettes blanches était étalé sur le lit. Il a voulu savoir ce qu'elle écoutait. Il est tombé sur Aimee Mann. Pour lui, c'était une petite victoire. Il y avait quelques années, il lui avait offert *Lost in Space* d'Aimee Mann, se disant que le prénom pourrait piquer sa curiosité. Aujourd'hui, il était content de voir qu'elle avait cinq CD d'Aimee Mann.

Il y avait des photos collées sur un miroir. Toutes des photos de groupe : Aimee avec une bande de copines. L'équipe de volley – une photo classique, une autre prise au cours d'une fête pour célébrer la victoire au championnat intercomtés. Son groupe rock au lycée, avec Aimee à la guitare. Elle avait un sourire à fendre le cœur. Comme toutes les filles de son âge.

Il a trouvé et feuilleté l'annuaire de son lycée. Les annuaires de promo avaient beaucoup évolué, depuis qu'il avait quitté le secondaire. Pour commencer, ils comportaient un DVD. Qu'il s'est promis de regarder quand il aurait le temps. Il a cherché le nom de Katie Rochester. La photo, il l'avait déjà vue aux actualités. Il a lu le texte qui l'accompagnait. Ses samedis soir au Café Ritz, ses virées avec Betsy et Craig allaient lui manquer. Rien d'extraordinaire. Il est passé à la page d'Aimee Biel. Aimee citait tout un tas d'amis, ses profs préférés Mlle Korty et M.D., son entraîneur de volley M. Grady, et toutes les filles de son équipe. Et elle terminait par : « Randy, grâce à toi, ces deux dernières années n'ont pas été comme les autres. Je sais que nous serons toujours ensemble. »

Ce cher Randy.

Myron l'a repéré dans l'annuaire. C'était un beau gosse avec une tignasse limite rasta, une touffe de poils au menton et un sourire éclatant. Dans sa présentation, il parlait essentiellement de sport. Et il mentionnait Aimee, combien elle avait « enrichi » ce temps passé au lycée.

Hmm.

Myron a réfléchi, regardé à nouveau le miroir et s'est demandé si par hasard il n'était pas tombé sur un indice.

Claire a ouvert la porte.

— Alors ?

Il a désigné le miroir.

— Ça.

— Quoi, ça ?

— Tu viens souvent dans cette chambre ?

Elle a froncé les sourcils.

— C'est la chambre d'une adolescente.

— Ça veut dire rarement, je présume ?

— Pratiquement jamais.

— Elle fait sa propre lessive ?

— C'est une ado, Myron. Elle ne fait rien.

— Et qui s'occupe du linge ?
— On a une femme de ménage, Rosa. Pourquoi ?
— Les photos, a-t-il dit.
— Oui, eh bien ?
— Elle a un copain qui s'appelle Randy, n'est-ce pas ?
— Randy Wolf. C'est un gentil garçon.
— Ça fait un moment qu'ils sont ensemble, hein ?
— Depuis la seconde. Pourquoi ?
À nouveau, il a montré le miroir.
— Il n'y a aucune photo de lui. J'ai regardé partout. Pas une photo. C'est pour ça que je te demande depuis combien de temps tu n'as pas mis les pieds dans cette chambre.
Il s'est tourné vers elle.
— Il y en avait avant, non ?
— En effet.
Il a pointé le doigt sur les espaces vides dans la partie basse du miroir.
— Tout ça fait un peu fouillis, mais je parie qu'elle a enlevé les photos qui se trouvaient là.
— Ils sont allés ensemble à la fête de la promo il y a à peine trois jours.
Myron a haussé les épaules.
— Peut-être qu'ils se sont disputés là-bas.
— Tu dis qu'Aimee avait l'air perturbée quand tu es allé la chercher ?
— Exact.
— Si ça se trouve, ils venaient juste de rompre, a dit Claire.
— Possible. Sauf qu'elle n'est pas rentrée à la maison depuis et que les photos sur le miroir ont disparu. Ça signifie qu'ils ont rompu au moins un ou deux jours avant. Une dernière chose.

Claire attendait. Myron lui a montré l'article étiqueté de Bedroom Rendezvous.

— Tu as déjà vu ça ?

— Non. Tu l'as trouvé ici ?

Il a hoché la tête.

— Au fond du tiroir. Apparemment, ça n'a jamais été porté. Il y a encore l'étiquette dessus.

Claire se taisait.

— Qu'est-ce qu'il y a ?

— Erik a dit à la police qu'Aimee se conduisait bizarrement ces temps-ci. Je l'ai rembarré, mais en fait, c'est la vérité. Elle était devenue très secrète.

— Tu sais ce qui me frappe dans cette chambre ?

— Quoi ?

— Ce truc affriolant mis à part – il y a peut-être un rapport ou peut-être pas du tout –, c'est exactement l'inverse de ce que tu viens de dire : il n'y a presque rien de secret ici. Ta fille est en terminale. Ce n'est pas normal, nom d'un chien !

Claire avait l'air songeur.

— Et pourquoi ça, à ton avis ?

— On a l'impression qu'elle fait tout pour cacher quelque chose. Il faudrait vérifier les autres endroits où elle pourrait conserver des affaires personnelles, quelque part où Erik et toi n'auriez pas l'idée de fouiner. Comme son casier scolaire, par exemple.

— Tu veux qu'on y aille maintenant ?

— Avant toute chose, j'irais bien parler à Randy.

Elle a plissé le front.

— Il y a son père.

— Et alors ?

— On l'appelle le Grand Jake. Il est plus baraqué que toi. Et sa bonne femme est une allumeuse. L'an passé, le Grand Jake s'est battu pendant un match de foot de

Randy. Il a assommé un pauvre gars devant ses gosses. L'abruti total, quoi.

— Total ?

— Total.

— Ouf !

Myron a fait mine de s'éponger le front.

— Un abruti partiel, je sais pas bien gérer. Mais un abruti total… c'est mon rayon.

20

Randy Wolf habitait dans le nouveau secteur de Laurel Road. Les propriétés flambant neuves en brique grattée dépassaient en superficie l'aéroport JFK. Le portail en similifer forgé était entrouvert, de sorte que Myron a pu entrer. Le jardin paysager était entretenu à outrance ; le vert du gazon donnait l'impression que quelqu'un s'était lâché avec une bombe de peinture. Il y avait trois 4 × 4 garés dans l'allée. Plus une petite Corvette rouge, fraîchement astiquée et dont la place semblait avoir été choisie pour que le soleil accentue encore son éclat. Myron n'a pas résisté : il s'est mis à fredonner *Little Red Corvette*, la chanson de Prince.

Le bruit sec d'une balle de tennis lui est parvenu aux oreilles. Il est parti dans sa direction. Il y avait là quatre Grâces en train de jouer, légères et court-vêtues, les cheveux noués en queue-de-cheval. Myron était un grand amateur de femmes en tenue de tennis blanche. L'une des Grâces s'apprêtait à servir lorsqu'elle l'a remarqué. Elle avait des jambes sublimes. Il a regardé de plus près. Oui, sublimes.

Mater des jambes bronzées n'allait probablement pas le faire avancer dans son enquête, mais d'un autre côté, il ne fallait rien laisser au hasard.

Myron a salué la femme d'un signe de la main et lui a adressé son plus beau sourire. Elle le lui a rendu et, après s'être excusée auprès de ses partenaires, l'a rejoint au trot. Sa queue-de-cheval brune bondissait à chacun de ses pas. Elle s'est arrêtée très près de lui en respirant profondément. La sueur collait ses vêtements et les rendait légèrement transparents – encore un simple constat, rien de plus –, mais ça n'avait pas l'air de la gêner.

— Que puis-je pour vous ?

Elle avait placé une main sur sa hanche.

— Bonjour, je m'appelle Myron Bolitar.

Quatrième commandement du Manuel de la séduction selon Bolitar : « Éblouir les dames par une brillantissime entrée en matière. »

— Votre nom me dit quelque chose.

Elle remuait beaucoup la langue en parlant.

— Vous êtes Mme Wolf ?

— Appelez-moi Lorraine.

Lorraine Wolf s'exprimait d'une façon telle que le moindre de ses propos semblait chargé de sous-entendus.

— Je cherche votre fils Randy.

— Mauvaise entrée en matière.

— Désolé.

— Vous êtes censé dire que j'ai l'air trop jeune pour être la mère de Randy.

— Trop téléphoné, a répliqué Myron. Une femme aussi intelligente que vous m'aurait tout de suite percé à jour.

— Bien rattrapé.

— Merci.

Les autres Grâces se sont regroupées près du filet. Une serviette autour du cou, elles buvaient quelque chose de vert.

— Pourquoi cherchez-vous Randy ? a-t-elle demandé.

— Je dois lui parler.

— Oui, ça, je m'en doute. Et puis-je savoir pourquoi ?

La porte donnant sur le jardin s'est ouverte bruyamment. Un colosse – Myron faisait un mètre quatre-vingt-dix pour cent cinq kilos, or ce gars-là mesurait au moins cinq centimètres et pesait quinze kilos de plus que lui – est sorti de la maison.

Le Grand Méchant Jake était donc chez lui.

Ses cheveux noirs étaient plaqués en arrière. Et il plissait les yeux d'un air peu amène.

— Attendez, n'est-ce pas Steven Segal ? a demandé Myron à voix basse.

Lorraine Wolf a pouffé de rire.

Le Grand Jake s'est approché pesamment, en fusillant Myron du regard. Myron a marqué une brève pause, puis l'a gratifié d'un clin d'œil et a agité la main en remuant les doigts façon Stan Laurel. Le Grand Jake n'avait pas l'air content. Il a mis son bras autour de Lorraine et l'a attirée tout contre sa hanche.

— Bonjour, mon cœur, a-t-il dit sans quitter Myron des yeux.

— Bonjour, a répondu Myron.

— Ce n'est pas à vous que je parle.

— Alors pourquoi me regardez-vous ?

Fronçant le sourcil, le Grand Jake a resserré le bras autour de sa femme. Lorraine a grimacé légèrement, mais s'est laissé faire. Ce numéro, Myron l'avait déjà vu ailleurs. Le syndrome de l'insécurité dans sa forme aiguë. Jake a relâché sa vigilance le temps d'embrasser sa femme sur la joue. Puis, la maintenant fermement contre lui, il a dardé son œil sur Myron.

Lequel se demandait si le Grand Jake n'allait pas pisser sur elle pour marquer son territoire.

— Retourne jouer, chérie. Je m'occupe de ça.

— On avait presque fini, de toute façon.

— Eh bien, allez boire un verre à l'intérieur, d'accord ?

Il l'a lâchée. Elle a eu l'air soulagé. Les Grâces ont longé le sentier. Myron a jeté un œil sur leurs jambes. Juste au cas où. Elles lui ont souri.

— Eh, vous cherchez quoi ? a aboyé Jake.

— D'éventuels indices.

— Comment ?

Myron s'est tourné vers lui.

— Peu importe.

— Qu'est-ce que vous voulez, hein ?

— Mon nom est Myron Bolitar.

— Et alors ?

— Excellente réplique.

— Comment ?

— Peu importe.

— Vous êtes comédien ou quoi ?

— Je préfère le terme d'acteur comique. Les comédiens ont tendance à se cantonner dans un seul type d'emploi.

— Qu'est-ce qui... (Le Grand Jake a repris ses esprits.) Vous faites toujours ça ?

— Quoi, qu'est-ce que je fais ?

— Entrer chez les gens sans invitation ?

— C'est le seul moyen pour qu'on me reçoive, a répondu Myron.

Le Grand Jake a plissé les yeux de plus belle. Il portait un jean moulant et une chemise en soie largement ouverte sur la poitrine. Une chaîne en or était emmêlée dans les poils de son torse. On n'entendait pas *Staying Alive* en fond sonore, mais c'était tout comme.

— Laissez-moi deviner, a dit Myron. Elle est à vous, la Corvette rouge ?

Nouveau regard meurtrier.

— Qu'est-ce que vous voulez ?

— J'aimerais parler à votre fils, Randy.

— Pourquoi ?

— Je viens de la part de la famille Biel.

Jake a cillé.

— Et alors ?

— Vous êtes au courant que leur fille a disparu ?

— Et alors ?

— Cette réplique, « Et alors ? », elle ne vieillit pas, Jake, vraiment. Aimee Biel a disparu, et je voudrais poser quelques questions à votre fils.

— Il n'a rien à voir avec ça. Il était à la maison samedi soir.

— Seul ?

— Non. J'étais là aussi.

— Et Lorraine ? Était-elle avec vous ou s'était-elle absentée pour la soirée ?

Le Grand Jake n'a guère apprécié que Myron appelle sa femme par son prénom.

— Ça ne vous regarde pas.

— Soit, mais j'aimerais quand même parler à Randy.

— Non.

— Pourquoi non ?

— Je ne veux pas qu'on mêle Randy à ça.

— À quoi ?

— Dites donc, a-t-il déclaré en pointant le doigt sur Myron, je n'aime pas beaucoup votre attitude.

— C'est vrai ?

Myron lui a adressé un sourire d'animateur de show télévisé.

— Ça va mieux ? C'est plus engageant, non ?

— Sortez d'ici.

— Je dirais bien : « Et qui va m'y obliger ? », mais ce serait te-e-ellement prévisible.

Le Grand Jake a souri et s'est avancé vers lui.

— Vous voulez savoir qui va vous y obliger ?

— Attendez une minute, que je consulte le script.

Myron a fait mine de tourner des pages.

— OK, j'y suis. Je dis : « Non, qui ça ? » Et vous, vous répondez : « Moi. »

— Vous avez tout compris.

— Jake ?

— Quoi ?

— Vos enfants sont à la maison ? a demandé Myron.

— Pourquoi ? Qu'est-ce que ça a à voir ?

— Lorraine, ma foi, elle sait déjà que vous êtes une petite nature, a déclaré Myron sans bouger d'un pouce, mais je n'ai pas envie de vous administrer une raclée devant vos gosses.

On aurait dit que Jake allait s'étouffer. Il n'a pas reculé, mais il semblait avoir du mal à regarder Myron en face.

— Ah, vous n'en valez pas la peine.

Myron a levé les yeux au ciel, mais s'est retenu de dire : « C'était la prochaine réplique du script. » Décidément, il avait mûri.

— De toute façon, mon fils a rompu avec cette traînée.

— Par traînée, vous entendez... ?

— Aimee. Il l'a plaquée.

— Quand ?

— Il y a trois ou quatre mois. C'est fini entre eux.

— Ils sont allés à la fête de la promo la semaine dernière.

— C'était pour la galerie.

— La galerie ?

Jake a haussé les épaules.

— Ça ne m'étonne pas, ce qui est arrivé là.

— Pourquoi dites-vous ça, Jake ?

— Parce que Aimee était une bonne à rien. Une traînée, quoi.

Le sang de Myron n'a fait qu'un tour.

— Et pourquoi vous dites ça ?

— Je la connais, OK ? Je connais toute sa famille. Mon fils est promis à un brillant avenir. Il entre à Dartmouth cet automne, et je ne veux pas qu'on lui mette des bâtons dans les roues. Écoutez-moi bien, monsieur Basket-Ball. Eh oui, je sais qui vous êtes. Vous vous prenez pour un cador. Le grand joueur de basket qui n'a jamais atteint le niveau professionnel. Le superchampion qui a tout foiré. Qui s'est dégonflé à la première difficulté.

Jake a souri de toutes ses dents.

— Attendez, c'est là que je m'effondre en pleurs ? s'est enquis Myron.

Le Grand Jake a planté le doigt dans sa poitrine.

— Ne vous approchez pas de mon fils, vous entendez ? Il n'a rien à voir avec la disparition de cette traînée.

La main de Myron a jailli en avant. Il a saisi Jake par les bijoux de famille et serré. Jake a écarquillé les yeux. Myron s'est positionné de manière que personne ne voie ce qu'il était en train de faire. Puis il s'est penché pour lui murmurer à l'oreille :

— On ne va plus appeler Aimee comme ça, n'est-ce pas, Jake ? N'hésitez pas à hocher la tête.

Le Grand Jake a hoché la tête. Son visage était en train de virer au violacé. Myron a fermé les yeux, maudissant son impulsivité, et l'a lâché. Jake a inspiré convulsivement. Titubant, il s'est laissé tomber sur un genou. Myron s'en voulait de s'être emporté comme un imbécile.

— Écoutez, j'essaie juste de…

— Sortez d'ici, a sifflé Jake. Laissez… laissez-moi tranquille.

Cette fois-ci, Myron a obtempéré.

Du siège avant d'une Buick Skylark, les jumeaux regardaient Myron remonter l'allée des Wolf.

— Le voici, notre p'tit gars.

— Ouais.

Ils n'étaient pas réellement jumeaux. Ils n'étaient même pas frères. Ils ne se ressemblaient pas du tout. D'accord, ils étaient nés le même jour, un 24 septembre, mais Jeb avait huit ans de plus qu'Orville. C'est en partie ce qui leur avait valu leur sobriquet : le fait d'avoir le même anniversaire. L'autre raison était la manière dont ils s'étaient rencontrés, lors d'un match de baseball des Minnesota Twins. Certains diraient que c'était une farce sadique du destin ou une configuration particulièrement maléfique des astres qui les avait réunis ce jour-là. D'autres invoqueraient un lien, deux âmes perdues qui se seraient reconnues, la cruauté et la psychose agissant à la façon d'un aimant pour favoriser leur rapprochement.

Jeb et Orville s'étaient rencontrés sur les gradins du

stade du Dome à Minneapolis où Jeb, l'aîné des jumeaux, s'était trouvé mêlé à une bagarre avec cinq fous furieux imbibés de bière. Orville était intervenu et, à eux deux, ils avaient expédié les cinq à l'hôpital. C'était il y avait huit ans. Trois de ces gars-là étaient toujours dans le coma.

Jeb et Orville étaient restés ensemble.

Les deux hommes, tous deux solitaires, sans aucune attache durable, étaient devenus inséparables. Ils se déplaçaient de ville en ville, semant la désolation sur leur passage. Pour s'amuser, ils entraient dans un bar, provoquaient une bagarre et voyaient jusqu'où ils pouvaient aller sans donner la mort. Leur réputation avait été établie une fois pour toutes quand ils avaient liquidé un gang motorisé de trafiquants de drogue dans le Montana.

Jeb et Orville n'avaient pas l'air dangereux. Jeb portait un foulard et une veste d'intérieur. Orville cultivait le look Woodstock : queue-de-cheval, barbe naissante, lunettes teintées de rose et chemise délavée. Assis dans la voiture, ils observaient Myron.

Jeb s'est mis à chanter, comme toujours, mélangeant les chansons en anglais avec sa propre interprétation espagnole. En cet instant précis, il chantait *Message in a Bottle*, de Police.

— « J'espère que quelqu'un aura mon, j'espère que quelqu'un aura mon, j'espère que quelqu'un aura mon *mensaje en una botella*… »

— Ça me plaît bien, mec, a dit Orville.

— Merci, *mi amigo*.

— T'aurais été plus jeune, bordel, t'aurais fait *American Idol*[1]. En espagnol. Ils auraient adoré. Même ce juge, Simon, qui déteste tout.

1. Émission télévisée, l'équivalent de *La Nouvelle Star*. (*N.d.T.*)

— J'aime trop Simon.

— Moi aussi. Il est top géant, ce mec-là.

Ils ont regardé Myron monter dans sa voiture.

— Alors, qu'est-ce qu'il faisait dans cette maison, à ton avis ? a demandé Orville.

Chantant :

— « Tu me demandes si notre amour va grandir, *yo no sé, yo no sé.* »

— Les Beatles, hein ?

— Gagné.

— Et *yo no sé*, je ne sais pas.

— Encore gagné.

— Cool.

Orville a consulté l'horloge de la voiture.

— Si on appelait Rochester pour lui raconter ce qui se trame ?

Jeb a haussé les épaules.

— Pourquoi pas.

Myron Bolitar a démarré. Ils l'ont suivi. Rochester a décroché à la deuxième sonnerie.

— Il est sorti de la maison, a dit Orville.

— Continuez à le filer, a répondu Rochester.

— C'est vous qui payez, a déclaré Orville. Mais je pense que vous gaspillez votre argent.

— Il pourrait vous fournir un indice quant à l'endroit où il a planqué les filles.

— Si on le chope maintenant, il nous donnera tous les indices qu'on veut.

Il y a eu un moment d'hésitation. Orville a souri et levé les pouces à l'intention de Jeb.

— Je suis chez lui, a dit Rochester. C'est là que je voudrais que vous l'ameniez.

— Vous êtes dedans ou dehors ?

— Comment ça ?

— La maison.
— Je suis dehors. Dans ma voiture.
— Donc vous ne savez pas s'il a un écran plasma.
— Quoi ? Non, je ne sais pas.
— Si on doit le travailler un moment, ce serait sympa s'il en avait un. Au cas où ça traîne, vous voyez ce que je veux dire ? Les Yankees jouent contre Boston. Jeb et moi, on kiffe la TVHD. C'est pour ça que je vous pose la question.
Nouvelle hésitation.
— Peut-être qu'il en a un, a dit Rochester.
— Ce serait cool. La technologie LCD, c'est pas mal aussi. Du moment qu'il y a la haute définition. Au fait, vous avez un plan ?
— J'attendrai qu'il rentre, a répliqué Dominick Rochester. Je dirai que j'ai à lui parler. On ira chez lui. Vous et moi.
— Radical.
— Où va-t-il maintenant ?
Orville a jeté un œil sur le GPS.
— Tiens, sauf erreur de ma part, on est en train de rentrer directement au bercail.

21

Myron était à deux blocs de chez lui quand son portable a sonné.

— Je t'ai déjà parlé de Celia Shaker ? a demandé Win.

— Non.

— Elle est détective privé. Plus canon qu'elle, tu la regardes une fois, t'es expédié dans l'espace.

— Super, je suis ravi de l'apprendre.

— Je me la suis tapée.

— Tant mieux pour toi.

— Pas qu'une fois. Et on se parle toujours.

— Eh ben, a dit Myron.

Pour Win, parler à une femme avec laquelle il avait couché plus d'une fois… en termes humains, c'était comme deux époux fêtant leurs noces d'argent.

— Tu as une raison précise de partager cet émouvant souvenir avec moi ?

Tout à coup, ça lui est revenu.

— Attends un peu, une investigatrice nommée Celia.

Hester Crimstein l'a appelée pendant qu'on m'interrogeait, c'est ça ?

— Exact. Celia a de nouveaux éléments sur ces disparitions.

— Tu lui as fixé rendez-vous ?

— Elle t'attend chez Baumgart.

Baumgart, le restaurant préféré de Myron, qui servait à la fois des plats chinois et américains, avait récemment ouvert une succursale à Livingston.

— Et comment je fais pour la reconnaître ?

— Un canon à t'expédier en orbite, a dit Win. Combien de femmes chez Baumgart répondent à ce signalement ?

Win a raccroché. Cinq minutes plus tard, Myron entrait dans le restaurant. Il n'a pas été déçu. Celia correspondait trait pour trait à la description de Win. Superbement carrossée, on aurait dit une héroïne de BD grandeur nature. Myron est allé saluer Peter Chin, le patron. Peter a froncé les sourcils.

— Qu'est-ce qu'il y a ?

— Ce n'est pas Jessica, a dit Peter.

Myron et Jessica étaient tout le temps fourrés chez Baumgart, l'originel, à Englewood. Peter ne s'était jamais remis de leur rupture. Une règle tacite voulait que Myron n'amène pas d'autres femmes ici. Et il l'avait respectée sept ans durant, plus pour lui-même que pour Peter.

— C'est un rendez-vous de boulot.

Peter a regardé Celia, puis Myron, l'air de dire : *À d'autres !*

— Je te le promets.

Et Myron d'ajouter :

— Je te ferai remarquer que je n'ai pas vu Jessica depuis des années.

Peter a levé le doigt.

— Les années passent, mais le cœur demeure à la même place.

— Zut.

— Quoi ?

— Tu continues à lire les *fortune cookies* [1], hein ?

— C'est un puits de sagesse.

— Tu sais quoi ? Lis plutôt le *New York Times* du dimanche. Rubrique Tendances.

— C'est déjà fait.

— Et ?

Peter a de nouveau levé le doigt.

— On ne peut pas monter deux chevaux s'ils trottent l'un derrière l'autre.

— Eh, c'est moi qui te l'ai appris, celui-là. C'est un dicton yiddish.

— Je sais.

— Et ça n'a aucun rapport.

— Va donc t'asseoir.

Peter l'a congédié d'un geste.

— Et commande toi-même. Je ne te servirai pas.

Quand Celia s'est levée, on a entendu des cous craquer. Ils se sont salués avant de prendre place.

— Alors comme ça, vous êtes un ami de Win.

— Eh oui.

Elle a scruté son visage.

— Vous ne m'avez pas l'air d'un psychotique.

— J'aime à me considérer comme un antidote.

Il n'y avait pas de papiers devant elle.

— Vous avez le rapport de police ? a-t-il demandé.

1. Gâteau sec chinois renfermant un papier avec une maxime. *(N.d.T.)*

— Il n'y en a pas. Il n'y a même pas encore d'instruction officielle.

— Et vous, qu'avez-vous trouvé ?

— Katie Rochester a tiré de l'argent au distributeur. Puis elle a pris le large. Il n'y a rien qui puisse faire penser à quelque chose d'autre qu'une fugue, quoi qu'en disent les parents.

— L'enquêtrice qui m'a alpagué à l'aéroport..., a commencé Myron.

— Loren Muse. Elle est bonne, soit dit en passant.

— Muse, c'est ça. Elle m'a posé des tas de questions sur Katie Rochester. À mon avis, ils ont établi un lien entre elle et moi.

— Oui et non. Ils ont établi un lien entre Katie et Aimee. Je ne suis pas sûre que ça vous touche directement.

— Et il s'agit de ?

— Leur dernier retrait d'argent liquide.

— Vous pouvez préciser ?

— Les deux filles ont utilisé exactement le même distributeur de la Citibank à Manhattan.

Myron a marqué une pause, le temps de digérer cette information.

Le serveur s'est approché. Un nouveau, qu'il ne connaissait pas. D'ordinaire, Peter lui faisait apporter quelques amuse-gueule. Mais pas aujourd'hui.

— J'ai l'habitude qu'on me regarde, a dit Celia. Mais le patron me fixe comme si j'avais pissé sur son plancher.

— Mon ex-compagne lui manque.

— Comme c'est charmant.

— Adorable.

Croisant le regard de Peter, Celia a remué les doigts pour exhiber son alliance et lui a crié :

— Il n'a rien à craindre. Je suis déjà casée.

Peter lui a tourné le dos.

Haussant les épaules, Celia a parlé du débit porté sur la carte d'Aimee, de son visage filmé par la caméra de surveillance. Myron a essayé de remettre de l'ordre dans ses idées. Sans grand résultat.

— Autre chose qui pourrait vous intéresser. Une femme qui s'appelle Edna Skylar, un médecin de St. Barnabas. Les flics gardent ça pour eux, vu que Rochester père est complètement fêlé, mais apparemment, le Dr Skylar aurait repéré Katie dans la rue à Chelsea.

Elle lui a raconté toute l'histoire : Edna Skylar avait suivi la jeune fille dans le métro, elle était avec un homme, elle l'avait priée de ne rien dire à personne.

— Et la police n'a pas été voir ça de plus près ?

— Voir quoi ?

— Ils n'ont pas cherché à savoir où était Katie, qui était ce type, rien ?

— Pour quoi faire ? Katie Rochester est majeure. Elle a pris de l'argent avant de s'évanouir dans la nature. Son père a des relations dans la mafia, et elle a probablement subi des violences d'une façon ou d'une autre. La police a d'autres soucis en tête. De vrais crimes. Muse s'occupe d'un double homicide à East Orange. Ils manquent de personnel. Et le témoignage d'Edna Skylar n'a fait que confirmer ce qu'ils savaient déjà.

— Qu'il s'agit d'une fugue.

— C'est ça.

Myron s'est laissé aller en arrière.

— Et le fait qu'elles aient utilisé le même distributeur ?

— Soit c'est une coïncidence incroyable…

Il a secoué la tête.

— Sûrement pas.

— Je suis bien de votre avis. Soit elles avaient décidé de fuguer toutes les deux. Il y a une raison pour laquelle elles ont choisi ce distributeur-là, mais je ne la connais pas. Peut-être qu'elles ont échafaudé ce plan-là ensemble. Katie et Aimee étaient dans le même lycée, non ?

— Certes, mais c'est leur seul point commun, à ce que je sache.

— Même âge, même lycée, même ville. (Celia a hoché la tête.) Il doit y avoir un lien.

Elle n'avait pas tort. Il fallait qu'il parle aux Rochester, qu'ils lui disent ce qu'ils savaient. Mais prudence. Pas la peine de remuer la boue de ce côté-là. Il fallait aussi qu'il aille voir cette femme médecin, Edna Skylar, pour avoir le signalement de l'homme qui était avec Katie Rochester, déterminer l'endroit exact où elle l'avait croisée, quel métro avait pris Katie et dans quelle direction.

— Le problème, a dit Celia, c'est que si Katie et Aimee ont fugué, il y a probablement une raison à cela.

— J'étais justement en train de penser la même chose, a acquiescé Myron.

— Elles n'ont peut-être pas envie qu'on les retrouve.

— Exact.

— Que comptez-vous faire ?

— Les retrouver quand même.

— Et si elles préfèrent rester cachées ?

Myron a songé à Aimee Biel. À Erik, à Claire. C'étaient des gens bien. Solides, fiables. Qu'est-ce qui avait pu pousser Aimee à s'enfuir de chez elle ? Qu'y avait-il de si grave pour qu'elle leur joue un tour pareil ?

— Je verrai ça le moment venu, a-t-il répondu.

Win était assis seul dans un coin du club de strip-tease faiblement éclairé. Personne ne venait le déranger. Personne n'aurait osé. S'il avait voulu de la compagnie, il l'aurait fait savoir.

Le juke-box diffusait l'une des chansons les plus immondes des années quatre-vingt, *Broken Wings*, de Mister Mister. Myron prétendait que c'était la pire de la décennie. Win avait rétorqué qu'il y avait encore plus infâme : *We Built This City on Rock'n Roll*, de Starship. Le débat avait duré une heure sans qu'ils parviennent à se mettre d'accord. Du coup, comme ils le faisaient souvent dans ce genre de situation, ils étaient allés voir Esperanza, mais elle penchait plutôt pour *Too Shy Shy*, de Kajagoogoo.

Win aimait bien s'installer dans ce recoin pour observer ce qui se passait autour de lui et réfléchir.

Une équipe de base-ball de première division était de passage en ville. Plusieurs de ses joueurs étaient venus décompresser dans ce « club pour messieurs », subtil euphémisme pour désigner une boîte de strip-tease. Les filles étaient folles. Win a regardé une effeuilleuse d'un âge légal douteux aborder l'un des principaux lanceurs de l'équipe.

— Vous avez quel âge, déjà ? a demandé la fille.

— Vingt-neuf ans, a répondu le lanceur.

— Waouh ! a-t-elle dit en secouant la tête. Vous faites beaucoup moins vieux que ça.

Un sourire nostalgique jouait sur les lèvres de Win. Ah, la jeunesse !

Windsor Horne Lockwood, troisième du nom, était né dans l'opulence. Il ne le niait pas. Il n'aimait pas les multimilliardaires qui se vantaient d'être des cracks en affaires alors qu'ils avaient démarré grâce aux milliards de papa. À ce stade de la richesse, il n'est pratiquement pas question de génie. Cela peut même être un handicap. Quand on est assez intelligent pour appréhender les risques, on cherche à les éviter. Ce type de raisonnement – qui privilégie la sécurité – n'a jamais fait gagner des fortunes à quiconque.

Win avait vu le jour dans la haute société de Philadelphie. Sa famille siégeait au conseil d'administration de la Bourse depuis ses débuts. Il comptait parmi ses ascendants directs le premier ministre des Finances du pays. Autant dire qu'il n'était pas seulement né avec une cuillère d'argent dans la bouche, mais avec la ménagère tout entière à ses pieds.

Qui plus est, il avait la tête de l'emploi.

C'était bien ça, son problème. Dès son plus jeune âge, sa blondeur, son teint rose, ses traits délicats et son expression naturelle qui pouvait passer pour de la suffisance lui avaient valu l'inimitié au premier regard. Aux yeux du monde, Windsor Horne Lockwood III était l'incarnation même de l'élitisme, de la richesse imméritée, quelqu'un qui regardait les autres de haut. Et vos propres échecs vous montaient à la gorge en une bouffée d'envie et de ressentiment… rien qu'en voyant ce garçon choyé, pomponné, aux allures de chochotte.

Il en était résulté de fâcheux incidents.

À l'âge de dix ans, Win s'était trouvé séparé de sa mère au zoo de Philadelphie. Des élèves d'une école située dans un quartier défavorisé de la ville étaient tombés sur lui, avec son petit blazer bleu à écusson, et l'avaient battu comme plâtre. Hospitalisé, il avait failli perdre un rein. La douleur physique était atroce, mais la honte d'être un petit garçon timoré, bien pire.

Win ne voulait plus revivre cette expérience, plus jamais.

Les gens, il le savait, étaient prompts à juger sur les

apparences. Ce n'était pas un scoop. Tout comme il existait une discrimination évidente vis-à-vis des Noirs, des juifs et autres minorités. Mais Win, ce qui l'intéressait, c'étaient des préjugés plus ordinaires. Ainsi, la vue d'une femme obèse en train de manger un beignet nous dégoûte. Et nous inspire un jugement à l'emporte-pièce : elle est paresseuse, indisciplinée, peu soignée, probablement bête et n'a sûrement pas une très haute opinion d'elle-même.

Curieusement, il se produisait la même chose quand les gens voyaient Win.

Il avait le choix. Rester entre quatre murs, dans le cocon douillet de son milieu privilégié, et mener une vie protégée quoique remplie de crainte. Ou alors réagir.

Il avait opté pour la seconde solution.

L'argent facilite les choses. Curieusement, Win considérait Myron comme la personnification de Batman dans la vraie vie, mais le justicier masqué avait été au départ le modèle de son enfance. Le seul super-pouvoir de Bruce Wayne était son immense fortune. Il l'avait employée pour s'exercer à combattre le crime. Win avait fait pareil avec son argent. Il avait engagé d'anciens chefs de commando issus à la fois de la force Delta et des Bérets verts pour l'entraîner comme s'il faisait partie de leurs troupes d'élite. L'argent n'étant pas un souci, il avait fait appel aux meilleurs instructeurs du monde en matière d'armes à feu, d'armes blanches et de combat à mains nues. Il s'était assuré les services d'experts en arts martiaux de tout un tas de pays : soit il les faisait venir dans la propriété familiale de Bryn Mawr, soit il se rendait lui-même à l'étranger. Il avait passé une année entière chez un maître coréen qui vivait en reclus dans les collines au sud du pays. Il avait appris ce qu'était la douleur, et comment l'infliger sans laisser de traces. Il avait appris les tactiques d'intimidation. Il avait étudié l'électronique, les serrures, le monde de la pègre, les systèmes de surveillance.

Tout s'emboîtait. Dès qu'il s'agissait d'assimiler de nouvelles techniques, Win était une véritable éponge. Il travaillait dur, jusqu'à l'épuisement, s'entraînant au minimum cinq heures par jour. Il était naturellement habile de ses mains et avait le désir, la soif de réussir, l'éthique professionnelle, le sang-froid… tous les ingrédients nécessaires.

La peur avait disparu.

Une fois qu'il s'était senti suffisamment formé, Win s'était mis à traîner dans les quartiers les plus interlopes, les plus malfamés de la ville. Il y allait en blazer bleu à écusson ou en polo rose et mocassins sans chaussettes. Les voyous, en l'apercevant, se léchaient les babines. Leurs yeux brillaient de haine. Ils attaquaient. Et Win ripostait.

Des types qui savaient se battre, il devait y en avoir quelques-uns, et plus forts que lui, surtout maintenant qu'il avait pris de l'âge.

Mais ils n'étaient pas nombreux.

Son portable a sonné.

Il l'a sorti et a répondu :

— Articule.

— On a intercepté le coup de fil d'un gars nommé Dominick Rochester.

L'appel venait d'un ancien collègue dont il était sans nouvelles depuis trois ans. Aucune importance. C'est comme ça que ça fonctionnait dans leur univers. L'interception du coup de fil ne l'a pas surpris davantage. Rochester était soupçonné d'avoir des liens avec la mafia.

— Vas-y, continue.

— Quelqu'un a bavé sur ton ami Bolitar, comme quoi il y aurait un rapport avec sa fille.

Win attendait la suite.

— Rochester a un autre téléphone, sécurisé celui-là. Nous ne sommes pas très sûrs. Mais nous pensons qu'il a contacté les jumeaux.

Il y a eu un silence.

— Tu les connais ?

— Seulement de réputation, a dit Win.

— Imagine ce dont tu as entendu parler et multiplie ça par cent. Il y en a un des deux qui a une particularité bizarre. Il ne ressent pas la douleur, mais Dieu sait qu'il aime l'infliger. L'autre, il s'appelle Jeb – oui, je sais l'effet que ça fait –, il adore mordre.

— Raconte-moi, a dit Win.

— Un jour, on a retrouvé un gars que Jeb avait travaillé uniquement avec ses dents. Le corps… bref, c'était une flaque rouge. Il lui avait arraché les yeux à coups de dents, Win. Encore aujourd'hui, je n'en dors pas la nuit.

— Tu devrais peut-être t'offrir une veilleuse.

— Tu crois que je n'y ai pas songé ? Ils me fichent la trouille, a dit la voix dans le téléphone, autant que toi.

Win savait que dans l'esprit de son interlocuteur, c'était le meilleur compliment qu'il pouvait adresser aux jumeaux.

— Et tu penses que Rochester les a contactés après qu'on lui a parlé de Myron Bolitar ?

— Dans les minutes qui ont suivi, oui.

— Merci du renseignement.

— Win, écoute ce que je te dis. Ils sont complètement tarés. Il y a eu ce type, un gros parrain de la mafia à Kansas City. Il les a engagés. L'affaire a mal tourné. Le vieux les a fait chier, je ne sais pas comment. Mais il n'était pas fou, il a essayé de les acheter, histoire de calmer le jeu. Rien à faire. Les jumeaux ont enlevé son petit-fils de quatre ans. Quatre ans, Win. Et ils l'ont renvoyé en morceaux mastiqués. Après quoi – tiens-toi bien –, ils ont accepté l'argent du vieux. La somme exacte qu'il leur avait proposée. Pas un sou de plus. Tu comprends ce que je te dis là ?

Win a raccroché. Inutile de répondre. C'était très clair.

22

Son téléphone portable à la main, Myron s'apprêtait à donner le – tant attendu – coup de fil à Ali lorsqu'il a aperçu une voiture garée devant chez lui. Il a remis le téléphone dans sa poche et s'est engagé dans son allée.

Un homme, grand et costaud, était assis sur le trottoir devant la maison. À l'approche de Myron, il s'est levé.

— Myron Bolitar ?

— Oui.

— Je voudrais vous parler.

Myron a hoché la tête.

— Entrez donc.

— Vous savez qui je suis ?

— Je sais qui vous êtes.

C'était Dominick Rochester. Myron l'avait reconnu pour l'avoir vu au journal télévisé. Il avait un visage patibulaire avec des pores suffisamment larges pour s'y prendre les pieds. Des effluves de musc bon marché flottaient autour de sa personne. Retenant son souffle, Myron s'est demandé comment Rochester avait appris son implication dans cette affaire. Mais peu importait, ça tombait bien. Puisque, de son côté, il avait l'intention d'aller le voir.

Myron n'aurait su dire d'où lui venait ce pressentiment. Peut-être quand l'autre voiture avait surgi dans la rue. Peut-être était-ce la façon de marcher de Rochester. On voyait tout de suite que c'était un vrai dur, quelqu'un qu'on n'avait pas envie de titiller, rien à voir avec ce poseur de Grand Jake Wolf.

Mais bon, une fois de plus, c'était un peu comme au basket. Il y avait des moments où Myron était tellement pris par le jeu, en position de shoot à mi-distance, les doigts sur les bonnes rainures du ballon, la main devant le front, les yeux rivés sur l'anneau du panier et sur l'anneau seul, que le temps semblait ralentir, comme s'il pouvait s'arrêter en plein tir et, suspendu dans les airs, balayer du regard le reste du terrain.

Quelque chose le chiffonnait.

S'immobilisant sur le pas de la porte, les clés à la main, il a pivoté vers Rochester. Cet homme-là avait des yeux noirs qui devaient considérer tout ce qui se présentait à lui – un être humain, un chien, une armoire, une chaîne de montagnes – avec la même absence d'émotion. Que ce soit une vision de rêve ou un spectacle d'horreur, leur expression ne variait jamais.

— Finalement, on n'a qu'à discuter ici, a dit Myron.

Rochester a haussé les épaules.

— Comme vous voudrez.

La voiture, une Buick Skylark, a freiné.

Myron a senti son portable vibrer. Il a jeté un œil sur l'écran. Celui-ci affichait le DOUCES JOUES de Win. Il a porté le téléphone à son oreille.

Win a dit :

— Il y a deux *hombres* très méchants…

C'est à ce moment-là qu'il s'est pris une châtaigne.

Rochester lui avait envoyé son poing au visage.

Le poing a effleuré le haut de son crâne. Les réflexes étaient rouillés, mais la vision périphérique fonctionnait toujours. Voyant le coup arriver à la dernière seconde, Myron s'est baissé juste à temps, et c'est le sommet de sa tête qui a été touché. Ça faisait mal, mais les jointures de Rochester avaient dû souffrir davantage.

Le téléphone est tombé.

Un genou à terre, Myron a saisi le bras tendu de Rochester par le poignet. Il a replié les doigts de sa main libre. On a tendance à frapper avec ses poings. Quelquefois, c'est nécessaire, mais en général mieux vaut éviter de faire ça. Si on tape sur quelque chose de dur, on se fracture la main.

Tandis qu'une frappe avec la paume, surtout dans un endroit sensible, c'est souvent plus efficace. Le poing, il faut que ce soit léger ou que ça s'enfonce. Sinon les petits os de la main risquent de souffrir. Mais un coup de paume bien placé, les doigts repliés pour les protéger, le poignet cassé, la contrainte s'exerçant sur la partie charnue du bras, on répercute la pression sur le radius, le cubitus, l'humérus... bref, les os plus solides du bras.

C'est ce que Myron a fait. L'endroit le plus exposé était tout naturellement l'aine, mais il s'est dit que Rochester n'était pas né de la dernière pluie. Il devait forcément s'y attendre.

Myron a donc visé le diaphragme. Le coup a atteint le colosse juste au-dessous du sternum, expulsant l'air de ses poumons. Myron a tiré sur son bras et l'a culbuté comme en une maladroite prise de judo. Le fait est que dans une vraie bagarre, toutes les projections paraissent maladroites.

La zone. Il était dedans à présent. Le monde s'est mis à tourner au ralenti.

Rochester n'était pas encore retombé que Myron a vu la voiture s'arrêter. Deux hommes en sont descendus. Rochester s'est effondré comme un sac de pierres. Myron s'est redressé. Les deux hommes se sont dirigés vers lui.

Ils souriaient.

Rochester a roulé sur le sol. Il allait se relever d'un instant à l'autre. Alors ils seraient à trois contre un. Les deux hommes de la voiture trottaient allégrement vers lui. Ils ne manifestaient ni inquiétude ni méfiance. Ils couraient vers Myron avec l'abandon d'enfants espiègles.

Deux hombres *très méchants*...

Une autre seconde s'est écoulée.

L'homme descendu côté passager avait une queue-de-cheval et une allure de prof de dessin baba cool qui sent le chichon à deux mètres. Myron a examiné les solutions qui s'offraient à lui. Ça lui a pris quelques dixièmes de seconde. C'est comme ça que ça fonctionne. Quand on est en danger, le temps ralentit ou l'esprit réagit plus vite. Au choix.

Myron a pensé à Rochester vautré par terre, aux deux hommes qui accouraient à lui, à la mise en garde de Win, à ce que Rochester était venu chercher chez lui, au fait qu'il l'avait agressé sans crier gare, à Celia qui l'avait traité de fêlé.

L'explication était évidente : Dominick Rochester croyait que Myron était mêlé à la disparition de sa fille.

Il devait savoir que Myron avait été interrogé par la police, et que cela n'avait rien donné. Un type comme Rochester n'allait pas en rester là. Il allait faire son possible, tout son possible, pour essayer d'extorquer davantage d'informations.

Les deux hommes n'étaient plus qu'à trois pas.

Autre élément : ils étaient prêts à l'agresser ici, en pleine rue, au vu et au su de tout le voisinage. Ce qui dénotait un certain degré de désenchantement, d'insouciance et d'assurance, oui… un degré que Myron n'avait pas envie de mesurer précisément.

Son choix était fait. Il a pris ses jambes à son cou.

Les deux hommes avaient un avantage sur lui. Ils étaient déjà lancés. Lui démarrait juste.

C'est ici que l'athlétisme pur entrait en jeu.

Sa blessure au genou n'avait pas vraiment affecté sa vitesse. C'était plus une question de mouvement latéral. Il a donc fait un pas à droite, pour les obliger à dévier de leur trajectoire. Puis il s'est élancé sur sa gauche. L'un des deux – pas le prof de dessin baba cool, l'autre – a dérapé, mais seulement une fraction de seconde. Il s'est repris aussitôt. En même temps que Dominick Rochester.

Mais c'est surtout le prof de dessin qui posait problème. Cet homme-là était trop rapide. Il talonnait Myron de si près qu'il aurait pu lui faire un tacle plongeant.

Myron a bien envisagé de l'affronter.

Oui, mais non. Win l'avait appelé pour le mettre en garde. S'ils en étaient là, c'est que l'*hombre* en question devait être vraiment très méchant. Une simple torgnole ne suffirait pas à l'assommer. Et de toute façon, le délai permettrait aux deux autres de le rattraper. Impossible de mettre le prof de dessin K-O sans ralentir l'allure.

Myron a essayé d'accélérer. Il voulait gagner de la distance pour pouvoir joindre Win sur son portable et lui dire…

Le portable. Zut, il ne l'avait plus. Il l'avait lâché quand Rochester l'avait frappé.

Et les voilà, dans une paisible rue de banlieue, quatre

adultes courant comme des dératés. Si quelqu'un les regardait, que penserait-il ?

L'avantage de Myron sur ses poursuivants, c'est qu'il connaissait le quartier.

Il ne s'est pas retourné ; il entendait le prof de dessin panteler derrière lui. On ne devient pas professionnel du sport – or, même si sa carrière avait été de courte durée, Myron avait joué au basket en tant que pro – sans une coordination parfaite à la fois interne et externe. Il avait grandi à Livingston. Ils étaient six cents dans sa promo. Les athlètes de haut niveau se comptaient par dizaines. Aucun n'avait atteint le stade professionnel. Dans le tas, il devait y en avoir deux ou trois qui avaient joué au base-ball en deuxième division. Et un ou deux pressentis pour faire partie de telle ou telle équipe. C'est tout. Les gamins en rêvent tous, mais en vérité, personne n'y arrive. Personne. Vous croyez que votre gosse à vous est différent. Eh bien, non. Il n'entrera jamais à la NBA, ni à la NFL ni à la MLB. Ce n'est pas pour lui.

Tellement les chances sont infimes.

Tout ça pour dire, pendant que Myron prenait de la distance, qu'il avait travaillé dur, certes, s'était entraîné à tirer au panier quatre à cinq heures par jour, qu'il avait l'esprit de compétition et la structure mentale *ad hoc*, mais que rien de tout cela ne lui aurait permis d'atteindre le niveau qui était le sien s'il n'avait pas été doté de remarquables capacités physiques.

L'une de ces capacités étant la vitesse.

Le halètement derrière lui faiblissait.

Quelqu'un, Rochester peut-être, a crié :

— Tirez-lui dans les jambes !

Myron accélérait toujours. Il avait une idée derrière la tête. Arrivé en haut de Coddington Terrace, il s'est préparé. Il savait que s'il les distançait suffisamment, il y aurait un angle mort à un moment donné, sur la pente descendante.

Une fois dans la descente, il n'a pas regardé en arrière. Il y avait une sorte de passage caché entre deux maisons, sur la gauche. Myron l'avait emprunté jadis pour aller à l'école élémentaire de Burnet Hill. Tous les gamins le faisaient. C'était bizarre, ce sentier pavé entre deux maisons, mais Myron savait qu'il existait toujours.

Alors que les méchants *hombres*, non.

Le sentier était passablement fréquenté. Myron, lui, avait pensé à autre chose. Les fils Horowitz avaient habité ici, dans la maison de gauche. Myron avait construit un fortin dans les bois avec l'un d'entre eux, il y a des lustres. Mme Horowitz avait été furieuse. C'est là qu'il a bifurqué. Du jardin des Horowitz dans Coddington Terrace on pouvait passer, en rampant sous les buissons, chez les Seiden dans Ridge Road.

Myron a écarté le premier buisson. La brèche était toujours là. Il s'y est engouffré à quatre pattes. Des branches brunies lui fouettaient le visage. Ce n'était pas vraiment désagréable, c'était plutôt lié au souvenir d'une époque lointaine, le temps de l'innocence.

En émergeant de l'autre côté, dans l'ancien jardin des Seiden, il s'est demandé s'ils habitaient toujours ici. La réponse est venue rapidement.

Mme Seiden était dehors, avec un fichu sur la tête et des gants de jardin.

— Myron ?

Il n'y avait pas d'hésitation ni même beaucoup de surprise dans sa voix.

— Myron Bolitar, c'est toi ?

Il était allé à l'école avec son fils Doug, même s'il n'avait pas emprunté ce passage ni remis les pieds dans ce jardin depuis peut-être l'âge de dix ans. Mais dans les petites villes comme Livingston, ça n'a aucune espèce d'importance. Lorsqu'on a été amis à l'école élémentaire, le lien subsiste indéfiniment.

Mme Seiden a soufflé sur les mèches de cheveux qui lui tombaient sur le visage et s'est dirigée vers lui. Zut. Il ne voulait pas impliquer quelqu'un d'autre. Elle a ouvert la bouche pour parler, mais Myron l'a fait taire en posant un doigt sur ses lèvres.

En voyant son expression, elle a préféré obtempérer. Il lui a fait signe de retourner dans la maison. Avec un léger hochement de tête, elle a gagné la porte de derrière.

Quelqu'un a crié :

— Mais où est-il passé, bon sang ?

Myron attendait que Mme Seiden se retire. Mais elle n'entrait pas.

Leurs regards se sont croisés. D'un geste, elle l'a invité à la rejoindre. Il a secoué la tête. C'était trop dangereux.

Raide comme la justice, Mme Seiden ne bougeait pas.

Un bruit s'est fait entendre dans les buissons. Myron a tourné la tête d'un geste brusque. Le bruit s'est arrêté. Ça pouvait être un écureuil. Impossible qu'ils l'aient localisé aussi rapidement. Cela dit, Win l'avait prévenu : ils étaient « très méchants », donc très bons dans le genre de métier qu'ils exerçaient et Win n'était pas porté sur l'exagération.

Myron a dressé l'oreille. Tout était redevenu silencieux. Et ce silence-là lui faisait encore plus peur que le bruit.

Il ne voulait pas mettre Mme Seiden en danger. Il a secoué la tête une nouvelle fois. Mais elle restait là, maintenant la porte ouverte.

Inutile de discuter. Il n'y avait pas plus têtu sur terre que les mères de Livingston.

Se baissant, il a traversé le jardin au sprint et l'a entraînée à l'intérieur.

Elle a fermé la porte.

— Ne vous montrez pas.

— Le téléphone, a dit Mme Seiden, est par là.

L'appareil était fixé au mur de la cuisine. Myron a composé le numéro de Win.

— Je suis à treize kilomètres de chez toi, a dit Win.

— Je ne suis pas à la maison. Je suis à Ridge Road.

Il s'est tourné vers Mme Seiden pour plus de renseignements.

— Soixante-dix-huit, a-t-elle dit. Et c'est Ridge Drive.

Myron l'a répété dans le téléphone. Ils étaient trois, a-t-il expliqué, dont Dominick Rochester.

— Tu es armé ? a demandé Win.

— Non.

Win ne l'a pas sermonné, mais Myron savait que ce n'était pas faute d'en avoir envie.

— Les deux autres sont des sadiques, a dit Win. Planque-toi jusqu'à ce que j'arrive.

La porte s'est ouverte à la volée.

Myron s'est retourné juste à temps pour voir le prof de dessin débouler dans la cuisine.

— Sauvez-vous ! a-t-il crié à Mme Seiden.

Il n'a pas attendu de voir si elle avait obéi. Le prof de dessin n'avait pas encore recouvré son équilibre. Myron s'est jeté sur lui.

Mais le prof de dessin était rapide.

Il a fait un pas de côté. Comprenant qu'il allait le manquer, Myron a tendu le bras gauche, façon corde à linge, espérant le toucher au menton. Le coup a atterri sur la tête du prof, amorti par sa queue-de-cheval. Il a chancelé. Puis il a pivoté et frappé Myron dans les côtes.

Cet homme-là était trop rapide.

Une fois de plus, le monde s'est mis à tourner au ralenti. À distance, Myron a entendu des pas. C'était Mme Seiden qui partait en courant. Le prof de dessin, hors d'haleine, lui a souri. La vitesse de sa riposte dissuadait Myron de continuer à échanger des coups avec lui. Il avait l'avantage de la taille. Il ne restait plus qu'à l'amener à terre.

Le prof de dessin a levé le poing. Myron s'est ramassé sur lui-même. Il est plus dur de frapper quelqu'un, surtout quelqu'un de plus grand, lorsqu'il est tassé sur lui-même. Myron a empoigné le prof par la chemise et a tordu le tissu pour le tirer vers le bas, tout en levant l'avant-bras.

Il espérait coller son avant-bras contre son nez. Myron pesait cent cinq kilos. Avec un gabarit comme le sien, si on atterrit de tout son poids, l'avant-bras sur le nez, le nez se brise comme un nid d'oiseau desséché.

Mais là encore, le prof de dessin était trop fort. Anticipant l'intention de Myron, il s'est baissé légèrement. L'avant-bras reposait maintenant sur les lunettes teintées de rose. Le prof a fermé les yeux et a attiré Myron vers le sol. Avec son genou, il lui a visé le ventre. Myron a dû le rentrer pour se protéger. Du coup, la pression de l'avant-bras s'est trouvée considérablement atténuée.

Lorsqu'ils sont tombés, les lunettes cerclées de métal ont plié, mais les dégâts n'étaient pas très sérieux. Profitant de l'élan, le prof a changé de position. Son genou n'avait pas causé trop de mal non plus, puisque Myron avait arrondi le dos. Mais le genou était toujours là. Et l'élan aussi.

Il a jeté Myron par-dessus sa tête. Myron a roulé sur

lui-même. En moins d'une seconde, les deux hommes étaient debout.

Ils se sont fait face.

Une chose qu'on ne dit pas quand il s'agit de se battre : la peur glaçante, paralysante, qu'on ressent dans ces moments-là. Les toutes premières fois, en éprouvant ce picotement dans les jambes, des jambes qui flageolaient tellement qu'il se demandait s'il réussirait à rester debout, Myron s'était senti le dernier des lâches. Les hommes qui n'ont connu qu'un accrochage ou deux dans leur vie, dont les jambes ont tremblé lors d'une dispute avec un rustre éméché dans un bar, sont submergés de honte. Ils ont tort. Ce n'est pas de la lâcheté. C'est une réaction naturelle, physiologique. Tout le monde réagit de cette façon-là.

La question est de savoir ce qu'on en fait. Avec l'expérience, on apprend à maîtriser, voire à juguler ses réflexes. Ce qu'il faut, c'est respirer. Se détendre. Si on est tendu, on risque de trinquer davantage.

Arrachant ses lunettes tordues, l'homme a planté son regard dans celui de Myron. Cela faisait partie du jeu. Le coup des yeux dans les yeux. Il était fort. Win l'avait prévenu.

Mais Myron l'était aussi.

Mme Seiden a crié.

Il faut dire à leur crédit que ni l'un ni l'autre n'ont tourné la tête. Mais Myron savait qu'il devait se porter à son secours. Il a feint d'attaquer, histoire que le prof recule, puis il a foncé vers l'entrée principale, d'où provenait le cri.

La porte d'entrée était ouverte. Mme Seiden était là, et à côté d'elle, les doigts enfoncés dans son bras, il y avait l'autre homme qui l'avait poursuivi depuis la voiture. Un peu plus âgé que le prof de dessin, ce type-là portait un foulard. Un foulard, nom d'une pipe. On aurait dit Roger Healy dans le vieux feuilleton *I Dream of Jeannie.*

Pas le temps.

Le prof de dessin était sur ses talons. Myron a fait une embardée et lancé son bras droit en arrière. Le prof a plongé, mais Myron s'y attendait. Interrompant son geste, il a replié le bras autour de son cou.

Il l'avait cravaté.

Avec un cri de protestation grotesque, le foulard a bondi sur lui.

Resserrant sa clé autour du cou, Myron lui a envoyé un coup de pied. Le foulard l'a pris en pleine poitrine. Mou comme une poupée de chiffon, il a roulé à terre en s'accrochant à la jambe de Myron.

Myron a perdu l'équilibre.

Le prof de dessin en a profité pour se dégager. Il a tenté de le frapper à la gorge avec le tranchant de sa main. Myron s'est baissé, si bien que le coup l'a touché au menton, faisant claquer ses dents.

Le foulard se cramponnait à sa jambe. Myron a essayé de le repousser du pied. Le prof de dessin, lui, était mort de rire. La porte s'est ouverte à nouveau. Pourvu que ce soit Win.

C'était Dominick Rochester, à bout de souffle.

Myron a voulu crier un avertissement à Mme Seiden quand une douleur à nulle autre pareille l'a transpercé. Il a laissé échapper un hurlement de bête. Puis il a regardé sa jambe. Le foulard penchait la tête.

Il était en train de le mordre à la jambe.

Il s'est remis à hurler pendant que le prof de dessin y allait de son rire et de ses encouragements :

— Vas-y, Jeb ! You-hou !

Myron continuait à ruer, mais le foulard a planté ses crocs de plus belle en grognant comme un terrier.

La douleur, insoutenable, se propageait à travers tout son corps.

Pris de panique, Myron a abaissé son autre pied. Le foulard tenait bon. Finalement, il a réussi à lui taper sur la tête. Il a poussé de toutes ses forces, mais lorsqu'il a réussi à se libérer, il a senti qu'on lui arrachait un morceau de chair. Le foulard s'est assis et a recraché quelque chose. Horrifié, Myron s'est rendu compte que c'était un bout de sa jambe.

Là-dessus, ils se sont jetés sur lui. Tous les trois.

Rentrant la tête, il s'est mis à osciller. Il a heurté un menton. Quelqu'un a grondé et juré. Mais lui-même a reçu un coup à l'estomac.

Et à nouveau des dents plantées dans sa jambe, au même endroit, élargissant la plaie.

Win. Qu'est-ce qu'il fabriquait, bon sang... ?

Myron s'est débattu. Il avait mal et se demandait ce qu'il allait faire, quand une voix chantante a dit :

— Ohé, monsieur Bolitar... ?

Il s'est retourné.

C'était le prof de dessin. Dans une main, il tenait un pistolet. De l'autre, il agrippait Mme Seiden par les cheveux.

23

Ils ont traîné Myron dans une grande penderie en bois de cèdre au premier étage. Il était allongé, les mains liées dans le dos par du chatterton, les pieds ligotés. Dominick Rochester se tenait au-dessus de lui, une arme à la main.

— Vous avez appelé votre ami Win ?

— Qui ça ? a dit Myron.

Rochester a froncé les sourcils.

— Vous nous prenez pour des imbéciles ?

— Si vous êtes au courant pour Win, a répondu Myron en soutenant son regard, et si vous savez ce dont il est capable, alors la réponse est oui. Vous êtes de sacrés imbéciles.

— C'est ce qu'on va voir, a ricané Rochester.

Rapidement, Myron a évalué la situation. Pas de fenêtres, une seule issue. C'est pour ça qu'ils l'avaient amené ici, parce qu'il n'y avait pas de fenêtres. Afin que Win ne puisse pas attaquer de l'extérieur, ou à distance. Ils y avaient pensé. Ils avaient tout prévu. Ils avaient eu la présence d'esprit de le ligoter et de l'enfermer là-dedans.

Ça ne lui disait rien qui vaille.

Dominick Rochester était armé. Le prof de dessin aussi. Il était quasiment impossible de pénétrer ici. Mais il connaissait Win. Il fallait juste lui donner le temps d'arriver.

À droite, le foulard mordeur souriait toujours. Il y avait du sang – le sang de Myron – sur ses dents. Le prof de dessin se tenait à gauche.

Rochester s'est penché vers le visage de Myron. Il empestait plus que jamais l'eau de toilette.

— Je vais vous dire ce que je veux. Puis je vous laisserai seul avec Orville et Jeb. Je sais que vous êtes mêlé à la disparition de cette fille. Et s'il y a un lien entre elle et vous, alors il doit y avoir un lien entre vous et ma Katie. C'est logique, non ?

— Où est Mme Seiden ?

— Personne n'a l'intention de lui faire du mal.

— Je n'ai rien à voir avec votre fille, a déclaré Myron. J'ai juste servi de chauffeur à Aimee. C'est tout. La police vous le dira.

— Vous avez pris un avocat.

— Je n'ai pas pris d'avocat. Mon avocate est venue de son propre chef. J'ai répondu à toutes les questions. Je leur ai expliqué qu'Aimee m'avait appelé pour que je vienne la chercher. Je leur ai montré l'endroit où je l'ai déposée.

— Et ma fille dans tout ça ?

— Je ne la connais pas. Je ne l'ai jamais rencontrée.

Rochester a levé les yeux sur Orville et Jeb. Myron ne savait pas qui était qui. La morsure à la jambe l'élançait.

Le prof de dessin était en train de refaire sa

queue-de-cheval : il l'a resserrée avant de l'attacher avec le ruban.

— Moi, je le crois.

— Mais, a ajouté le foulard mordeur, il faut qu'on soit, il faut qu'on soit certains, *tengo que ser seguro*.

Le prof de dessin a froncé les sourcils.

— C'est de qui, ça ?

— Kylie Minogue.

— Wouah, c'est trop obscur, mec.

Rochester s'est redressé.

— Faites votre boulot, les gars. Je monterai la garde en bas.

— Attendez, a dit Myron. Je ne sais rien.

Rochester l'a considéré pendant un moment.

— Il s'agit de ma fille. Je ne peux pas me permettre de prendre ce risque. Voilà ce qui va se passer : les jumeaux vont travailler sur vous. Si après ça vous maintenez votre version des faits, je saurai que vous n'avez rien à voir là-dedans. Mais si ce n'est pas le cas, j'aurai peut-être une chance de sauver mon enfant. Vous me suivez ?

Rochester s'est dirigé vers la porte.

Les jumeaux se sont rapprochés. Le prof de dessin a repoussé Myron. Puis il s'est assis sur ses jambes. Le foulard a grimpé à califourchon sur son torse. Il l'a regardé en montrant les dents. Myron a dégluti. Il a essayé de le faire tomber, mais avec les mains liées par-derrière, c'était mission impossible. La peur lui nouait l'estomac.

— Attendez, a-t-il répété.

— Non, a dit Rochester. Vous allez vouloir gagner du temps. Vous chanterez, vous danserez, vous inventerez des histoires…

— Non, ce n'est pas…

— Laissez-moi finir, OK ? Il s'agit de ma fille. Mettez-vous ça dans la tête. Il faut que vous craquiez pour que je vous croie. Les jumeaux, eux, sont très doués pour faire craquer quelqu'un.

— Vous voulez bien m'écouter ? J'essaie de retrouver Aimee Biel.

— Non.

— Or, si je la retrouve, il y a de fortes chances pour que je retrouve votre fille également. Je vous le dis. Vous vous êtes rencardé sur moi, non ? C'est comme ça que vous avez su pour Win.

Rochester a marqué une pause.

— On a dû vous renseigner sur mes activités. J'aide les gens qui sont dans le pétrin. J'ai déposé cette jeune fille, et elle a disparu. Je dois à ses parents de la retrouver.

Rochester a regardé les jumeaux. Au loin, Myron a entendu un autoradio : la musique a enflé avant de décroître. C'était Starship, *We Built This City on Rock'n' Roll.*

La deuxième pire chanson du monde, a songé Myron.

Le foulard mordeur s'est mis à chanter :

— On a bâti *este ciudad*, on a bâti *este ciudad*, on a bâti *este ciudad...*

Le prof de dessin baba cool, qui agrippait toujours les jambes de Myron, s'est mis à dodeliner de la tête : il kiffait clairement les vocalises de son collègue.

— Je dis la vérité, a persisté Myron.

— Quoi qu'il en soit, a rétorqué Rochester, que vous disiez la vérité ou pas, les jumeaux le découvriront. Vous pigez ? On ne peut pas leur mentir. Dès qu'ils vous auront abîmé un peu, vous nous direz tout ce que nous voulons savoir.

— À ce moment-là, il sera déjà trop tard.

— Ça ne prendra pas longtemps.

Rochester s'est tourné vers le prof de dessin.

— Une demi-heure, une heure maxi, a confirmé ce dernier.

— Ce n'est pas ce que je veux dire. J'aurai trop mal. Je ne serai pas en état de fonctionner.

— Il n'a pas tort, a acquiescé le prof de dessin.

— On laisse des marques, a ajouté le foulard, toutes dents dehors.

Rochester a eu l'air de réfléchir.

— Orville, où était-il, dites-vous, avant de rentrer chez lui ?

Le prof de dessin – Orville – lui a donné l'adresse de Randy Wolf et lui a parlé du café-restaurant. Ils l'avaient filé, et Myron n'avait rien vu. Ou ils étaient très forts, ou il était sacrément rouillé... ou les deux. Rochester lui a demandé ce qu'il avait fait là-bas.

— C'est la maison de son petit copain, mais il n'était pas là.

— Vous croyez qu'il a quelque chose à voir avec ça ?

Myron n'allait certainement pas répondre par l'affirmative.

— Je voulais juste parler aux amis d'Aimee, pour savoir où elle en était. C'était normal de commencer par son copain, non ?

— Et le café ?

— J'y ai rencontré un contact. Pour voir ce qu'ils avaient sur votre fille et Aimee. J'essaie de trouver un lien entre elles deux.

— Et qu'avez-vous appris jusque-là ?

— Je viens de démarrer.

Rochester a réfléchi un moment. Puis il a secoué lentement la tête.

— Paraît que vous êtes allé chercher la petite Biel à deux heures du matin.

— C'est exact.

— À deux heures du matin.

— Elle m'a appelé.

— Pourquoi ? (Son visage s'est empourpré.) Vous aimez faire la sortie des écoles ?

— Il ne s'agit pas de ça.

— Vous allez me dire que c'était en tout bien tout honneur, hein ?

— En effet.

Myron le sentait qui montait en mayonnaise. La situation était en train de lui échapper.

— Vous suivez le procès de ce pervers, Michael Jackson ?

La question a pris Myron au dépourvu.

— De loin, oui.

— Il dort avec de petits garçons, pas vrai ? Il le reconnaît lui-même. Pour déclarer ensuite : « Ah, mais c'était en tout bien tout honneur. »

Voilà donc où il voulait en venir.

— Et vous, vous me racontez, tranquille, que vous allez chercher les mignonnes petites lycéennes en pleine nuit. À deux heures du mat'. Puis vous me dites : « Ah, mais c'était en tout bien tout honneur. »

— Écoutez-moi…

— Nan, je crois que j'en ai assez entendu.

Rochester a fait signe aux jumeaux de se mettre au travail.

Du temps avait passé. Win, Myron l'espérait, était déjà dans la place. Il devait attendre une dernière diversion. Ne pouvant pas bouger, Myron a tenté autre chose.

Sans prévenir, il s'est mis à hurler.

Il a hurlé aussi fort et aussi longtemps qu'il a pu,

même après qu'Orville, le prof de dessin, lui a eu balancé un coup de poing dans les dents.

Ses hurlements ont produit l'effet désiré. L'espace d'une seconde, tous les regards ont convergé vers lui. Une seconde seulement. Pas plus.

Mais ça a suffi.

Un bras s'est glissé autour du cou de Rochester, et un pistolet est venu se coller à son front. Le visage de Win s'est matérialisé à côté du sien.

— Soyez gentil, a dit Win en plissant le nez, la prochaine fois, abstenez-vous d'acheter votre eau de toilette à la station Exxon du coin.

Les jumeaux avaient des réflexes foudroyants. En un éclair, ils ont lâché Myron. Le prof de dessin s'est posté dans le coin. Le foulard mordeur s'est réfugié derrière Myron et l'a relevé pour qu'il lui serve de bouclier. Lui aussi avait une arme à la main. Qu'il a plantée dans le cou de Myron.

Temps mort.

Le bras toujours autour du cou de Rochester, Win a appuyé sur la trachée. Privé d'oxygène, le visage de Rochester a viré au rouge tomate. Ses yeux se sont révulsés. Et là, Win a eu un geste surprenant : il a relâché la pression sur sa gorge. Rochester a toussé et inspiré profondément. Caché derrière lui, Win pointait maintenant son pistolet sur le prof de dessin.

— Couper l'arrivée d'air, avec cette immonde eau de toilette, a-t-il dit en guise d'explication. C'était par pure charité.

Les jumeaux examinaient Win comme s'il avait été un adorable petit animal qu'ils auraient croisé dans la forêt. Visiblement, ils n'avaient pas peur de lui. Dès son apparition, ils avaient coordonné leurs mouvements ; on aurait dit qu'ils avaient répété la scène.

— Débarquer comme ça, par surprise, a dit le prof baba cool en souriant à Win. C'était trop radical, mec.

— Énorme, a répondu Win. Top kiffant.

Il a froncé les sourcils.

— T'es en train de te payer ma tronche, hein ?

— Cool. Psychédélique. Faites l'amour, pas la guerre.

Le prof de dessin a regardé le foulard, l'air de dire : *Non mais, tu y crois, toi ?*

— Hé, mec, tu sais pas à qui tu t'adresses.

— Baissez vos armes, a dit Win, ou je vous tue tous les deux.

Les jumeaux ont souri de plus belle ; ils avaient l'air de bien s'amuser.

— Tu sais compter, mec ?

Win a considéré le prof de dessin d'un œil torve.

— Ben ouais, un peu.

— Nous, on a deux flingues, tu piges ? Et tu n'en as qu'un.

Le foulard mordeur a posé la tête sur l'épaule de Myron.

— Toi, a-t-il lancé à Win, excité, en se léchant les babines, tu as tort de nous menacer.

— Très juste, a dit Win.

Tous les yeux étaient fixés sur le pistolet pressé contre la tempe de Rochester. C'était là l'erreur. Comme dans un classique tour de passe-passe, les jumeaux ne s'étaient pas demandé pourquoi Win avait lâché prise. La raison était pourtant simple.

C'était pour pouvoir – avec le corps de Rochester en guise de paravent – sortir une autre arme.

Myron a légèrement incliné la tête sur la gauche. La balle du second pistolet, celui qui était caché derrière la hanche gauche de Rochester, a atteint le foulard mordeur en plein front. La mort a été instantanée. Myron a senti quelque chose de mouillé lui éclabousser la joue.

Simultanément, Win s'est servi du pistolet qu'il tenait contre la tête de Rochester. La balle est allée se loger dans la gorge du prof de dessin. Il s'est écroulé, griffant avec les deux mains ce qui avait été son larynx. Il était peut-être mort, ou du moins il saignait à mort. Mais Win ne prenait jamais de risques inutiles.

La seconde balle l'a touché pile entre les deux yeux.

Win a pivoté vers Rochester.

— Un souffle de travers et vous finirez pareil.

Pétrifié, Rochester ne bougeait pas d'un poil. Se penchant sur Myron, Win a entrepris d'arracher le chatterton. Il a jeté un œil sur le corps sans vie du foulard mordeur.

— Prends-toi ça dans les dents, a-t-il dit au cadavre.

Puis, se tournant vers Myron :

— Tu saisis ? Les morsures, prends-toi ça dans les dents.

— Désopilant. Où est Mme Seiden ?

— En sécurité, mais il faudra que tu lui montes un bateau pour expliquer ce qui s'est passé.

Myron s'est gratté la tête.

— Tu as appelé la police ?

— Pas encore. Au cas où tu aurais des questions à poser.

Myron a regardé Rochester.

— Allez causer en bas, a dit Win en lui tendant une arme. Je vais rentrer la voiture dans le garage et je ferai le ménage après.

24

Le ménage.

Myron subodorait ce que ça voulait dire, même s'ils évitaient d'en discuter ouvertement. Win possédait des propriétés partout, dont un terrain dans un coin perdu du comté de Sussex. Ces quatre hectares étaient essentiellement occupés par des bois inexploités. Officiellement, ils appartenaient à une société de portefeuille sise aux îles Caïmans. Aucun nom n'apparaissait sur les titres de propriété.

Il fut un temps où Myron aurait déploré les actes commis par Win. Il fut un temps où il aurait donné libre cours à son indignation. Il aurait assené à son vieil ami ses considérations longues et alambiquées sur le caractère sacré de la vie, les dangers de l'autodéfense et *tutti quanti*. Win l'aurait regardé et aurait prononcé trois mots :

« Eux ou nous. »

Il aurait probablement pu faire durer le « temps mort » une minute ou deux. Lui et les jumeaux auraient pu parvenir à un accord. Vous nous laissez partir, nous vous laissons partir, il n'y a pas de casse. Mais ce n'était plus d'actualité.

À l'instant même où Win avait mis les pieds dans la maison, les jumeaux étaient fichus.

Le pire, c'est que Myron avait cessé de culpabiliser. Bientôt, il n'y penserait plus. C'est quand il en était arrivé là, à se dire que tuer l'autre serait plus prudent et que son regard ne hanterait pas son sommeil, qu'il avait su qu'il était temps d'arrêter. Arrêter de sauver les gens, de jouer les funambules sur le fil ténu entre le bien et le mal… car chaque fois, ça vous grignotait une parcelle de votre âme.

Ou peut-être pas.

Peut-être qu'évoluer en équilibre sur ce fil – en regardant à droite et à gauche – ne faisait que vous ancrer dans la sordide réalité. Le fait est qu'un million d'Orville le Prof de dessin ou de Jeb le Foulard ne valaient pas la vie d'un seul innocent, d'une seule Brenda Slaughter, Aimee Biel ou Katie Rochester, ou encore, vu d'outre-Atlantique, la vie de son fils soldat, Jeremy Downing.

Ce point de vue pouvait sembler immoral. Seulement voilà, il appliquait ce raisonnement à la guerre aussi. En étant honnête avec lui-même – ce qu'il n'aurait pas osé avouer tout haut –, Myron ne se souciait pas vraiment des civils qui essayaient de survivre dans quelque trou paumé au milieu du désert. Il se moquait de savoir s'ils allaient accéder à la démocratie, découvrir la liberté, vivre une vie meilleure. Lui, ce qui le préoccupait, c'étaient des gars comme Jeremy. Tuez-en cent, tuez-en mille dans l'autre camp, s'il le faut. Mais qu'on ne fasse pas de mal à mon garçon.

Myron s'est assis en face de Rochester.

— Je ne vous ai pas menti tout à l'heure. Je suis à la recherche d'Aimee Biel.

Rochester le dévisageait en silence.

— Vous êtes au courant que les deux filles ont utilisé le même distributeur de billets ?

Il a hoché la tête.

— Il doit y avoir une raison à ça. Ce n'est pas une coïncidence. Les parents d'Aimee ne connaissent pas votre fille. Et ils pensent qu'Aimee ne la connaissait pas non plus.

Rochester a fini par ouvrir la bouche.

— J'ai demandé à ma femme et à mes gosses, a-t-il dit doucement. Ils ne croient pas que Katie connaissait Aimee.

— Pourtant, elles fréquentaient le même lycée.

— C'est un grand lycée.

— Il y a un lien. Ce n'est pas possible autrement. Il nous échappe, voilà tout. Alors j'aimerais que vous et votre famille vous mettiez en quête de ce lien. Questionnez les amies de Katie. Fouillez dans ses affaires. Quelque chose relie votre fille à Aimee. On aura considérablement avancé, une fois qu'on saura ce que c'est.

— Vous n'allez pas me tuer, a dit Rochester.

— Non.

Il a levé les yeux au plafond.

— Votre copain a bien fait. De liquider les jumeaux, j'entends. Vous les auriez relâchés, ils auraient torturé votre mère jusqu'à ce qu'elle maudisse le jour de votre naissance.

Myron a préféré s'abstenir de commentaire.

— J'ai fait une bêtise, je n'aurais pas dû les engager. Mais j'étais à bout.

— Si vous cherchez le pardon, allez vous faire pendre.

— Je voudrais juste que vous compreniez.

— Je ne veux pas comprendre, a répliqué Myron. Je veux retrouver Aimee Biel.

Myron a été obligé d'aller aux urgences. En voyant sa jambe, le médecin a secoué la tête.

— Bon sang ! vous avez été attaqué par un requin ?

— Un chien, a-t-il menti.

— Vous devriez le faire piquer.

Win s'est chargé de répondre à sa place :

— C'est déjà fait.

Le médecin a recousu, puis pansé la plaie. La douleur était atroce. Il lui a donné une pommade topique et des antalgiques. En partant, Win s'est assuré que Myron avait toujours le pistolet sur lui.

— Tu veux que je reste ? s'est-il enquis.

— Ça va aller.

La voiture filait dans Livingston Avenue.

— Et les deux autres, ça y est ?

— Disparus à jamais.

Myron a hoché la tête. Win l'observait.

— On les surnommait les jumeaux, a-t-il dit. L'aîné, celui avec le foulard, il aurait commencé par t'arracher les mamelons avec ses dents. C'était leur façon de s'échauffer. Un mamelon, puis l'autre.

— Je comprends.

— Pas de sermon sur les limites à ne pas franchir ?

Myron a touché sa poitrine du bout des doigts.

— J'aime bien mes mamelons.

Il était tard lorsque Win l'a déposé chez lui. Devant sa porte, Myron a retrouvé son téléphone portable, à l'endroit où il l'avait laissé tomber. Il a consulté la liste des appels. Il y en avait un paquet, professionnels pour la plupart. En l'absence d'Esperanza, en voyage de noces à

Antigua, c'était à lui de tenir le standard. Tant pis, le mal était fait.

Ali aussi avait appelé.

Il y avait une éternité, il lui avait promis de passer dans la soirée. Ils avaient plaisanté à propos de ce « cinq à sept » tardif. Mon Dieu, était-ce réellement aujourd'hui ?

Il s'est demandé s'il ne ferait pas mieux d'attendre le lendemain matin, mais d'un autre côté, Ali risquait de s'inquiéter. Qui plus est, ce serait sympa, mais *vraiment* sympa, d'entendre sa voix chaleureuse. Il en avait bien besoin, après cette folle et épuisante journée. Il avait mal partout. Sa jambe l'élançait.

Ali a répondu dès la première sonnerie.

— Myron ?

— J'espère que je ne te réveille pas, dis ?

— On a eu la visite de la police.

Sa voix était tout sauf chaleureuse.

— Quand ça ?

— Il y a quelques heures. Ils voulaient parler à Erin. Une histoire de promesse que les filles t'auraient faite dans ton sous-sol.

Myron a fermé les yeux.

— Zut. Je n'ai jamais eu l'intention de la mêler à tout ça.

— Elle a confirmé ta version des faits, soit dit en passant.

— Je suis désolé.

— J'ai téléphoné à Claire. Elle m'a dit, pour Aimee. Mais il y a une chose que je ne comprends pas. Pourquoi leur avoir fait promettre ça ?

— De m'appeler, tu veux dire ?

— Oui.

— Je les ai entendues parler de monter en voiture

avec quelqu'un qui a bu. Je ne voulais pas que ça leur arrive, tout simplement.

— Mais pourquoi toi ?

Il a ouvert la bouche, mais aucun son n'en est sorti.

— Tu venais juste de rencontrer Erin. C'est la première fois que tu lui parlais, voyons.

— Je ne l'avais pas prémédité, Ali.

Il y a eu un silence. Myron n'aimait pas ça.

— Nous deux, ça tient toujours ? a-t-il demandé.

— Il me faut un peu de temps, avec tout ça.

Il a senti son estomac se nouer.

— Myron ?

— Alo-o-ors, a-t-il dit en étirant le mot, ce cinq à sept n'est que partie remise, j'imagine ?

— Ce n'est pas le moment de plaisanter.

— Je sais.

— Aimee a disparu. La police est venue chez nous pour interroger ma fille. Pour toi, c'est peut-être de la routine, mais ce n'est pas mon monde. Je ne t'en veux pas, mais…

— Mais ?

— J'ai… j'ai besoin de temps.

— Besoin de temps, a répété Myron. Ça ressemble beaucoup à « j'aimerais qu'on me laisse tranquille ».

— Et voilà, encore une fois tu tournes tout à la plaisanterie.

— Non, Ali, je t'assure que non.

25

Cette impasse, Aimee Biel ne l'avait pas choisie au hasard.

Myron s'est douché et a enfilé un survêtement. Son pantalon était taché de sang. Son sang à lui. Il s'est rappelé l'histoire des pubs pour les lessives dans *Seinfeld*, les lessives censées faire partir les taches de sang ; comme quoi quand on avait du sang sur ses vêtements, la propreté du linge n'était peut-être pas votre souci majeur.

La maison était silencieuse, mis à part ses bruits habituels. Quand il était môme, seul en pleine nuit, ces bruits l'effrayaient. Aujourd'hui, ils faisaient partie du décor… ni apaisants, ni inquiétants. Ses pas résonnaient légèrement sur le dallage de la cuisine. Cet écho-là, on ne l'entendait que quand on était tout seul. Ça l'a fait réfléchir. Il a repensé aux paroles de Claire, qui lui avait reproché de semer la violence et la destruction sur son passage, et de n'être toujours pas marié.

Il était assis seul à la table de cuisine dans sa maison déserte. Ce n'était pas la vie dont il avait rêvé.

L'homme prévoit, Dieu rit.

Il a secoué la tête. Triste vérité.

Bon, assez pleuré sur son sort. En parlant de prévoir, de quelle façon Aimee Biel avait-elle préparé son coup ?

Elle n'avait pas choisi ce distributeur de billets au hasard. Ni cette impasse.

Il était presque minuit quand Myron est monté dans sa voiture pour reprendre le chemin de Ridgewood. Il connaissait la route à présent. Il s'est garé au fond de l'impasse. A éteint le moteur. La maison était plongée dans le noir, exactement comme l'autre nuit.

Et maintenant ?

Il a passé en revue toutes les solutions possibles. Un, Aimee était réellement entrée dans cette maison. La femme qui avait ouvert, la blonde avec la casquette de base-ball, avait menti à Loren Muse. Ou alors elle n'était pas au courant. Peut-être qu'Aimee avait une aventure avec son fils ou était une amie de sa fille, sans qu'elle le sache.

C'était peu probable.

Loren Muse n'était pas stupide. Elle était restée suffisamment longtemps devant cette porte. Elle avait sûrement envisagé toutes ces possibilités. Si elles avaient existé, elle les aurait explorées.

Myron a donc laissé tomber cette hypothèse.

Autrement dit, cette maison avait été une diversion.

Il a ouvert la portière de la voiture. Tout était calme alentour. Il y avait une cage de hockey au fond de l'impasse. On ne comptait que huit maisons par ici. La circulation était rare. Les gosses devaient encore jouer dans la rue. Myron a repéré un panier de basket dans l'une des allées. Oui, cette impasse était un mini-terrain de jeu de quartier.

Une voiture a tourné à l'angle, tout comme la nuit où il était venu avec Aimee.

Myron a plissé les yeux dans le faisceau des phares. Il était minuit passé maintenant. Huit maisons seulement, toutes lumières éteintes, huit maisons nichées dans le sommeil.

La voiture s'est arrêtée derrière la sienne. Myron a reconnu la Mercedes gris argent avant même qu'Erik Biel, le père d'Aimee, n'en soit descendu. Malgré le faible éclairage, on voyait bien qu'il était toujours furieux. On aurait dit un petit garçon vindicatif.

— Qu'est-ce que tu fous là ? a crié Erik.

— La même chose que toi, je suppose.

Il s'est approché.

— Claire a peut-être gobé ton histoire quand tu as raconté pourquoi tu avais conduit Aimee ici, mais…

— Mais quoi, Erik ?

Il n'a pas répondu tout de suite. Il portait toujours sa chemise et le pantalon de son complet sur mesure, mais ils avaient perdu de leur fraîcheur.

— Tout ce que je veux, c'est la retrouver.

Myron se taisait, le temps qu'il vide son sac.

— Claire pense que tu peux nous aider. C'est ta spécialité, elle dit.

— C'est vrai.

— Tu es son chevalier en armure étincelante, a dit Erik avec plus qu'une pointe d'amertume. Je ne sais pas pourquoi vous ne vous êtes pas mis ensemble, vous deux.

— Moi, je sais. Parce que nous ne nous aimons pas de cette façon-là. En fait, depuis que je connais Claire, tu es le seul homme qu'elle ait jamais vraiment aimé.

Erik s'est dandiné d'un pied sur l'autre, feignant de ne

pas accorder d'importance à sa remarque, mais ce n'était pas très convaincant.

— Au moment où j'ai tourné, tu étais en train de descendre de voiture. Où allais-tu ?

— Je veux essayer de marcher dans les pas d'Aimee. Pour voir quel chemin elle a pris réellement.

— Comment ça, réellement ?

— Elle n'a pas choisi cet endroit sans raison. La maison est une diversion. Ce n'est pas là qu'elle allait.

— Tu crois qu'elle a fugué, hein ?

— En tout cas, ce n'est pas un enlèvement crapuleux. Elle m'a conduit jusqu'ici, a dit Myron. La question est de savoir pourquoi.

Erik a hoché la tête. Il avait les yeux humides.

— Ça t'ennuie si je viens avec toi ?

Oui, ça l'ennuyait ; toutefois, Myron a haussé les épaules et s'est dirigé vers la maison. Ses habitants pouvaient se réveiller et appeler la police. Mais il était prêt à tenter sa chance. Il a ouvert la grille. C'est par là qu'Aimee était entrée. Comme elle, il a fait le tour de la maison. Derrière, il y avait une baie vitrée coulissante. Erik le suivait en silence.

Myron a essayé d'ouvrir la baie vitrée. Sans succès. Se baissant, il a passé le doigt le long du châssis. Il y avait des saletés accumulées là-dessous. Idem avec le montant.

La baie vitrée n'avait pas été ouverte depuis un bon moment.

Erik a chuchoté :

— Qu'est-ce que c'est ?

Myron lui a fait signe de se taire. Les rideaux étaient tirés. Courbé en deux, les mains autour des yeux, il a jeté un œil à l'intérieur. On ne voyait pas grand-chose, mais ça ressemblait à une classique pièce à vivre. Rien à voir avec une chambre d'ado. Il s'est rapproché de la porte de derrière. Elle donnait sur la cuisine.

Toujours pas de chambre.

Là encore, Aimee s'était peut-être mal exprimée. Elle avait voulu dire qu'elle passait par-derrière pour se rendre dans la chambre de Stacy, pas que la chambre se trouvait au rez-de-chaussée. Sauf que Stacy n'habitait pas ici. Donc, d'une manière ou d'une autre, Aimee avait menti. Et ce petit détail – le fait que la baie vitrée ne s'ouvrait pas et ne donnait pas sur une chambre – était juste la cerise sur le gâteau.

Alors par où était-elle passée ?

Myron s'est mis à quatre pattes et a sorti son crayon lumineux. Il l'a pointé sur le sol. Rien. Il espérait trouver des traces de pas, mais il n'était pas tombé beaucoup d'eau ces temps-ci. Posant la joue sur l'herbe, il a cherché non pas tant des empreintes qu'une marque, n'importe laquelle, dans la terre. Toujours rien. Rien de rien.

Erik s'est joint à lui. Il n'avait pas de lampe de poche. Et le jardin n'était pratiquement pas éclairé. Mais il a cherché quand même, et Myron ne l'en a pas empêché.

Quelques secondes plus tard, Myron s'est redressé, abaissant le crayon lumineux. Le jardin devait mesurer dans les deux mille mètres carrés, peut-être plus. Il y avait une piscine entourée d'une clôture à part, haute d'un mètre quatre-vingts, avec un portail fermé à clé. On pouvait l'escalader, difficilement, mais ce n'était pas impossible. Myron doutait cependant qu'Aimee soit venue ici pour piquer une tête.

Le jardin s'enfonçait dans les bois. Myron a longé la bordure du terrain jusque dans les arbres. Là, la jolie palissade cédait la place au grillage. C'était moins cher et moins esthétique, mais au milieu des fourrés, ça n'avait pas grande importance.

Il savait déjà ce qu'il allait trouver.

C'était un peu comme la clôture qui séparait la propriété des Seiden de celle des Horowitz. Myron a posé la main sur le grillage et l'a suivi à travers les buissons. Erik lui a emboîté le pas. Myron portait des Nike. Erik, des mocassins à pompons sans chaussettes.

À côté d'un vieux pin, la main de Myron a plongé.

Bingo, c'était là. Le grillage s'était affaissé. Il a allumé le crayon lumineux. À voir la couche de rouille, le poteau avait dû s'écrouler il y avait quelques années déjà. Myron a tiré sur le grillage avant de l'enjamber. Erik l'a imité.

Long de cinq ou six mètres à peine, le passage était facile à localiser. Autrefois, ç'avait dû être un véritable sentier, mais au prix du mètre carré, on ne gardait plus aujourd'hui qu'une mince haie de broussailles pour préserver son intimité. Du moment que le terrain était exploitable, on faisait tout pour l'exploiter.

Erik et lui ont atterri entre deux propriétés dans une autre impasse.

— Tu crois qu'Aimee est passée par ici ?

Myron a hoché la tête.

— À tous les coups.

— Qu'est-ce qu'on fait maintenant ?

— On va voir qui habite dans cette rue. Et s'il existe un lien entre quelqu'un d'ici et ta fille.

— J'appelle la police, a déclaré Erik.

— Tu peux toujours essayer. Peut-être qu'ils réagiront, mais peut-être pas. Si elle connaît quelqu'un ici, ça ne fera que confirmer l'hypothèse de la fugue.

— J'essaie quand même.

Myron a acquiescé. À la place d'Erik, il aurait fait la

même chose. Ils ont traversé le jardin et se sont arrêtés dans l'impasse. Il a scruté les maisons comme si elles pouvaient lui fournir une réponse.

— Myron ?

Il a regardé Erik.

— Je pense qu'Aimee a fugué. Et je pense que c'est ma faute.

Il y avait des larmes sur ses joues.

— Elle a changé. Claire et moi, on l'a remarqué tous les deux. Il s'est passé quelque chose avec Randy. Je l'aime bien, ce garçon. Il a été très gentil avec elle. J'ai voulu lui en parler. Mais elle refusait toute discussion. Je… ça va paraître stupide. J'ai cru que Randy avait fait pression sur elle. Sexuellement parlant. Tu comprends ?

Myron a hoché la tête.

— Mais j'avais oublié à quelle époque on vivait. Ça fait déjà deux ans qu'ils sont ensemble.

— Donc, d'après toi, ce n'était pas ça ?

— Non.

— Quoi alors ?

— Je ne sais pas.

Il s'est tu.

— Tu as dit que c'était ta faute.

— Oui.

— Quand j'ai conduit Aimee ici, a poursuivi Myron, elle m'a supplié de ne rien vous dire. Étant donné que ça n'allait pas très fort entre vous.

— J'ai commencé à l'espionner, a dit Erik.

Ça ne répondait pas directement à sa question, mais Myron n'a pas bronché. Erik semblait en proie à un débat intérieur. Il fallait lui laisser le temps de rassembler ses idées.

— Seulement voilà… Aimee est en pleine adolescence. Tu te souviens de ces années-là ? On apprend à dissimuler. Elle était extrêmement prudente. À mon avis, elle a plus d'expérience que moi en la matière. Ce n'est pas que je ne lui fais pas confiance. Mais un parent se doit de garder un œil sur ses enfants. Ce qui ne sert pas à grand-chose, vu qu'ils le savent.

Ils se tenaient dans le noir, à contempler les maisons.

— Ce dont on n'a pas conscience, c'est que pendant qu'on les épie, même si ça n'arrive pas très souvent, ils nous rendent la monnaie de notre pièce. Ils sentent peut-être que quelque chose ne va pas et veulent nous aider. Et pour finir, c'est l'enfant qui se retrouve à surveiller ses parents.

— Aimee t'a espionné ?

— Oui.

— Et qu'a-t-elle découvert, Erik ?

— Que j'avais une maîtresse.

Il s'est presque effondré de soulagement en faisant cet aveu. L'espace d'une seconde, Myron est resté hébété, la tête vide. Puis il a songé à Claire, à l'adolescente qu'elle avait été au lycée, à sa manie de tirer nerveusement sur sa lèvre inférieure au fond de la salle pendant le cours d'anglais de M. Lampf. Une bouffée de colère l'a envahi.

— Claire est au courant ?

— Je ne sais pas. En tout cas, elle n'en a jamais parlé.

— C'est sérieux, ton histoire ?

— Oui.

— Et comment Aimee l'a-t-elle appris ?

— Aucune idée. En fait, je ne suis même pas sûr qu'elle le sache.

— Elle ne t'a rien dit là-dessus ?

— Non. Mais… comme je te l'ai expliqué, son comportement a changé. Je m'approchais pour l'embrasser, et elle se reculait. Presque par réflexe. Comme si je la dégoûtais.

— Ça peut être une réaction normale de la part d'une ado.

Erik a baissé la tête.

— Donc, si tu l'as espionnée, si tu as lu ses mails, ce n'était pas seulement pour savoir ce qu'elle manigançait…

— Je voulais voir si elle était au courant, oui.

Une fois de plus, Myron a revu Claire, son visage le jour de son mariage, à l'aube de sa nouvelle vie avec ce type, aussi radieuse qu'Esperanza l'avait été le samedi précédent, ne doutant pas une seconde de son Erik… même si Myron, lui, ne l'avait jamais porté dans son cœur.

Comme s'il lisait dans ses pensées, Erik a dit :

— Tu n'as pas été marié. Tu ne peux pas savoir.

Myron avait très envie de lui en coller une.

— Si tu le dis.

— Ça n'arrive pas comme ça, d'un seul coup.

— Mm-mm.

— Les choses se gâtent petit à petit. Tout le monde a vécu ça. On s'éloigne l'un de l'autre. On s'aime toujours, mais différemment. On se préoccupe de son boulot, de sa famille, de sa maison. Bref, de tout sauf de son propre couple. Et puis un jour, on se réveille avec le désir de revivre ce sentiment-là. Je ne parle pas de sexe. Ça n'a rien à voir. On rêve de passion. Et on sait qu'on ne la connaîtra plus avec la femme qu'on aime.

— Erik ?

— Quoi ?

— Je ne tiens pas vraiment à entendre tout cela.

— Tu es le premier à qui j'en parle.

— Ça alors, j'ai dû naître sous une bonne étoile.

— Je voulais simplement… enfin, j'avais besoin de…

Myron a levé la main.

— Claire et toi, ça ne me regarde pas. Je suis là pour retrouver Aimee, pas pour jouer les conseillers conjugaux. Mais juste histoire qu'on soit sur la même longueur d'onde : si jamais tu fais du mal à Claire, je…

Il s'est interrompu. Ce n'était pas bien malin de se laisser emporter de la sorte.

— Tu quoi ?

— Rien.

Erik a souri, presque.

— Toujours son chevalier en armure étincelante, hein, Myron ?

Dieu que la main lui démangeait ! Myron a préféré regarder ailleurs, une maison jaune avec deux voitures garées dans son allée. C'est là qu'il l'a vu.

Myron s'est figé.

— Qu'est-ce qu'il y a ? a dit Erik.

Myron s'est empressé de détourner le regard.

— J'ai besoin de ton aide.

Erik ne demandait pas mieux.

— Tout ce que tu veux.

Myron a rebroussé chemin, se maudissant intérieurement. Il était décidément trop rouillé. Jamais il n'aurait dû se trahir. La dernière chose dont il avait besoin, c'était qu'Erik fasse tout foirer. Il fallait qu'il gère ça en dehors de lui.

— Tu es bon en informatique ?

Erik a froncé les sourcils.

— Plus ou moins, oui.

— J'aimerais que tu ailles sur Internet. Injecte toutes les adresses de cette rue dans un moteur de recherche.

Pour avoir la liste des riverains. Rentre à la maison et occupe-t'en.

— Mais ne devrait-on pas faire quelque chose, maintenant ?

— Quoi, par exemple ?

— Frapper aux portes.

— Pour dire quoi ? Faire quoi ?

— Peut-être que quelqu'un la séquestre ici même, dans cette rue.

— Ça m'étonnerait fort. Et puis, si c'était le cas, frapper aux portes ne ferait que créer la panique chez ses ravisseurs. À cette heure-ci, une fois qu'on aura frappé à une porte, les gens appelleront la police. Les voisins seront alertés. Écoute-moi, Erik. Il faut procéder par ordre. Si ça se trouve, c'est une fausse piste. Si ça se trouve, Aimee n'est pas passée par là.

— C'est pourtant ce que tu avais l'air de penser.

— Je le pensais, oui. Mais ça ne veut rien dire. Qui plus est, elle a très bien pu poursuivre sa route. On ne peut pas continuer à chercher à tâtons. Si tu veux m'aider, rentre chez toi. Sors toutes les adresses. Trouve-moi des noms.

Ils ont longé le sentier et, après avoir franchi la grille, ont regagné leurs voitures.

— Qu'est-ce que tu vas faire ? a demandé Erik.

— J'ai quelques autres pistes que j'aimerais explorer.

Erik aurait bien voulu en savoir davantage, mais le ton et l'attitude de Myron l'en ont dissuadé.

— Je t'appellerai dès que j'aurai fini mes recherches, a-t-il dit.

Ils sont montés dans leurs voitures respectives. Myron l'a regardé partir. Puis il a pris son téléphone portable et appuyé sur la touche qui correspondait au numéro de Win.

— Articule.

— J'ai besoin de toi : il s'agit de s'introduire dans une maison.

— Chouette ! Raconte.

— J'ai découvert un passage à l'endroit où j'avais déposé Aimee. Il mène dans une autre impasse.

— Ah ! On a une idée alors du lieu où elle aurait échoué ?

— 16, Fernlake Court.

— Tu as l'air très sûr de toi.

— Il y a une voiture dans l'allée. Avec un macaron sur la lunette arrière permettant d'accéder au parking des professeurs du lycée de Livingston.

— J'arrive.

26

Myron et Win se sont retrouvés trois rues plus loin, devant une école élémentaire. Une voiture garée là passerait plus facilement inaperçue. Win était tout en noir, jusqu'à la calotte qui cachait ses boucles blondes.

— Je n'ai remarqué aucun système d'alarme, a dit Myron.

Win a hoché la tête. De toute façon, une alarme n'aurait été qu'un obstacle mineur, nullement susceptible de l'arrêter.

— Je reviens dans une demi-heure.

Il a tenu parole. À la minute près.

— La fille n'est pas dans la maison. Ce sont deux profs qui habitent là. Lui s'appelle Harry Davis. Il enseigne l'anglais au lycée de Livingston. Sa femme, Lois, bosse dans un collège à Glen Rock. Ils ont deux filles – étudiantes, à en juger par les photos et le fait qu'elles n'étaient pas là.

— Ça ne peut pas être une coïncidence.

— J'ai placé un tracker GPS sur les deux véhicules. Davis possède également une serviette toute râpée, bourrée de cours et de rapports trimestriels. J'en ai collé un là-dedans aussi. Rentre chez toi, tâche de dormir un peu. Je te préviendrai quand je l'entendrai bouger. Je le suivrai. Et on le coincera tous les deux.

Myron s'est allongé dans son lit. Persuadé qu'il n'arriverait pas à fermer l'œil. Contrairement à toute attente, il s'est endormi comme une masse, et c'est un déclic métallique provenant du rez-de-chaussée qui l'a réveillé.

Son père avait toujours eu le sommeil léger. Dans sa jeunesse, lorsqu'il se levait la nuit, Myron essayait de passer devant la chambre de ses parents sans le déranger. Il n'y était jamais parvenu. Papa n'émergeait pas lentement, non, il s'éveillait en sursaut, comme si on avait versé de l'eau glacée dans le bas de son pyjama noué avec un cordon.

Ç'a été la même chose pour Myron lorsqu'il a entendu ce déclic. Il s'est dressé d'un bond dans son lit. Le pistolet était sur la table de nuit. Il l'a attrapé. Son portable aussi. Il a pressé la touche qui permettait à Win de suivre les événements à distance sur son téléphone.

Immobile, Myron a dressé l'oreille.

La porte d'entrée s'est ouverte.

Le visiteur inopiné s'efforçait de ne pas faire de bruit. À pas de loup, Myron s'est rapproché de la porte de sa chambre. Il attendait, l'oreille aux aguets. L'intrus avait franchi le seuil. Bizarre. La serrure était vieille. On pouvait la crocheter. Mais aussi silencieusement – en un seul bref déclic –, c'était du travail de pro.

Il attendait toujours.

Des pas.

Des pas légers. Myron s'est plaqué contre le mur. Ses doigts se sont crispés sur la crosse. La morsure à la jambe lui faisait mal. Sa tête bourdonnait. Il a essayé de reprendre ses esprits, de se concentrer.

Quel serait le meilleur poste d'observation ? Collé au mur à côté de la porte, c'était bien pour écouter, mais malgré tout ce qu'on voit au cinéma, ce n'était pas l'idéal si quelqu'un pénétrait dans la pièce. Primo, le type avisé, c'est là qu'il regarderait en premier. Secundo, si jamais ils étaient plusieurs, bondir sur l'adversaire de derrière la porte serait la pire des tactiques. On dévoilait sa position d'entrée de jeu et, même si on en alignait un, le suivant avait toutes les chances de vous réduire en bouillie.

Myron s'est glissé derrière la porte de la salle de bains. Courbé, le battant à peine entrouvert, il jouissait ainsi d'un angle parfait. Il verrait l'intrus entrer. Il pourrait tirer ou l'interpeller… et s'il tirait, ce serait le meilleur emplacement si quelqu'un d'autre faisait irruption dans la pièce ou battait en retraite.

Les pas se sont arrêtés à la porte de sa chambre.

Son souffle se réverbérait dans ses oreilles. Côté patience, Win était plus doué que lui. Myron, ça n'avait jamais été sa tasse de thé. Il s'est exhorté au calme. Les yeux rivés sur la porte, il s'est forcé à respirer profondément.

Il a aperçu une ombre.

Myron a pointé l'arme en son centre. Win avait tendance à viser la tête, mais lui préférait la poitrine, la plus accessible partie d'une cible humaine.

Lorsque l'intrus s'est avancé vers le rai de lumière, Myron a ravalé une exclamation et, sans lâcher son arme, est sorti de sa cachette.

— Tiens, tiens ! Sept ans après, c'est un pistolet que tu as à la main ou es-tu tout simplement content de me voir ?

Myron ne bougeait pas.

Sept ans. Sept ans après. En un éclair, ces sept années ont été balayées, comme si elles n'avaient pas existé.

Jessica Culver, l'ex-femme de sa vie, était de retour.

27

Ils étaient descendus à la cuisine.

Jessica a ouvert le frigo.

— Pas de Yoo-Hoo ?

Myron a secoué la tête. Le Yoo-Hoo au chocolat, sa boisson préférée. Lorsqu'ils vivaient ensemble, il en avait toujours en stock.

— Tu n'en bois plus ?

— Plus beaucoup.

— Là-dessus, l'un de nous devrait faire remarquer que les choses changent.

— Comment es-tu entrée ? a-t-il demandé.

— Tu planques toujours la clé dans la gouttière. Exactement comme le faisait ton père. On s'en est servis une fois, tu te souviens ?

Il se souvenait. Ils avaient filé au sous-sol en pouffant de rire. Et ils avaient fait l'amour.

Jessica lui a souri. Les années aidant, quelques rides étaient apparues autour de ses yeux. Ses cheveux étaient plus courts, mieux coiffés. Mais l'effet qu'elle lui faisait était toujours le même.

Elle était belle à tomber par terre.
— Tu me dévisages, là.
Il n'a rien dit.
— C'est bon de savoir que ça fonctionne encore.
— Ouais, ce Stone Norman a bien de la chance.
— C'est ce que je pensais, a-t-elle répondu. Tu as vu le faire-part.
Silence.
— Il te plairait, tu sais.
— Mais oui, c'est ça.
— Tout le monde l'aime. Il a des tas d'amis.
— Ils ne l'appellent pas le Défoncé ?
— Seulement ses vieux copains de fac.
— J'aurais dû m'en douter.
Jessica l'a scruté pendant un moment. Son regard lui a fait venir le feu aux joues.
— Tu as une mine de déterré, soit dit en passant.
— Je viens de me prendre une raclée.
— Certaines choses sont immuables, alors. Comment va Win ?
— En parlant de choses immuables.
— Hélas.
— On va continuer sur ce ton, s'est enquis Myron, ou tu vas me dire ce que tu es venue faire ici ?
— On peut continuer encore quelques minutes ?
Il a haussé les épaules, l'air de dire *comme il te plaira*.
— Comment vont tes parents ? a-t-elle demandé.
— Ils vont bien.
— Ils ne m'ont jamais aimée.
— Oui, c'est vrai.
— Et Esperanza ? Elle m'appelle toujours « la reine des salopes » ?
— En sept ans, elle n'a pas dû te mentionner une seule fois.

Ça l'a fait sourire.

— J'ai l'impression d'être Voldemort. Comme dans *Harry Potter*.

— Eh oui, tu es Celle Dont On Ne Doit Pas Prononcer le Nom.

Myron s'est tortillé sur sa chaise, a détourné les yeux une fraction de seconde. Elle était tout simplement trop belle. C'était un peu comme face à une éclipse, il fallait regarder ailleurs de temps à autre.

— Tu sais pourquoi je suis ici ? a-t-elle dit.

— Une dernière aventure avant de convoler avec le Défoncé ?

— Ça te dirait ?

— Non.

— Menteur.

Et si elle avait raison ? Dans le doute, il a préféré réagir en homme mûr.

— Tu as remarqué que Stone, ça rime avec « clone » ?

— C'est toi qui le charries sur son nom, a rétorqué Jessica, alors que tu t'appelles Myron ?

— Oui, je sais, l'hôpital qui se moque de la charité.

Elle avait les yeux rouges.

— Tu as bu ?

— Un peu. Histoire de me donner du courage.

— Pour entrer chez moi par effraction ?

— Oui.

— Qu'est-ce qui se passe, Jessica ?

— Toi et moi, a-t-elle dit. Ce n'est pas encore tout à fait fini.

Il n'a pas répondu.

— Je fais comme si, et toi aussi. Mais nous savons tous les deux que ce n'est pas vrai.

Elle a tourné la tête et dégluti. Il contemplait son cou. Le regard de Jessica s'est voilé.

— Quelle a été ta première réaction quand tu as su que j'allais me marier ?

— Je me suis réjoui pour toi et le Défoncé.

Elle attendait la suite.

— Je ne sais pas ce que ça m'a fait.

— Tu as eu de la peine ?

— Que veux-tu que je te dise, Jess ? On est restés longtemps ensemble. Évidemment que j'ai eu un coup au cœur.

— C'est comme si... (Elle a marqué une pause, réfléchissant.) Comme si, même après être restés sept ans sans se parler, il était évident qu'on allait se retrouver. Comme s'il avait fallu en passer par là. Tu vois ce que je veux dire ?

Il se taisait, mais au fond de lui, quelque chose commençait à s'effilocher.

— Aujourd'hui, j'ai vu l'annonce dans la presse – l'annonce que j'ai rédigée moi-même –, et tout à coup, ça m'est monté au cerveau : « Mais c'est vrai, ça. Myron et moi, on ne finira pas nos jours ensemble. »

Elle a secoué la tête.

— Je ne dis pas ce qu'il faut, là.

— Il n'y a rien à dire, Jessica.

— Ah oui, carrément ?

— Si tu es là, a-t-il dit, c'est juste le trac avant le mariage.

— Ne me prends pas pour une demeurée.

— Que faut-il que je te dise ?

— Je ne sais pas.

Ils sont restés assis un moment en silence. Myron a tendu la main. Jessica l'a prise. Il a ressenti comme un frisson.

— Moi, je sais pourquoi tu es là, a-t-il déclaré. Je crois même que ça ne me surprend pas.

— Il y a encore quelque chose entre nous, n'est-ce pas ?

— Je ne sais pas…

— J'ai entendu un « mais ».

— Quand on a vécu ce qu'on a vécu – l'amour, les ruptures, mon accident, toutes ces souffrances, tout ce temps passé ensemble, le fait que je voulais t'épouser…

— Tu veux bien me laisser répondre sur ce dernier point ?

— Tout à l'heure. Je suis lancé, là.

Jessica a souri.

— Excuse-moi.

— Quand on a traversé tout ça, on a forcément sa vie imbriquée dans celle de l'autre. Et puis un jour, on arrête tout. On tranche, comme d'un coup de machette. Mais c'est tellement emmêlé qu'il en reste quelque chose.

— Nos vies sont enchevêtrées, a-t-elle dit.

— « Enchevêtrées », a répété Myron. C'est précieux comme expression.

— Peut-être, mais ça reflète bien la réalité.

Il a hoché la tête.

— Qu'est-ce qu'on fait, alors ?

— Rien. Ça fait partie de la vie.

— Sais-tu pourquoi je ne t'ai pas épousé ?

— C'est hors sujet, Jess.

— Je ne le crois pas. Je pense que nous devrions mettre les choses au clair.

Lâchant sa main, Myron lui a signifié d'un geste : *OK, vas-y.*

— La plupart des gens détestent la façon de vivre de leurs parents. Ils se rebellent. Alors que toi, tu voulais être exactement comme eux. Tu voulais une maison, des enfants…

— Et pas toi, a-t-il interrompu. On connaît la chanson.

— Ce n'est pas ça. J'aurais pu vouloir cette vie-là moi aussi.

— Mais pas avec moi.

— Tu sais bien que ce n'est pas vrai. Simplement, je n'étais pas sûre… (Elle a incliné la tête.) Je me demandais si cet idéal de vie ne comptait pas plus que moi.

— Ça, a riposté Myron, c'est la connerie la plus monumentale que j'aie jamais entendue.

— Peut-être, mais c'est ce que je ressentais.

— Super, je ne t'aimais pas assez.

Elle l'a regardé en secouant la tête.

— Aucun homme ne m'a aimée comme toi.

Silence. Myron a ravalé le « même pas le Défoncé ? »

— Quand tu t'es pété le genou…

— On ne va pas remettre ça. S'il te plaît.

— Quand tu t'es pété le genou, a insisté Jessica, tu as changé. Tu as travaillé si dur pour surmonter ton handicap.

— Tu aurais préféré que je m'apitoie sur mon sort ?

— Le résultat aurait peut-être été meilleur. Car ce qui est arrivé, en fait, c'est que tu as eu peur. Tu te raccrochais si fort à tout ce que tu avais que ça en devenait suffocant. Tu avais découvert soudain que tu étais mortel. Tu ne voulais plus perdre quoi que ce soit, et…

— Bravo, Jess. Dis-moi, c'était qui, ton prof d'introduction à la psychologie, à Duke ? Il serait drôlement fier de toi.

Jessica s'est contentée de secouer la tête.

— Quoi ? a-t-il dit.

— Tu n'es toujours pas marié, Myron.
— Toi non plus.
— Touché. Mais as-tu eu beaucoup de relations sérieuses ces sept dernières années ?
— J'ai quelqu'un en ce moment même.
— Ah bon ?
— Quoi, c'est si surprenant que ça ?
— Non, mais réfléchis un peu. Toi, monsieur Engagement, monsieur Relation à long terme, pourquoi te faut-il tant de temps pour trouver quelqu'un d'autre ?
— Ne me dis pas. (Il a levé la main.) Depuis que je t'ai connue, je suis perdu pour les autres femmes ?
— Ma foi, ça peut se comprendre, a-t-elle dit en arquant un sourcil. Mais je ne crois pas que ce soit ça.
— Eh bien, je suis tout ouïe. Pourquoi ? Pourquoi n'ai-je toujours pas fondé un foyer à ce jour ?
Jessica a haussé les épaules.
— J'y travaille.
— Alors arrête. Ça ne te concerne plus.
Nouveau haussement d'épaules.
Ils étaient assis là, autour de sa table de cuisine. C'est drôle comme il se sentait à l'aise avec tout cela.
— Tu te souviens de mon amie Claire ?
— Celle qui a épousé un type coincé, c'est ça ? Nous sommes allés à leur mariage.
— Erik.
Ne voulant pas entrer dans le détail, il a embrayé sur autre chose.
— Il m'a dit, hier soir, qu'il avait des problèmes de couple. D'après lui, c'est inévitable : tout finit par se déliter et se transformer. Il dit que la passion lui manque.
— Est-ce qu'il découche ?
— Pourquoi tu me demandes ça ?
— On a l'impression qu'il cherche à se justifier.

— Tu penses donc que la passion ne s'effrite pas ?

— Bien sûr que si. Un jour ou l'autre, la fièvre finit par tomber.

Myron a réfléchi à ses paroles.

— Sauf pour nous deux.

— C'est vrai, a-t-elle dit.

— Il n'y a pas eu d'effritement.

— Non. Mais nous étions jeunes. C'est peut-être pour ça que ça a cassé à la fin.

À nouveau, Jessica lui a pris la main. L'air s'est chargé d'électricité. Elle lui a lancé un regard. *The* regard, pour être plus précis. Myron s'est figé.

Aïe.

— Toi et ta nouvelle amie, a dit Jessica. C'est une relation exclusive ?

— Toi et Stone-Clone, a-t-il reparti. C'est une relation exclusive ?

— Ça, c'est un coup bas. Mais il ne s'agit pas de Stone. Ni de ta nouvelle dulcinée. Il s'agit de nous.

— Et tu penses quoi, que le fait de tirer un petit coup nous aidera à y voir clair ?

— Toujours aussi raffiné avec les dames, à ce que je vois.

— Et la réponse du raffiné, c'est non.

Jessica a joué avec le premier bouton de son chemisier. Myron a soudain eu la bouche sèche. Mais elle s'est arrêtée là.

— Tu as raison, a-t-elle dit.

Était-il déçu qu'elle ne soit pas allée plus loin ? Et si elle l'avait fait, comment aurait-il réagi ?

Ils se sont mis à parler alors, histoire de rattraper le temps perdu. Myron lui a parlé de Jeremy que l'armée avait envoyé à l'étranger. Jessica a parlé de ses livres, de sa famille, de son travail sur la côte Ouest. Elle n'a pas mentionné Stone. Il n'a pas mentionné Ali.

Le jour s'est levé. Ils étaient toujours dans la cuisine. Ils n'avaient pas vu les heures passer. Ils étaient bien, tout simplement. À sept heures, le téléphone a sonné. Myron a décroché.

— Notre prof préféré est en train de partir au boulot, a dit Win.

28

Myron a serré Jessica dans ses bras. Ils sont restés longtemps blottis l'un contre l'autre. Il a respiré l'odeur de ses cheveux. Il ne se rappelait plus le nom de son shampooing, mais ça sentait le lilas et les fleurs des champs ; elle n'en avait pas changé depuis l'époque où ils étaient ensemble.

Après son départ, il a téléphoné à Claire.

— J'ai une petite question.

— Erik m'a dit qu'il t'avait vu hier soir.

— Oui.

— Il a passé la nuit sur l'ordinateur.

— Parfait. Dis, tu connais un professeur nommé Harry Davis ?

— Bien sûr. Aimee l'a eu en anglais l'année dernière. Il est aussi conseiller d'orientation maintenant, je crois.

— Elle l'aimait bien ?

— Beaucoup.

Puis :

— Pourquoi ? Il serait de la partie ?

— Je sais que tu veux te rendre utile, Claire. De même qu'Erik. Mais vous devez me faire confiance, OK ?

— Je te fais confiance.

— Erik t'a parlé du passage qu'on a découvert ?

— Oui.

— Harry Davis habite à l'autre bout.

— Oh, mon Dieu !

— Aimee n'est pas chez lui, on a déjà vérifié.

— Que veux-tu dire par là ? Comment avez-vous fait pour vérifier ?

— S'il te plaît, Claire, écoute-moi. Je travaille là-dessus, mais j'aimerais pouvoir le faire sans ingérences. Débrouille-toi pour que je n'aie pas Erik sur le dos. Demande-lui de ma part de chercher sur le Net toutes les rues avoisinantes. Dis-lui de faire le tour du quartier en voiture, mais qu'il ne retourne pas dans cette impasse. Ou mieux encore, qu'il appelle Dominick Rochester, c'est le père de Katie…

— Il nous a appelés.

— Dominick Rochester ?

— Oui.

— Quand ?

— Hier soir. Il dit qu'il t'a rencontré.

« Rencontré ». Charmant euphémisme, a songé Myron.

— On doit se voir ce matin, les Rochester et nous. Pour tâcher de trouver un lien entre Katie et Aimee.

— Bien. Ça va nous aider. Bon, il faut que j'y aille.

— Tu m'appelles ?

— Dès que j'ai du nouveau.

Il a entendu un sanglot dans le téléphone.

— Claire ?

— Ça fait deux jours, Myron.

— Je sais. Je m'en occupe. Tu pourrais peut-être insister de nouveau auprès de la police. Maintenant que le délai de quarante-huit heures a été franchi.

— OK.

Il voulait dire quelque chose du style « sois forte », mais ça lui a paru tellement bête qu'il a laissé tomber.

Le coup de fil suivant a été pour Win.

— Articule.

— Pourquoi réponds-tu toujours au téléphone de cette façon-là. Articule.

Silence.

— Harry Davis a bien pris le chemin du lycée ?

— Oui.

— Je fonce.

Le lycée de Livingston, *son* ancien lycée. Myron a mis le moteur en marche. Ce n'était qu'à trois kilomètres, mais ceux qui l'avaient pris en filature n'étaient pas très doués, ou alors ils s'en fichaient. Peut-être aussi qu'après la débâcle avec les Jumeaux, Myron se méfiait davantage. D'une manière ou d'une autre, une Chevy grise, ou une Caprice, lui filait le train depuis qu'il avait tourné en sortant de sa rue.

Il a rappelé Win et eu droit à l'habituel « articule ».

— Je suis suivi, a dit Myron.

— Encore Rochester ?

— Possible.

— Marque et plaque d'immatriculation ?

Myron les lui a données.

— On est toujours sur la route 280, a dit Win. Tu n'as qu'à les balader. Emmène-les au-delà de Mount Pleasant Avenue. Je me mettrai derrière eux, et on se retrouvera sur la place.

Myron s'est conformé à ses instructions. Il a pénétré dans l'école Harrison pour faire demi-tour. La Chevy qui le suivait a continué tout droit. Myron a repris Livingston Avenue dans l'autre sens. Le temps d'arriver au premier feu rouge, la Chevy grise l'avait rattrapé.

Il s'est garé sur la grande place circulaire devant le lycée et est descendu de voiture. Il n'y avait pas de commerces ici, mais c'était bien le cœur de la ville – une profusion de brique rouge. On trouvait là le commissariat de police, le tribunal, la bibliothèque municipale et – volumineux joyau de la couronne – le lycée de Livingston.

Les trottoirs appartenaient aux joggeurs et aux promeneurs matinaux. Bon nombre d'entre eux avaient passé l'âge de la retraite et se déplaçaient lentement. Mais pas tous. Un groupe de quatre filles, vingt ans et quelque, toutes musclées et toutes canon, trottinaient à sa rencontre.

Myron a souri et haussé un sourcil.

— Bonjour, mesdames, a-t-il lancé sur leur passage.

Deux d'entre elles ont ricané. Les deux autres l'ont toisé comme s'il leur avait annoncé qu'il venait de faire dans son pantalon.

Win s'est glissé à côté de lui.

— Elles ont eu droit au sourire plein pot ?

— Je dirais quatre-vingts, quatre-vingt-dix watts.

Win a examiné les jeunes femmes avant de prononcer son verdict :

— Ce sont des lesbiennes.

— Sûrement.

— Il y en a des tas par ici.

Myron a fait le calcul. Il devait avoir quinze ou vingt ans de plus qu'elles. Mais quand il s'agit de filles, ce n'est pas une chose qu'on a envie de s'avouer.

— La voiture qui te file, a dit Win sans quitter les jeunes joggeuses des yeux, est un véhicule de police banalisé, avec deux uniformes à l'intérieur. Ils sont garés sur le parking de la bibliothèque et nous observent à travers un téléobjectif.

— Tu veux dire qu'ils sont en train de nous photographier, là ?

— Il y a des chances.

— Je suis coiffé comment ?

Win a esquissé un geste comme pour dire « eh ».

— Ils continuent donc à me suspecter.

— Normal, je ferais pareil, a dit Win.

Il avait une sorte de Palm Pilot à la main. Pour pister le GPS de la voiture.

— Notre prof préféré ne devrait pas tarder à arriver.

Le parking réservé aux enseignants se trouvait à côté de l'aile ouest de l'établissement. Myron et Win se sont dirigés par là. Ils avaient décidé de l'aborder ici, dehors, avant le début des cours.

— Devine qui est passé chez moi à trois heures du mat', a dit Myron.

— Wink Martindale [1] ?

— Non.

— J'adore ce gars-là.

— Qui ne l'aime pas ? Non, c'était Jessica.

— Je sais.

— Comment... ?

Il n'a pas mis longtemps à se souvenir qu'en entendant le déclic en bas, à la porte d'entrée, il s'était connecté au portable de Win. Il avait coupé la communication quand ils étaient descendus dans la cuisine.

— Tu l'as niquée ? a demandé Win.

— Oui. Plein de fois. Mais pas depuis sept ans.

1. Animateur vedette de la télévision américaine. *(N.d.T.)*

— Elle est bonne, celle-là. Dis-moi, elle est venue se faire culbuter en souvenir du bon vieux temps ?

— Culbuter ?

— Mon ascendance british. Alors ?

— Un gentleman ne trahit jamais. Mais la réponse est oui.

— Et tu as refusé ?

— J'ai su rester chaste.

— Ton côté chevaleresque, a dit Win. Il y en a qui trouveraient ça admirable.

— Mais pas toi.

— Non, moi je trouve ça – attention, je vais employer de grands mots – franchement débile.

— J'ai quelqu'un d'autre dans ma vie.

— Je vois. Donc, toi et Mme Six-Virgule-Huit, vous vous êtes promis de ne baiser qu'entre vous ?

— Ça n'a rien à voir. On ne se tourne pas un beau jour vers son partenaire pour lui dire : « Et si on ne couchait avec personne d'autre ? »

— Tu n'as rien promis, alors ?

— Non.

Win a levé les deux mains en signe de capitulation.

— Je ne comprends pas. Elle sentait la transpiration, Jessica, ou quoi ?

— Laisse tomber, veux-tu ?

— Bon, très bien.

— Coucher avec elle n'aurait fait que compliquer les choses.

Win s'est contenté de le dévisager.

— Quoi ?

— Tu es une grande fille, a-t-il dit.

Ils ont continué à marcher en silence. Au bout d'un moment, Win a demandé :

— Tu as encore besoin de moi ?

— Je ne crois pas.

— Bien, je serai au bureau. S'il y a un problème, tu as ton portable.

Myron a hoché la tête, et Win a tourné les talons. Harry Davis est sorti de sa voiture. Les élèves se massaient par petits groupes sur le parking. Myron a réprimé un sourire. Rien n'avait changé. Les goths étaient vêtus de noir avec des clous argentés. Les cerveaux avaient de lourds sacs à dos et portaient des chemises à manches courtes cent pour cent polyester comme autant de directeurs adjoints au congrès d'une chaîne d'hypermarchés. Les sportifs, de loin les plus nombreux, étaient perchés sur les capots des voitures, arborant malgré la chaleur des blousons à manches de cuir avec le logo de leur équipe.

Harry Davis avait la démarche légère et le sourire insouciant de quelqu'un qui se sait aimé. Il avait un physique totalement ordinaire et était fagoté comme un prof de lycée, c'est-à-dire mal. Les élèves le saluaient, toutes catégories confondues, ce qui n'était pas rien. D'abord, les cerveaux lui ont serré la main et lui ont lancé :

— Bonjour, monsieur D. !

Monsieur D. ?

Myron a marqué le pas. Il a repensé à l'annuaire d'Aimee, à ses professeurs préférés : Mlle Korty…

… Et M.D.

Davis a poursuivi son chemin. Ensuite, il y a eu les goths. Ils l'ont gratifié d'un petit signe de salut, trop cool qu'ils étaient pour s'autoriser autre chose. Quand il s'est approché des sportifs, quelques-uns lui ont tapé dans la main en s'écriant :

— Yo, monsieur D. !

Harry Davis s'est arrêté pour parler à l'un d'entre eux.

Ils se sont mis à l'écart de la foule. La conversation semblait animée. Le garçon avait un blouson avec un ballon de foot au dos et les lettres QB comme quarterback sur la manche. Quelques-uns de ses copains l'ont interpellé.

— Eh, Shootman ! hurlaient-ils.

Mais le quarterback écoutait ce que le professeur avait à lui dire. Myron s'est rapproché.

— Tiens, tiens, a-t-il marmonné dans sa barbe.

Le garçon qui discutait avec Harry Davis – Myron le voyait clairement à présent, la mouche au menton, la coiffure rasta – n'était autre que Randy Wolf.

29

Que faire – les laisser causer ou bien les aborder maintenant ? Myron a consulté sa montre. La cloche allait bientôt sonner. Harry Davis et Randy Wolf iraient en cours chacun de leur côté, et ce serait fichu pour la journée.

OK, action.

Myron était à trois mètres quand Randy Wolf l'a repéré. Ses yeux se sont agrandis : on aurait dit qu'il le reconnaissait. Randy s'est écarté, et Davis s'est retourné pour voir ce qui se passait.

Myron leur a adressé un signe de la main.

— Salut, les gars.

Tous deux se sont figés, comme pris dans un faisceau de phares.

— Mon père m'a dit de ne pas vous parler, a déclaré Randy.

— Ton père n'a pas eu l'occasion de me connaître de près. Je suis un amour, au fond.

Myron a salué le professeur médusé.

— Bonjour, monsieur D.

Il les avait presque rejoints lorsqu'il a entendu une voix derrière lui :

— En voilà assez !

Myron a fait volte-face. Deux flics en uniforme étaient plantés devant eux. Un grand et maigre, et un petit avec de longs cheveux bouclés et une épaisse moustache – on aurait dit qu'il sortait d'une émission spéciale années quatre-vingt.

— Où allez-vous comme ça ? a demandé le grand.

— Ceci est un lieu public. Et je m'y promène comme je veux.

— Je vous repose la question : où allez-vous comme ça ?

— En cours, a répondu Myron. J'ai une méchante interro d'algèbre qui m'attend.

Les deux flics ont échangé un regard. Randy Wolf et Harry Davis assistaient à la scène sans piper. Déjà, des élèves commençaient à se rassembler à proximité. La cloche a retenti. Le grand flic a lancé :

— Allez, circulez, il n'y a rien à voir. Regagnez vos classes.

Myron a désigné Wolf et Davis.

— Il faut que je leur parle.

Le flic l'a ignoré.

— En classe, tout le monde.

Et, se tournant vers Randy, il a ajouté :

— Tout le monde, j'ai dit.

La foule s'est dispersée peu à peu. Randy Wolf et Harry Davis sont partis également. Myron est resté seul avec les deux agents de police.

Le grand maigre s'est approché de lui. Ils étaient à peu près de la même taille, mais Myron avait bien dix ou quinze kilos d'avance.

— Ne vous approchez pas de cet établissement, a-t-il

énoncé avec lenteur. Vous n'avez pas à leur parler. Ni à poser des questions.

— Poser des questions à qui ?

— À qui que ce soit.

— C'est plutôt vague, ça.

— Vous voulez que je sois plus précis ?

— Ça m'aiderait, oui.

— Vous refaites le malin, là ?

— Je cherche à y voir clair.

— Dis donc, connard !

C'était le petit flic au look années quatre-vingt. Il brandissait sa matraque.

— C'est assez clair pour toi, ça ?

Les deux flics ont souri à Myron.

— Qu'est-ce qu'il y a ?

Le petit moustachu s'est tapoté la paume avec la matraque.

— Ça t'a coupé le sifflet, hein ?

Le regard de Myron est allé de l'un à l'autre. Puis il a dit :

— Daryl Hall a téléphoné. Pour savoir si la tournée des retrouvailles, ça tient toujours.

Les sourires se sont évanouis.

— Mettez vos mains derrière le dos, a ordonné le grand flic.

— Quoi, vous n'allez pas me dire qu'il ne ressemble pas à John Oates [1] ?

— Les mains derrière le dos, tout de suite !

— Hall et Oates. *Sarah Smile ? She's Gone ?*

— Exécution.

1. Daryl Hall et John Oates, célèbre duo soul-rock des années quatre-vingt. *(N.d.T.)*

— Ce n'est pas une insulte. Je suis sûr que beaucoup de nanas ont kiffé John Oates.

— Tournez-vous !

— Pour quoi faire ?

— Je vais vous passer les menottes. On vous embarque.

— Et pour quel motif ?

— Coups et blessures.

— Sur qui ?

— Sur la personne de Jake Wolf. Il nous a dit que vous vous êtes introduit chez lui et l'avez agressé.

Et voilà.

Sa tactique d'asticotage avait payé. Maintenant il savait ce qu'ils lui voulaient. Cela n'avait rien à voir avec la disparition d'Aimee. Ils étaient là à l'initiative du Grand Méchant Wolf.

D'accord, le plan n'avait pas fonctionné parfaitement, puisqu'ils l'arrêtaient.

John Oates a bouclé les menottes, s'arrangeant pour lui pincer la peau au passage. Myron a jeté un œil sur son collègue. Ce dernier regardait nerveusement autour de lui. Myron s'est dit que c'était bon signe.

Le petit moustachu l'a traîné par les menottes vers la Chevy grise qui l'avait pris en filature dès l'instant où il était sorti de chez lui. Il l'a poussé sur la banquette arrière, essayant de lui cogner la tête contre le montant de la portière, mais Myron, qui s'y attendait, l'a rentrée dans les épaules. Sur le siège avant, il a aperçu un appareil photo avec un téléobjectif. Win ne s'était pas trompé.

Hmm. Deux flics qui le suivent à la trace, qui prennent des photos, qui l'empêchent de parler à Randy, qui le menottent… le Grand Jake ne manquait pas de ressources.

Resté dehors, le collègue faisait les cent pas. Visiblement, ça allait trop vite pour lui. Myron a décidé d'en profiter. Le petit bouclé moustachu s'est glissé sur la banquette à côté de lui, souriant de toutes ses dents.

— J'ai beaucoup aimé *Rich Girl*, lui a dit Myron. Mais l'album *Big Bam Boom*, franchement, ça fait cucul comme titre, non ?

Le moustachu a pété un câble plus rapidement que prévu. Il lui a balancé un coup de poing à l'estomac. Mais Myron était prêt. S'il avait appris une leçon durant toutes ces années, c'était comment encaisser les coups. C'était vital quand on s'exposait à des affrontements physiques. Dans une vraie bagarre, même les meilleurs se prennent des beignes, inévitablement. Et c'est souvent le mental qui règle l'issue du combat. Si on ignore à quoi s'attendre, on se tasse, on se recroqueville sur soi-même. On est trop sur la défensive. On se laisse gagner par la peur.

S'il s'agit d'un coup au visage, il faut jouer sur les angles. Ne jamais se présenter de face. Quelquefois, il suffit de pencher légèrement la tête. Sur quatre jointures, il n'y en aura peut-être qu'une ou deux qui vous atteindront. Ce qui fait une énorme différence. Par ailleurs, il faut savoir se relâcher, détendre ses muscles. On doit rouler littéralement dans le sens de l'impact. Si le coup vous vise à l'abdomen, surtout quand vous avez les mains liées derrière le dos, il faut contracter les muscles, creuser le ventre pour éviter de se faire exploser le sac à tripes. C'est ce que Myron a fait.

Le coup n'était pas très douloureux. Mais Myron, qui avait remarqué la nervosité du grand flic, s'est livré à un numéro d'acteur devant lequel De Niro aurait pris des notes.

— Aaaaaaaaaah !

— Bon sang, Joe, s'est écrié le grand, qu'est-ce que tu fabriques ?

— Il était en train de se payer ma tête !

Plié en deux, Myron a feint de suffoquer. Avec force râles, haut-le-cœur et quintes de toux incontrôlables.

— Tu lui as fait mal, Joe !

— Je lui ai juste coupé le souffle. Il s'en remettra.

Myron a toussé de plus belle. Il a fait comme s'il n'arrivait plus à respirer. Puis il a ajouté des convulsions. Les yeux révulsés, il a gigoté comme un poisson sorti de l'eau.

— Calme-toi, bordel !

Myron hoquetait, la langue pendante. Quelque part, un directeur de casting était en train de composer le numéro de Scorsese.

— Il s'étouffe !

— Médicament ! a articulé Myron.

— Quoi ?

— Peux pas respirer !

— Enlève-lui les menottes, merde !

— Peux pas respirer !

Pantelant, Myron a eu un nouveau soubresaut.

— Médicament pour le cœur ! Dans ma voiture !

Le grand flic a ouvert la portière. Arrachant les clés à son coéquipier, il a défait les menottes. Myron continuait à se tordre.

— De l'air !

Le flic écarquillait les yeux. On devinait facilement ce qu'il pensait : *On est mal barrés, là. Très mal barrés.*

— De l'air !

Il s'est écarté. Myron a roulé sur le bitume. Il s'est relevé et a pointé le doigt sur sa voiture.

— Mon médicament !

— Allez-y, a dit le grand.

Myron a couru vers sa voiture sous le regard éberlué des deux agents. C'était bien ce qu'il avait pensé. Ils étaient venus uniquement pour lui faire peur. Ils ne s'attendaient pas à ce qu'il leur tienne tête. C'étaient des flics municipaux. Les citoyens de cette paisible banlieue leur obéissaient au doigt et à l'œil. Or voilà que cet individu s'était mis à faire des vagues. Ils avaient perdu leur sang-froid et l'avaient malmené. Ça pouvait leur coûter très cher. Tout ce qu'ils voulaient, c'était que ça s'arrête. Ça tombait bien, Myron aussi. Il avait appris ce qu'il désirait savoir : le Grand Méchant Wolf avait les jetons et cherchait à cacher quelque chose.

Arrivé à sa voiture, Myron s'est installé au volant, a mis le contact et démarré sans autre forme de cérémonie. Il a jeté un œil dans le rétroviseur. Sa bonne étoile aidant, les deux flics ne se précipiteraient pas à sa poursuite.

En effet. Ils n'avaient pas bougé.

À vrai dire, ils avaient l'air soulagés de le voir partir.

Il n'a pas pu s'empêcher de sourire. Ouais, pas de doute là-dessus.

Myron Bolitaaaar était de retour !

30

Myron réfléchissait à ce qu'il allait faire quand son téléphone portable s'est mis à sonner. L'écran affichait hors zone. Il a répondu.

— Où diable étiez-vous passé ? a demandé Esperanza.

— Alors, cette lune de miel ?

— Une cata. Et vous voulez savoir pourquoi ?

— Parce que Tom n'assure pas ?

— Oui, vous les hommes, vous êtes trop durs à séduire. Non, le problème est que mon associé ne répond pas aux appels de nos clients. Et il n'est pas non plus au bureau pour me remplacer durant mon absence.

— Je suis désolé.

— Ah oui, ça règle tout.

— Je dirai à la Grosse Cyndi de transférer tous les coups de fil directement sur mon portable. Et j'irai à l'agence dès que je pourrai.

— Qu'est-ce qui vous arrive ? s'est enquise Esperanza.

Ne voulant pas perturber davantage son voyage de noces, Myron a répondu :

— Rien.

— Et en plus, vous mentez.

— Je vous dis qu'il n'y a rien.

— Très bien, je demanderai à Win.

— Attendez, c'est bon.

Il l'a mise rapidement au courant.

— Donc, a dit Esperanza, vous vous sentez redevable parce que vous avez fait une bonne action ?

— Je suis le dernier à l'avoir vue. Je l'ai déposée et je l'ai laissée partir.

— Laissée partir ? C'est quoi, ce délire ? Elle a dix-huit ans, Myron. Autrement dit, elle est adulte. Elle vous a demandé un service. Que vous lui avez galamment – et stupidement, dois-je ajouter – rendu. C'est tout.

— Ce n'est pas tout.

— Écoutez, si vous aviez ramené, mettons, Win chez lui, vous seriez-vous assuré qu'il était entré dans son appartement sain et sauf ?

— Excellente comparaison.

Esperanza a ricané.

— Oui, bon, je rentre à la maison.

— Certainement pas.

— Vous avez raison. Je ne rentre pas. Mais vous ne pouvez pas être à la fois au four et au moulin. Je dirai à la Grosse Cyndi de réacheminer les appels par ici. Je les prendrai pendant que vous jouerez les superhéros.

— Mais vous êtes en voyage de noces. Et Tom dans tout ça ?

— C'est un homme, Myron.

— Ce qui veut dire ?

— Du moment qu'il peut tirer son coup, il est heureux.

— C'est un stéréotype bien cruel.

— Oui, je sais, je suis une horreur. Je pourrais parler au téléphone en même temps ou, ma foi, donner le sein à Hector, que Tom ne cillerait pas. Et puis comme ça, il pourra jouer au golf plus souvent. Le golf et le sexe, Myron. La lune de miel idéale version Tom.

— Je vous le revaudrai.

Il y a eu un silence.

— Esperanza ?

— Ça fait longtemps, je sais, que vous ne vous êtes pas livré à ce genre d'activité. Je vous avais fait promettre de ne plus recommencer. Mais peut-être… peut-être que c'est aussi bien.

— De quel point de vue ?

— Si seulement je le savais ! Mais nom de Dieu, j'ai d'autres préoccupations, beaucoup plus graves que ça. Les vergetures, par exemple, quand je me mets en bikini. J'ai des vergetures, vous imaginez un peu ? Tout ça, c'est la faute du mouflet.

Ils se sont quittés l'instant d'après. Myron a repris sa route, mais il se sentait trop exposé dans sa voiture. Si jamais la police décidait de le garder à l'œil ou si Rochester s'avisait à nouveau de le faire suivre, cette voiture allait le gêner. Il a réfléchi et appelé Claire. Elle a décroché à la première sonnerie.

— Tu as appris quelque chose ?

— Pas vraiment, mais ça ne t'ennuie pas qu'on échange nos voitures ?

— Pas du tout. J'allais t'appeler de toute façon. Les Rochester viennent juste de partir.

— Alors ?

— On a parlé un moment. Pour essayer de trouver un lien entre Aimee et Katie. Mais il y a autre chose qui ressort de cette entrevue. Et j'aimerais avoir ton avis là-dessus.

— Je suis à deux minutes de chez toi.

— Je t'attends dehors.

Sitôt que Myron a eu posé le pied à terre, Claire lui a lancé les clés de sa voiture.

— Je pense que Katie Rochester a fugué.

— Qu'est-ce qui te fait dire ça ?

— Tu l'as rencontré, son père ?

— Oui.

— Ça veut tout dire, non ?

— Peut-être bien.

— Mais par-dessus tout, as-tu rencontré la mère ?

— Non.

— Elle s'appelle Joan. Et elle est recroquevillée en permanence sur elle-même – comme si elle s'attendait à recevoir une claque.

— Vous avez trouvé un lien entre les filles ?

— Elles aimaient toutes les deux traîner au centre commercial.

— C'est tout ?

Claire a haussé les épaules. Elle était dans un sale état. Sa peau était tirée encore plus que la veille. Elle semblait avoir perdu cinq kilos en vingt-quatre heures. Et elle vacillait en parlant, comme si une rafale de vent allait l'envoyer valdinguer dans le décor.

— Elles déjeunaient à la même heure. Et elles ont eu un cours en commun ces quatre dernières années : EPS avec M. Valentine. C'est à peu près tout.

Myron a secoué la tête.

— Tu as dit qu'il y avait autre chose.

— La mère. Joan Rochester.

— Oui, eh bien ?

— Ça ne saute pas aux yeux car, comme je te l'ai dit, elle a l'air de vivre dans la peur.

— Qu'est-ce qui ne saute pas aux yeux ?

— Elle a peur de lui. De son mari.

— Et alors ? Moi aussi, j'ai peur de lui.

— Oui, bon, d'accord, le problème n'est pas là. Elle a peur de son mari, mais elle n'a pas peur *pour* sa fille. Je n'ai aucune preuve, c'est juste le sentiment que j'ai eu. Tu te souviens quand maman a eu son cancer ?

Ils étaient en classe de seconde à l'époque. La pauvre femme est décédée six mois plus tard.

— Oui, bien sûr.

— J'ai rencontré d'autres filles qui vivaient la même chose. Un groupe de soutien pour les familles des cancéreux. On a organisé un pique-nique une fois, où on pouvait amener des amis. C'était bizarre, tu sais… on sentait tout de suite qui était dans la même galère que nous et qui était là simplement en tant qu'ami. Quand on rencontre quelqu'un qui souffre comme vous, on le sait aussitôt. C'est purement instinctif.

— Et avec Joan Rochester, ça ne l'a pas fait ?

— Si, mais ce n'était pas de l'ordre « ma fille a disparu ». J'ai essayé de la prendre à part. Je lui ai demandé de m'aider à préparer du café. Mais ça n'a rien donné. Je te le dis, elle sait quelque chose. Cette femme a peur, mais pas de la même façon que moi.

Myron réfléchissait à ce qu'elle venait de dire. Les explications étaient légion, dont la plus évidente – les gens réagissent différemment au stress –, cependant, il était tenté de se fier à l'intuition de Claire. Le tout était de savoir où ça menait. Et ce qu'il pouvait en faire.

— Je vais y songer, a-t-il répondu finalement.

— Tu as parlé à M. Davis ?

— Pas encore.

— Et Randy ?

— C'est en cours. Et c'est pour ça que j'ai besoin de ta voiture. La police m'a viré de l'enceinte du lycée ce matin.

— Pourquoi ?

Ne voulant pas aborder le sujet du père de Randy, il a dit :

— Je ne sais pas encore. Écoute, il faut que j'y aille, OK ?

Claire a hoché la tête, fermé les yeux.

— Tout ira bien.

Myron a fait un pas vers elle.

— S'il te plaît.

Elle l'a arrêté d'un geste de la main.

— Ne perds pas ton temps à me servir des platitudes.

Il est monté dans son 4 × 4. Quelle était sa prochaine destination ? Peut-être qu'il devrait retourner au lycée. Aller parler au proviseur. Qui convoquerait Randy ou Harry Davis dans son bureau. Oui, et après ?

Son téléphone portable a sonné. Appelant inconnu, une fois de plus. Ce système de la présentation du numéro se révélait parfaitement inutile. Les gens qui voulaient le contourner n'avaient qu'à bloquer le service, tout simplement.

— Allô ?

— Salut, beau gosse. Je viens juste d'avoir ton message.

C'était Gail Berruti, son contact aux télécoms. Il avait déjà oublié les appels loufoques où il se faisait traiter de salopard. Ils lui semblaient sans importance maintenant, une blague de potache, rien d'autre… sauf qu'il y avait peut-être un lien. Claire avait remarqué que Myron semait la destruction autour de lui. Se pouvait-il que quelqu'un ait surgi de son passé pour se venger de lui ? Et qu'Aimee se soit retrouvée au milieu ?

De toutes les hypothèses capillotractées…

— Ça fait une éternité que je n'ai pas eu de tes nouvelles, a déclaré Berruti.

— Ouais, j'ai été occupé.

— Ou plutôt tu ne l'étais pas. Comment vas-tu ?

— Ça va bien. Tu as pu localiser le numéro ?

— Il ne s'agit pas de localiser, Myron. C'est ce que tu disais dans ton message. « Peux-tu localiser ce numéro ? » Il n'y a rien à localiser. Il suffit de le noter.

— Si tu le dis.

— Mais non, pas si je le dis. Tu es bien placé pour le savoir. C'est comme à la télé, tiens. Tu as déjà vu comment ils font pour localiser un numéro à la télé ? Ils disent de garder le type en ligne pour pouvoir identifier le numéro. C'est n'importe quoi, franchement. Le numéro, on l'a tout de suite. C'est instantané. Ça ne prend pas de temps. Pourquoi ils font ça, hein ?

— Pour faire durer le suspense, a dit Myron.

— C'est idiot. Ils marchent sur la tête, à la télé. L'autre soir, je regarde une série policière, et il leur faut cinq minutes pour procéder à un test ADN. Mon mari bosse dans un labo de criminalistique à John-Jay. C'est une chance s'ils obtiennent une confirmation d'ADN au bout d'un mois. Alors que l'histoire du téléphone – qui peut être résolue en quelques minutes, il suffit d'appuyer sur une touche –, ça leur prend des lustres. Et le méchant raccroche juste au moment où ils sont sur le point de le localiser. Ça a marché au moins une fois, dis-moi ? Jamais. Qu'est-ce que ça peut m'énerver !

Myron a essayé de la ramener sur les rails.

— Alors tu l'as trouvé, ce numéro ?

— Je l'ai ici. Simple curiosité : pourquoi en as-tu besoin ?

— Depuis quand ça t'intéresse ?

— Bien vu. OK, allons-y. Tout d'abord, la personne voulait rester anonyme. Elle a téléphoné d'une cabine.

— Où ça ?

— C'est au niveau du 110, Livingston Avenue, à Livingston, New Jersey.

Le centre-ville, s'est dit Myron. À côté du Starbucks et du pressing. Une impasse ? Peut-être. Mais il a eu une idée.

— J'ai deux autres faveurs à te demander, Gail.

— Qui dit faveur, dit gratuité du service.

— Question de sémantique, a rétorqué Myron. Tu sais bien que je ne t'oublierai pas.

— Je sais, oui. Alors, qu'est-ce qu'il te faut ?

La leçon de Harry Davis portait sur *Une paix séparée*, de John Knowles. Il avait beau se concentrer, les mots sortaient de sa bouche comme s'il était en train de les lire sur un prompteur dans une langue qu'il ne comprenait pas très bien. Les élèves prenaient des notes. Avaient-ils remarqué qu'il n'était pas tout à fait là, qu'il fonctionnait en pilotage automatique ? Probablement pas… c'était ça, le plus triste.

Pourquoi Myron Bolitar voulait-il lui parler ?

Il ne le connaissait pas personnellement, mais on n'arpentait pas les couloirs de cet établissement pendant plus de vingt ans sans savoir qui il était. Ce type-là était une légende vivante. Il détenait tous les records de basket dont ce lycée se soit jamais réclamé.

Alors pourquoi avait-il souhaité lui parler ?

Randy Wolf savait qui il était. Son père l'avait mis en garde contre Bolitar. Pourquoi ?

— Monsieur D. ? Yo, monsieur D. ?

La voix s'est frayé un passage à travers le brouillard qui avait envahi sa tête.

— Oui, Sam ?

— Je peux aller aux toilettes, siouplaît ?

— Vas-y.

Harry Davis s'est interrompu. Il a reposé la craie et contemplé les visages en face de lui. Non, ils ne souriaient pas aux anges. La plupart des élèves avaient le nez dans leur cahier. Vladimir Khomenko, le dernier arrivé dans le cadre d'un programme d'échanges, avait posé la tête sur la table. Il devait dormir, à tous les coups. D'autres regardaient par la fenêtre. D'autres encore étaient tellement affalés sur leurs chaises qu'on aurait dit qu'ils avaient de la guimauve en lieu et place de l'épine dorsale. C'en était même étonnant qu'ils n'aient pas glissé à terre.

Au fond, il les aimait bien. Certains plus que d'autres. Mais tous comptaient à ses yeux. Ils étaient sa vie. Et, pour la première fois depuis toutes ces années, Harry Davis a eu l'impression de perdre pied.

31

Myron avait mal au crâne, et il a vite compris pourquoi. Il n'avait pas encore pris son café. Il s'est donc rendu au Starbucks avec un double objectif : la caféine et la cabine téléphonique. La caféine a été fournie par un barman grunge avec une mouche au menton et une longue mèche frontale qui ressemblait à un cil géant. Pour la cabine publique, la tâche promettait d'être un peu plus ardue.

Myron s'est installé à la terrasse, face à l'objet du délit. Pour être public, il l'était à fond. Myron s'en est approché. Il y avait là des autocollants publicitaires pour huit cents numéros d'appel à prix réduit. Le plus gros proposait des « communications gratuites la nuit », avec un croissant de lune en guise d'illustration, pour ceux qui ne savaient pas ce que c'était que la nuit.

Myron a froncé les sourcils. Il aurait bien voulu demander à ce taxiphone qui avait composé son numéro de portable pour le traiter de salopard et lui dire qu'il allait payer pour ce qu'il avait fait. Mais l'appareil n'était pas d'humeur à lui répondre. Il ne devait pas être dans un bon jour.

Revenu à sa place, Myron a réfléchi à ce qu'il lui restait à faire. Il avait toujours l'intention de parler à Harry Davis et à Randy Wolf. Ils ne lui diraient sans doute pas grand-chose – il y avait même de fortes chances pour qu'ils refusent de lui adresser la parole –, mais il trouverait bien le moyen de les accoster. Il fallait aussi qu'il interroge ce médecin de St. Barnabas, Edna Skylar, pour connaître les détails de sa rencontre présumée avec Katie Rochester.

Il a appelé le standard de St. Barnabas et, deux brèves explications plus tard, a eu Edna Skylar en ligne. Myron lui a exposé sa requête.

Edna Skylar avait l'air ennuyée.

— J'ai demandé aux enquêteurs de ne pas citer mon nom.

— Et ils ne l'ont pas fait.

— Comment l'avez-vous eu, alors ?

— J'ai quelques relations bien placées.

Elle s'est accordé un instant de réflexion.

— Quel est votre rôle là-dedans, monsieur Bolitar ?

— Une autre jeune fille a disparu.

Pas de réaction.

— Je pense qu'il pourrait exister un lien entre elle et Katie Rochester.

— Quel genre de lien ?

— Est-ce qu'on pourrait se voir ? Je vous expliquerai tout.

— Croyez-moi, je ne sais rien.

— S'il vous plaît.

Il y a eu une pause.

— Docteur Skylar ?

— Quand j'ai vu la petite Rochester, elle m'a signifié qu'elle ne voulait pas qu'on la retrouve.

— Je comprends bien. Je vous demande juste quelques minutes.

— J'ai des rendez-vous dans l'heure qui suit. Je pourrai vous recevoir à midi.

— Merci, a-t-il dit.

Mais Edna Skylar avait déjà raccroché.

Lithium Larry et les Cinq Seringués arrivaient au Starbucks en traînant les pieds. Larry s'est dirigé droit vers la table de Myron.

— 1 488 planètes le jour de la création, Myron. 1 488. Et je n'ai pas vu un penny. Tu piges ?

Larry faisait peine à voir, comme toujours. D'un point de vue géographique, ils étaient tout près de leur ancien lycée, mais qu'avait dit son restaurateur préféré Peter Chin sur les années qui passent tandis que le cœur demeure à la même place ? Mais le cœur seulement, alors.

— C'est bon à savoir, a dit Myron.

Il a regardé la cabine, et une pensée soudaine, fulgurante, lui a traversé l'esprit.

— Attends !

— Hein ?

— La dernière fois que je t'ai vu, il y avait 1 487 planètes, c'est bien ça ?

Larry a eu l'air déconcerté.

— Tu en es sûr ?

— Absolument.

Myron réfléchissait fébrilement.

— Et, sauf erreur de ma part, tu as dit que la prochaine planète serait pour moi. Qu'elle en avait après moi et tu as aussi parlé de quelqu'un qui aurait caressé la lune.

Le regard de Larry s'est animé.

— Il a caressé l'éclisse de lune. Tellement il te hait.

— Où est-elle, cette éclisse de lune ?

— Dans le système solaire d'Aerolis. À côté de Guanchomitis.

— Tu en es sûr, Larry ? Tu es sûr qu'elle n'est pas…

Myron s'est levé et l'a piloté vers la cabine publique. Larry s'est raidi. Myron lui a montré l'autocollant, le croissant de lune sur la publicité pour les appels gratuits la nuit. Larry a étouffé une exclamation.

— C'est ça, ton éclisse de lune ?

— S'il te plaît, oh mon Dieu, s'il te plaît…

— Calme-toi, Larry. Qui d'autre veut cette planète ? Qui me hait au point d'avoir caressé l'éclisse de lune ?

Vingt minutes plus tard, Myron poussait la porte de la teinturerie Chang. Maxine Chang était là, derrière son comptoir. Il y avait trois personnes qui attendaient. Myron ne s'est pas mis dans la queue. Resté à l'écart, il a croisé les bras. Maxine coulait des regards furtifs dans sa direction. Une fois les clients partis, il s'est approché d'elle.

— Où est Roger ?

— Il est en classe.

Myron l'a regardée dans les yeux.

— Vous savez qu'il m'a appelé ?

— Pourquoi vous aurait-il appelé ?

— À vous de me le dire.

— Je ne vois pas de quoi vous parlez.

— J'ai une amie aux télécoms. Roger m'a appelé de la cabine en face. J'ai des témoins dignes de foi qui peuvent attester qu'il y était au moment qui nous intéresse.

Myron n'en était pas à une exagération près.

— Il m'a menacé. Il m'a traité de salopard.

— Roger ne ferait jamais une chose pareille.

— Je ne lui cherche pas de noises, Maxine. Je veux juste savoir ce qui se passe.

Une nouvelle cliente est entrée. Maxine a crié quelque chose en chinois. Une femme âgée est sortie de l'arrière-boutique pour la relayer. D'un geste du menton, Maxine a invité Myron à la suivre. Ils se sont faufilés entre les rails mécaniques chargés de cintres. Quand il était môme, il était fasciné par le bourdonnement métallique de ces rails, comme s'il s'était retrouvé en plein film de science-fiction. Maxine a continué à marcher jusqu'à ce qu'ils émergent dans la ruelle derrière le pressing.

— Roger est un gentil garçon, a-t-elle dit. Il travaille dur.

— Qu'y a-t-il, Maxine ? Quand je suis passé l'autre jour, je vous ai trouvée bizarre.

— Vous ne comprenez pas combien c'est dur. De vivre dans une ville comme celle-ci.

Il comprenait – pour avoir vécu ici toute sa vie –, mais il s'est tenu coi.

— Roger a travaillé énormément. Il avait de bonnes notes. Il était le quatrième de sa classe. Les autres gosses, ils sont trop gâtés. Ils ont des professeurs particuliers. Ils ne font pas un boulot à côté. Roger, il bosse ici tous les jours après l'école. Il étudie dans l'arrière-boutique. Il ne sort pas. Il n'a pas de copine.

— Et qu'est-ce que j'ai à voir là-dedans ?

— Les autres parents, ils engagent des gens pour rédiger les dissertations de leurs enfants. Ils leur paient des cours de rattrapage pour améliorer leurs notes aux examens. Ils font des dons aux grandes écoles. Et d'autres choses encore, que je ne connais même pas.

C'est si important, l'université où on ira. Ça peut décider de toute votre vie. Ils ont tellement peur ici qu'ils feraient n'importe quoi pour que leurs gosses aillent là où il faut. C'est comme ça dans cette ville. Les gens sont gentils, mais tout leur est permis du moment que c'est « pour mon enfant ». Vous comprenez ?

— Oui, mais je ne vois toujours pas le rapport.

— Il faut que vous compreniez. Ce à quoi on est confrontés. Tout cet argent, ce pouvoir. Ces gens qui trichent, qui volent, qui sont prêts à tout.

— Si vous êtes en train de me dire que la concurrence est rude pour entrer à l'université, je suis au courant. C'était déjà comme ça de mon temps.

— Oui, mais vous aviez le basket.

— C'est vrai.

— Roger est si bon élève. Il travaille si dur. Son rêve, c'est d'aller à Duke. Il vous l'a dit. Vous avez dû oublier.

— Je me souviens qu'il a parlé d'avoir envoyé son dossier de candidature. Mais je ne me rappelle pas l'avoir entendu dire que c'était son rêve. Il a juste cité une série d'établissements.

— C'était son premier choix, a déclaré Maxine Chang d'un ton ferme. S'il y arrive, il aura une bourse. Ses études lui seront payées. C'est pour ça que c'est si important pour nous. Mais il n'a pas été pris. Même s'il est le quatrième de sa classe. Même s'il a eu de très bonnes notes. Bien meilleures que celles d'Aimee Biel.

Maxine a posé un regard éloquent sur Myron.

— Attendez une seconde. D'après vous, c'est ma faute si Roger n'a pas été accepté à Duke ?

— Je ne connais pas grand-chose, Myron. Je ne suis qu'une blanchisseuse. Mais une université comme Duke ne prend pratiquement jamais plus d'un élève par lycée dans le New Jersey. C'est Aimee Biel qui a été choisie. Roger avait de meilleures notes. De meilleurs résultats aux examens. Il avait d'excellentes appréciations de la part de ses professeurs. Ils ne font de sport ni l'un ni l'autre. Roger joue du violon. Aimee joue de la guitare.

Maxine Chang a haussé les épaules.

— Alors expliquez-moi : pourquoi elle a été reçue et pas Roger ?

Myron allait protester lorsque la vérité lui a sauté aux yeux. Il avait écrit une lettre. Il avait même appelé son ami aux admissions. Ces choses-là sont monnaie courante dans la vie. Ça ne voulait pas dire pour autant qu'il fallait rejeter la candidature de Roger Chang. Mais le calcul était simple : quand quelqu'un obtient la place, c'est toujours au détriment d'un autre.

Maxine a pris un ton suppliant.

— Roger était tellement furieux.

— Ce n'est pas une excuse.

— Tout à fait. Je lui parlerai. Il vous demandera pardon, je vous le promets.

Mais une autre idée est venue à Myron.

— C'est à moi seulement qu'il en voulait ?

— Je ne comprends pas.

— Il n'en voulait pas à Aimee aussi ?

Maxine a froncé les sourcils.

— Pourquoi vous me dites ça ?

— Parce que le numéro suivant, composé depuis cette même cabine publique, est celui du téléphone portable d'Aimee Biel. Peut-être que Roger était en colère contre elle ?

— Non, il n'est pas comme ça, Roger.

— Oui, bien sûr, il m'a juste appelé moi, pour me menacer.

— Il n'était pas sérieux. C'était seulement pour se défouler.

— Il faut que je lui parle.

— Quoi ? Il n'en est pas question.

— Très bien, j'irai à la police. Je leur signalerai que j'ai reçu des menaces par téléphone.

Ses yeux se sont agrandis.

— Vous n'allez pas faire ça.

Évidemment qu'il allait le faire. Peut-être même qu'il devait le faire. Mais pas tout de suite.

— J'aimerais lui dire deux mots.

— Il sera là après la classe.

— Je repasserai à trois heures. Si je ne le trouve pas, j'irai à la police.

32

Le Dr Edna Skylar a accueilli Myron dans le hall du centre médical St. Barnabas. Elle arborait la panoplie complète de sa corporation : blouse blanche, badge nominatif avec le logo de l'hôpital, stéthoscope autour du cou, clipboard à la main. Sans oublier la prestance qui va avec, jusque dans le port altier, le petit sourire, la poignée de main ferme mais pas trop.

Myron s'est présenté. Le regardant droit dans les yeux, elle a dit :

— Parlez-moi de cette jeune fille qui a disparu.

Sa voix était sans réplique. Désireux de gagner sa confiance, Myron lui a exposé les faits sans toutefois mentionner le nom de famille d'Aimee. Ils se tenaient en plein milieu du hall, pris dans un flot de patients et de visiteurs dont certains les frôlaient.

— On pourrait peut-être aller dans un endroit plus tranquille, a suggéré Myron.

Edna Skylar a eu un sourire sans joie.

— Ces gens-là ont d'autres soucis en tête que nous.

Myron a acquiescé. Il a vu un vieil homme en fauteuil

roulant avec un masque à oxygène. Au comptoir des admissions, il a vu une femme, pâle et coiffée d'une perruque mal ajustée, l'air à la fois résigné et perplexe, comme si elle se demandait si elle sortirait un jour d'ici et si du reste ç'avait une quelconque importance.

Edna Skylar l'observait.

— Nous sommes cernés par la mort.

— Comment faites-vous ? a-t-il questionné.

— Vous voulez la réponse standard sur la nécessité de séparer la vie privée de la vie professionnelle ?

— Pas spécialement, non.

— À vrai dire, je n'en sais rien. Mon travail m'intéresse. Il n'est jamais routinier. Je côtoie la mort de près, mais ça ne m'aide pas à mieux accepter ma propre condition de mortelle. Bien au contraire. La mort est un affront permanent. La vie est plus précieuse que vous ne sauriez l'imaginer. Je la connais, la vraie valeur de la vie, rien à voir avec les lieux communs qu'on nous serine d'habitude. La mort, c'est l'ennemi. Je ne l'accepte pas. Je la combats.

— Et vous ne vous fatiguez jamais ?

— Bien sûr que si. Mais que pourrais-je faire d'autre ? Confectionner des gâteaux ? Travailler à Wall Street ?

Elle a jeté un coup d'œil autour d'elle.

— Venez, vous avez raison… il y a trop de mouvement ici. Mais continuez à parler en marchant – j'ai un emploi du temps très serré.

Myron lui a raconté la fin de son histoire. Il ne s'est pas étendu, notamment sur le rôle qu'il avait lui-même joué dans la disparition d'Aimee, mais il a lourdement insisté sur le fait que les deux filles avaient utilisé le même distributeur de billets. Elle a posé quelques questions de détail. Arrivés dans son bureau, ils se sont assis.

— Ça m'a tout l'air d'une fugue, a dit Edna Skylar.

— J'en suis conscient.

— Vous avez eu mon nom grâce à une fuite, c'est ça ?

— Plus ou moins.

— Vous devez donc savoir ce que j'ai vu.

— Seulement dans les grandes lignes. Votre témoignage a convaincu les enquêteurs que Katie avait fugué. Moi, je me demande si vous n'avez rien vu qui laisse supposer autre chose.

— Non. J'ai tourné et retourné cent fois la question dans ma tête.

— Vous n'ignorez pas, a dit Myron, que les victimes d'enlèvement ont tendance à s'identifier à leurs ravisseurs ?

— Je sais tout ça. Le syndrome de Stockholm et ses étranges avatars. Mais ce n'est pas l'impression que j'ai eue. Katie ne semblait pas particulièrement épuisée. Rien dans son attitude ou dans son regard ne trahissait une quelconque panique ni une adoration fanatique. Ses yeux étaient parfaitement limpides. Je n'y ai décelé aucune trace de drogue, mais il faut dire que je ne l'ai vue que très brièvement.

— Où l'avez-vous croisée exactement ?

— Dans la Huitième Avenue du côté de la 21e Rue.

— Et elle se dirigeait vers le métro ?

— Oui.

— Il y a tout un tas de correspondances dans cette station.

— Elle a pris la ligne A.

La ligne A traversait pratiquement tout Manhattan du nord au sud. Ça ne l'avançait pas à grand-chose.

— Parlez-moi de l'homme qui l'accompagnait.

— Trente, trente-cinq ans. Taille moyenne. Physique agréable. Brun, cheveux longs. Barbe de deux jours.

— Cicatrices, tatouages, ce genre de choses ?

Edna Skylar a secoué la tête. Elle a expliqué qu'elle était en train de marcher dans la rue avec son mari, que Katie lui avait paru différente, plus âgée, plus sophistiquée, coiffée différemment, qu'au fond elle n'était même pas sûre que c'était Katie jusqu'à ce que la jeune fille lui glisse : *« Ne dites à personne que vous m'avez vue. »*

— Elle avait peur ?

— Oui.

— Mais pas de l'homme avec qui elle était ?

— Absolument. Puis-je vous poser une question ?

— Allez-y.

— Je sais des choses sur vous. Je ne suis pas une fana de basket, non, mais Google peut accomplir des miracles. Je m'en sers tout le temps. Avec mes patients en particulier. Et si je dois rencontrer quelqu'un, je cherche son nom sur Internet.

— OK.

— Ma question est : pourquoi voulez-vous retrouver cette fille ?

— Je suis un ami de la famille.

— Oui, mais pourquoi vous ?

— C'est difficile à expliquer.

Edna Skylar a hésité, ne sachant pas trop si elle devait se contenter d'une réponse aussi vague.

— Et ses parents, ils tiennent le coup ?

— Mal.

— Leur fille est probablement saine et sauve. Comme Katie.

— Possible.

— Vous devriez le leur dire. Réconfortez-les. Faites-leur savoir qu'elle se porte bien.

— À mon avis, ça ne servira pas à grand-chose.

Elle a détourné les yeux. Une ombre a traversé son visage.

— Docteur Skylar ?

— J'ai un de mes enfants qui a fait une fugue. Il avait dix-sept ans. Vous connaissez le débat entre l'inné et l'acquis ? Eh bien, j'ai été une mère lamentable. Je le reconnais. Mais mon fils m'a posé des problèmes dès le jour de sa naissance. Il se bagarrait. Il chapardait dans les magasins. À seize ans, il a été arrêté pour vol de voiture. Il se droguait, même si à l'époque je ne m'en suis pas rendu compte. C'était avant qu'on parle d'autisme ou d'administrer de la Ritaline aux gamins. Si j'avais pu recourir à cette solution-là, je l'aurais sans doute fait. Au lieu de quoi, j'ai laissé courir dans l'espoir qu'il s'en sortirait en grandissant. Je ne suis pas intervenue dans sa vie. Je ne l'ai pas guidé.

Elle s'exprimait sur un ton neutre, le ton d'une conversation banale.

— Bref, quand il a fugué, je n'ai rien fait. Je devais m'y attendre. Une semaine a passé. Puis deux. Il n'a pas appelé. Je ne savais pas où il était. Les enfants sont une bénédiction. Mais aussi un tel crève-cœur, vous ne pouvez pas vous imaginer.

Edna Skylar s'est tue.

— Qu'est-ce qu'il est devenu ? a demandé Myron.

— Oh, rien d'extraordinaire. Il a fini par téléphoner. Il était sur la côte Ouest, à essayer de jouer les stars. Il avait besoin d'argent. Il est resté deux ans là-bas. Il a échoué dans tout ce qu'il a entrepris. Puis il est rentré. C'est toujours un bon à rien. Je m'efforce de l'aimer, de me préoccuper de lui, mais… (Elle a haussé les épaules.)

La médecine, ça me vient naturellement. Pas la maternité.

Edna a regardé Myron. Apparemment, elle n'avait pas encore tout dit.

— J'aurais voulu…

Sa gorge s'est serrée.

— C'est affreusement bateau, mais plus que tout, j'aurais voulu repartir de zéro. J'aime mon fils, je l'aime sincèrement, mais je ne sais pas quoi faire pour lui. Peut-être bien qu'il est irrécupérable. Ç'a l'air cruel, mais à force de poser des diagnostics toute la journée, on finit par le faire même dans sa vie privée. Tout ça pour dire que j'ai appris qu'il m'était impossible de contrôler ceux que j'aime. Alors je contrôle ceux que je n'aime pas.

— Je ne comprends pas.

— Mes patients, a-t-elle expliqué. Ils me sont étrangers, mais je tiens énormément à eux. Pas parce que je suis quelqu'un de généreux ou de formidable, mais parce que, dans mon esprit, ils sont encore innocents. Je les juge. Je sais que c'est mal. Je ne devrais pas faire de différence entre eux et, en termes de traitement, je n'en fais pas. Sauf que, si je découvre en surfant sur Internet que mon malade a fait de la prison ou qu'il a l'air d'appartenir au milieu de la pègre, j'essaie de le diriger vers un confrère.

— Vous préférez les innocents, a dit Myron.

— Exactement. Ceux que – je sais ce que vous allez penser – je considère comme des purs. En tout cas, les moins souillés.

Myron s'est rappelé son propre raisonnement : la vie des jumeaux qui ne valait pas tripette à ses yeux, et tous ces civils qu'il sacrifierait pour sauver son fils… En quoi était-ce différent du discours du Dr Skylar ?

— Je me fais du souci pour les parents de cette fille.

Vous dites qu'ils ne vont pas bien. J'aimerais pouvoir les aider.

Avant que Myron ait eu le temps de répondre, on a tambouriné sur la porte. Une crinière grise est apparue dans l'entrebâillement. Myron s'est levé. L'homme aux cheveux gris est entré en disant :

— Oh pardon, je ne savais pas que tu étais avec quelqu'un.

— Ce n'est pas grave, chéri, a dit Edna Skylar. Tu peux repasser tout à l'heure ?

— Bien sûr.

L'homme portait une blouse blanche lui aussi. Il a souri à Myron. Et Myron a reconnu ce sourire. Edna Skylar n'était pas une fana de basket, mais ce gars-là, si. Il lui a tendu la main.

— Myron Bolitar.

— Je sais qui vous êtes. Stanley Rickenback. Plus connu sous le nom de M. le Dr Edna Skylar.

Ils se sont serré la main.

— Je vous ai vu jouer à Duke, a dit Stanley Rickenback. C'était quelque chose.

— Merci.

— Je ne voulais pas vous déranger. C'était juste pour voir si l'élue de mon cœur allait partager mon festin à la cafétéria de l'hôpital.

— J'allais partir, a déclaré Myron.

Puis :

— Vous étiez avec votre femme, n'est-ce pas, quand elle a aperçu Katie Rochester ?

— C'est pour ça que vous êtes ici ?

— Oui.

— Vous êtes de la police ?

— Non.

Edna Skylar était déjà debout. Elle a déposé un baiser sur la joue de son mari.

— Dépêchons-nous. J'ai des patients dans vingt minutes.

— Oui, j'étais là, a dit Stanley Rickenback à Myron. Pourquoi, qu'est-ce qui vous intéresse ?

— J'enquête sur la disparition d'une autre jeune fille.

— Attendez, encore une fille qui aurait fugué ?

— Peut-être. J'aimerais connaître votre avis, docteur Rickenback.

— Sur quoi ?

— En voyant Katie Rochester, vous avez eu l'impression qu'il s'agissait d'une fugue ?

— Oui.

— Vous avez l'air sûr de vous, a dit Myron.

— Elle était avec un homme. Elle n'a esquissé aucun geste pour s'échapper. Elle a demandé à Edna de n'en parler à personne et…

Il s'est tourné vers sa femme.

— Tu lui as dit ?

Edna a grimacé.

— On y va ?

— Elle m'a dit quoi ?

— Mon cher Stanley se fait vieux et gâteux, a dit Edna. Il a des visions.

— Ha, ha, très drôle. Tu as tes compétences, j'ai les miennes.

— Vos compétences ? a répété Myron.

— Ce n'est rien, a dit Edna.

— Ce n'est pas rien, a protesté Stanley.

— Très bien. Dis-lui ce que tu crois avoir vu.

Stanley a pivoté vers Myron.

— Ma femme a dû vous parler de sa manie d'étudier les visages. C'est comme ça qu'elle a reconnu cette jeune fille. Elle regarde les gens et essaie d'établir un diagnostic. Juste pour s'amuser. Moi, je ne fais pas ça. Mon travail, je le laisse au bureau.

— Quelle est votre spécialité, docteur Rickenback ?

Il a souri.

— C'est bien ça, le problème.

— Quel problème ?

— Je suis gynécologue-obstétricien. Sur le moment, ça ne m'a pas frappé. Mais à notre retour, j'ai cherché des photos de Katie Rochester sur Internet. Vous savez, celles qui ont été diffusées dans les médias. Je voulais voir si c'était bien elle qu'on avait croisée dans le métro. C'est pour ça que je suis pratiquement sûr de ce que j'ai vu.

— C'est-à-dire ?

Stanley a eu l'air d'hésiter.

— Tu vois ?

Edna a secoué la tête.

— Elle ne tient pas debout, ton histoire.

— Peut-être, a-t-il acquiescé.

Myron a dit :

— Mais ?

— Ou bien Katie Rochester a pris du poids, a répondu Stanley Rickenback, ou bien – c'est une simple hypothèse – elle est enceinte.

33

Harry Davis a donné à sa classe la consigne bidon de « lire ce chapitre » avant de sortir de la salle. Les élèves n'en revenaient pas. Les autres profs jouaient cette carte-là tout le temps, le « travaillez en silence pendant que je vais m'en griller une ». Mais M.D., « le professeur de l'année » depuis quatre ans, ne faisait jamais ça.

Les couloirs du lycée de Livingston étaient invraisemblablement longs. Les fois où il s'y retrouvait tout seul, comme maintenant, regarder tout au bout lui donnait le vertige. Mais ça, c'était Harry Davis. Il n'aimait pas le calme. Il préférait l'effervescence, le bruit, la foule des adolescents, les sacs à dos, la fureur de vivre.

Il a trouvé la salle de classe et, après avoir frappé rapidement, il a passé la tête par la porte. Drew Van Dyne enseignait principalement à des loubards. Ça se voyait au premier coup d'œil. La moitié des gamins avaient des écouteurs d'iPod dans les oreilles. Certains étaient assis sur les tables. D'autres s'adossaient aux fenêtres. Dans un coin au fond de la pièce, un gros malabar était en train de peloter une fille ; ils avaient tous deux la bouche grande ouverte, si bien qu'on assistait en direct à leur échange de salive.

Les pieds sur le bureau, les mains sur les genoux, Drew Van Dyne a tourné la tête.

— Monsieur Van Dyne ? Je peux vous parler une minute ?

Drew Van Dyne l'a gratifié d'un sourire effronté. Il devait avoir dans les trente-cinq ans, soit dix de moins que Davis. Depuis une huitaine d'années, il occupait le poste de professeur de musique. Il avait bien la tête de l'emploi : l'ex-rockeur qui aurait dû percer dans le métier si seulement ces infâmes maisons de disques avaient voulu reconnaître son génie. Du coup, il donnait des cours de guitare et travaillait dans un magasin de musique où vos choix prosaïques en matière de CD ne suscitaient que dédain de sa part.

Les récentes restrictions côté enseignement musical avaient obligé Van Dyne à accepter des classes où il faisait essentiellement du baby-sitting.

— Mais bien sûr, monsieur D.

Les deux professeurs sont sortis dans le couloir. Les portes étaient épaisses. Une fois le battant refermé, tout est redevenu silencieux.

Sans se départir de son sourire insolent, Van Dyne a déclaré :

— J'allais commencer mon cours, monsieur D. Que puis-je pour vous ?

À cause des murs qui se renvoyaient l'écho, Davis a chuchoté :

— Vous avez su pour Aimee Biel ?

— Qui ça ?

— Aimee Biel. Elle est élève ici.

— Je ne crois pas l'avoir eue en classe.

— Elle a disparu, Drew.

Van Dyne n'a rien dit.

— Vous m'avez entendu ?

— Je viens de vous dire que je ne la connais pas.

— Drew…

— Et, a interrompu Van Dyne, je pense qu'on nous l'aurait signalé si une élève avait disparu, non ?

— La police croit à une fugue.

— Pas vous ?

Le sourire s'est encore élargi.

— La police aimerait beaucoup connaître votre avis sur la question. Vous devriez peut-être aller les voir, monsieur D. Racontez-leur ce que vous savez.

— J'y compte bien.

— Parfait.

Se penchant, Van Dyne a chuchoté à son tour :

— À tous les coups, ils voudront savoir quand vous avez vu Aimee pour la dernière fois.

Il s'est reculé et a attendu la réaction de Davis.

— Voyez-vous, monsieur D., tout les intéresse. Les gens qu'elle a vus, à qui elle a parlé. De quoi ils ont parlé. Ils vont sûrement regarder ça de près, ne pensez-vous pas ? Et peut-être même ouvrir une enquête en bonne et due forme sur les hauts faits de notre professeur de l'année.

— Comment avez-vous… ?

Davis avait soudain les jambes en coton.

— Vous avez plus à y perdre que moi.

— Vous croyez ?

Drew Van Dyne s'est à nouveau rapproché au point de lui postillonner au visage.

— Dites-moi, monsieur D. Qu'est-ce que j'ai à perdre, au juste ? Ma belle maison dans le bucolique Ridgewood ? Ma réputation en or de professeur adulé ?

Ma sémillante épouse qui partage ma passion de l'enseignement ? Ou mes jolies filles qui me prennent pour modèle ?

Ils se sont fait face pendant un moment. Davis était incapable d'articuler un mot. Quelque part à distance, dans un autre monde peut-être, il a entendu la cloche sonner. Les portes se sont ouvertes à la volée. Les élèves ont jailli dans le couloir qui a résonné de leurs rires et de leurs revendications existentielles. Fermant les yeux, Harry Davis s'est laissé porter par cette déferlante, loin, très loin de Drew Van Dyne, quelque part où il ne pourrait pas l'atteindre.

Le centre commercial de Livingston avait pris un coup de vieux. Il avait beau s'efforcer de le cacher, le résultat tenait davantage du lifting raté que d'une véritable cure de jouvence.

Bedroom Rendezvous se trouvait au niveau inférieur. Pour certains, cette boutique de lingerie était du style parent pauvre de Victoria's Secret, mais, à dire vrai, la ressemblance était par trop flagrante. Tout était dans la présentation. Les mannequins sexy sur les grandes affiches ressemblaient à des stars du porno, la langue dehors et les mains aux endroits stratégiques. Le slogan de Bedroom Rendezvous, qui barrait un décolleté opulent, disait : QUEL GENRE DE FEMME AIMERIEZ-VOUS METTRE DANS VOTRE LIT ?

— Une bombe, a dit Myron à voix haute.

Tout cela n'était guère différent des pubs Victoria's Secret sur lesquelles Tyra et Frederique, huilées de la tête aux pieds, apostrophaient le chaland : « Qu'est-ce qui est sexy ? » Réponse : Une authentique bombe sexuelle. La vêture n'avait rien à voir là-dedans.

La vendeuse, moulée dans de l'imprimé tigre, avait

une énorme tignasse et mâchait du chewing-gum, le tout avec un aplomb qui, curieusement, faisait passer la pilule. Sur son badge, on lisait SALLY ANN.

— Vous cherchez quelque chose ? a-t-elle demandé.

— Je doute que vous ayez ma taille, a répondu Myron.

— On ne sait jamais. Alors ?

Elle a indiqué l'affiche.

— C'est juste pour admirer le décolleté ?

— Ma foi, ce n'est pas pour ça que je suis ici.

Il a sorti une photo d'Aimee.

— Vous reconnaissez cette jeune fille ?

— Vous êtes flic ?

— Ça se pourrait bien.

— Nan.

— Qu'est-ce qui vous fait dire ça ?

Sally Ann a haussé les épaules.

— Qu'est-ce qu'il vous faut ?

— Cette jeune fille a disparu. J'essaie de la retrouver.

— Faites voir.

Myron lui a tendu la photo. Elle l'a examinée.

— Son visage me dit quelque chose.

— C'est une cliente ?

— Non. Je connais les clients.

D'un sac en plastique, il a sorti le sous-vêtement blanc qu'il avait découvert dans le tiroir d'Aimee.

— Et ça, ça vous dit quelque chose ?

— Bien sûr. Ça fait partie de notre collection « Boudoir coquin ».

— C'est vous qui l'avez vendu, cet article ?

— Possible. J'en ai vendu quelques-uns.

— L'étiquette est toujours dessus. Croyez-vous pouvoir identifier la personne qui l'a acheté ?

Fronçant les sourcils, Sally Ann a désigné la photo d'Aimee.

— Vous pensez que c'est elle ?

— Je l'ai trouvé dans son tiroir.

— Oui, mais quand même.

— Quand même quoi ?

— Ça fait pouffe, et en plus ce n'est pas confortable.

— Pourquoi, elle vous paraît trop classe ?

— Non, ce n'est pas ça. Les femmes achètent rarement ces trucs-là. La matière est râpeuse. Ça vous scie l'entrejambe. C'est un fantasme de mec, ça. Un peu comme dans les vidéos porno.

La tête penchée, Sally Ann mastiquait avec ferveur.

— Vous avez déjà vu un film de cul ?

Myron n'a pas cillé.

— Jamais de la vie.

Elle a éclaté de rire.

— Mais oui, bien sûr. Enfin bref, si c'est une femme qui choisit le film, c'est totalement différent. Il y a toujours une histoire et le mot « amour » ou « sensuel » dans le titre. Ça peut être torride, mais ça ne s'appelle pas *Sale Pute 5* ni rien de ce genre-là. Vous voyez ce que je veux dire ?

— Admettons. Et cet article ?

— C'est l'équivalent.

— De *Sale Pute 5* ?

— Oui. Aucune femme n'irait choisir ça.

— Et comment saurai-je qui l'a acheté ?

— On ne garde pas de traces écrites de nos clients. Je pourrais demander aux autres filles, mais bon…

Myron a remercié Sally Ann et quitté la boutique. Gamin, il venait ici avec son père, chez Sportswear Herman. Le magasin avait fermé, mais en sortant de Bedroom Rendezvous, il a jeté un coup d'œil en direction de son ancien emplacement. Et là, deux pas de porte plus loin, il a aperçu une enseigne avec un nom familier.

PLANET MUSIC.

En un éclair, Myron a revu la chambre d'Aimee. Planet Music. C'est de là que venaient ses guitares. Il y avait des facturettes dans le tiroir de son bureau. Son magasin de musique préféré était situé tout près de Bedroom Rendezvous.

Encore une coïncidence ?

Dans sa jeunesse, ç'avait été un magasin de pianos et d'orgues. Myron avait toujours trouvé ça bizarre. On va au centre commercial pour acheter des vêtements, des disques, un jouet, une chaîne stéréo à la rigueur. Mais un piano ?

À l'évidence, les clients ne s'étaient pas bousculés.

Les pianos et les orgues avaient disparu. Planet Music vendait des CD et de petits instruments. On y voyait aussi des affiches avec des tarifs de location. Trompettes, clarinettes, violons – ils devaient beaucoup fonctionner avec les scolaires.

Le jeune derrière le comptoir devait avoir dans les vingt-trois ans. Vêtu d'un poncho en chanvre, il ressemblait en plus miteux aux barmen du Starbucks. Son crâne rasé était coiffé d'un poussiéreux bonnet en tricot, et il arborait la désormais incontournable mouche au menton.

La mine sévère, Myron a jeté la photo sur le comptoir.

— Vous la connaissez ?

Le garçon a hésité une fraction de seconde. Myron a sauté sur l'occasion.

— Si vous répondez à mes questions, on ne vous embarquera pas.

— M'embarquer pour quoi ?

— Vous la connaissez ?

Il a hoché la tête.

— C'est Aimee.

— C'est une cliente ?

— Ouais, assidue.

Il évitait soigneusement de regarder Myron.

— Elle comprend la musique. Les gens, la plupart du temps, ils veulent des boys bands.

Il a dit « boys bands » comme d'aucuns diraient « bestialité ».

— Aimee, elle est rock.

— Et vous la connaissez bien ?

— Bien, non. Je veux dire, elle ne vient pas ici pour me voir, moi.

Le poncho s'est interrompu brusquement.

— Elle vient pour voir qui, alors ?

— Pourquoi vous me demandez ça ?

— Pour ne pas avoir à vous faire vider vos poches.

Il a levé les mains.

— Eh, je suis clean, moi.

— Ça ne fait rien, je me débrouillerai pour dissimuler quelque chose sur vous.

— Qu'est-ce qui… vous n'êtes pas sérieux, là ?

— Plus sérieux que moi tu meurs.

Myron a repris son air sévère. Ce qui n'était pas naturel chez lui. À force, ça lui donnait mal à la tête.

— Elle vient voir qui chez vous ?

— Mon directeur adjoint.

— Il a un nom ?

— Drew. Drew Van Dyne.

— Il est là ?

— Non. Il vient cet après-midi.

— Vous avez son adresse ? Ou un numéro de téléphone où le joindre ?

— Au fait, a rétorqué le jeune dans un éclair de lucidité. Montrez-moi votre plaque.

— Allez, salut.

Myron est repassé voir Sally Ann.

Elle a fait claquer son chewing-gum.

— Déjà de retour ?

— Impossible de rester longtemps loin de vous. Vous connaissez un type qui travaille chez Planet Music, du nom de Drew Van Dyne ?

— Oh, a-t-elle dit comme si tout s'éclaircissait d'un coup. Oh oui.

34

Claire a sursauté en entendant le téléphone.

Elle n'avait pas dormi depuis la disparition d'Aimee. Ces deux derniers jours, elle avait ingurgité suffisamment de café et donc de caféine pour réagir au moindre bruit. Elle ne cessait de repenser à la visite des Rochester, à la colère du père, à l'apathie de la mère. La mère. Joan Rochester. Elle leur cachait quelque chose, c'était sûr et certain.

Claire avait passé la matinée à fouiller la chambre d'Aimee tout en réfléchissant à un moyen de la faire parler. Une approche de mère à mère, peut-être. La chambre n'a rien révélé de plus. Claire a entrepris d'inspecter de vieux cartons qu'elle avait remplis, lui semblait-il, il y avait deux semaines à peine. Le porte-crayon qu'Aimee avait confectionné pour Erik à la maternelle. Son premier bulletin de notes : rien que des A accompagnés du commentaire de Mme Rohrbach indiquant qu'Aimee était une élève douée, agréable en classe et promise à un brillant avenir. « Brillant avenir », ces deux mots paraissaient la narguer.

La sonnerie du téléphone lui a mis les nerfs à vif. Elle s'est jetée sur le combiné, espérant une fois encore que c'était Aimee, que tout ceci n'était qu'un stupide malentendu, qu'il y avait une explication parfaitement rationnelle à son absence.

— Allô ?

— Elle va bien.

C'était une voix mécanique. Ni masculine ni féminine. Genre celle, en plus crispé, qui vous annonce que votre appel a été pris en compte et qu'un opérateur va vous répondre.

— Qui est à l'appareil ?

— Elle va bien. Ne vous mêlez pas de ça. Vous avez ma parole.

— Qui êtes-vous ? Je veux parler à Aimee.

Seule la tonalité lui a répondu.

— Dominick n'est pas à la maison, a dit Joan Rochester.

— Je sais, a répliqué Myron. C'est vous que je viens voir.

— Moi ?

Comme si la simple idée que quelqu'un veuille la voir, elle, était aussi saugrenue que de projeter un voyage sur Mars.

— Mais pourquoi ?

— S'il vous plaît, madame Rochester, c'est très important.

— Je pense que nous devrions attendre le retour de Dominick.

Myron est passé devant elle.

— Pas moi.

La maison, propre et bien rangée, était tout en lignes droites et en angles droits. Aucune courbe, aucune tache de couleur – le séjour même semblait se tenir au garde-à-vous pour ne pas attirer l'attention.

— Je peux vous offrir une tasse de café ?

— Où est votre fille, madame Rochester ?

Elle a dû ciller une bonne douzaine de fois à toute vitesse. Myron en connaissait, des hommes qui clignaient des yeux de cette façon-là. Des gars qui avaient été persécutés à l'école étant petits et qui ne s'en étaient jamais tout à fait remis.

— Comment ? a-t-elle bredouillé.

— Où est Katie ?

— Je… je ne sais pas.

— Vous mentez.

Nouveaux battements de cils. Myron s'était interdit de la plaindre.

— Pourquoi ?… Je ne mens pas.

— Vous savez où est Katie. Je présume que vous avez une raison pour vous taire. Et que votre mari y est pour quelque chose. Mais ce n'est pas ça qui m'intéresse.

Joan Rochester a tenté de se redresser.

— J'aimerais que vous partiez d'ici.

— Non.

— Je vais appeler mon mari.

— J'ai des relevés téléphoniques, a dit Myron.

Les cils ont papilloté de plus belle. Elle a levé la main comme pour se protéger d'un coup.

— Ils concernent votre téléphone mobile. Votre mari n'irait pas les consulter. Et, même s'il l'avait fait, un appel depuis une cabine publique à New York ne lui aurait probablement pas mis la puce à l'oreille. Mais je connais une certaine Edna Skylar.

La peur a cédé la place à la confusion.

— Qui ?

— Elle est médecin à St. Barnabas. Cette femme a croisé votre fille à Manhattan. Plus précisément du côté de la 21e Rue. Vous avez reçu plusieurs appels à dix-neuf heures provenant d'une cabine située à quatre blocs de là, ce qui n'est pas très loin.

— Ce n'était pas ma fille.

— Ah oui ?

— C'était une amie.

— Hmm.

— Elle fait son shopping en ville. Elle aime bien appeler quand elle a trouvé quelque chose d'intéressant. Pour avoir mon avis.

— Elle téléphone d'une cabine ?

— Oui.

— Son nom ?

— Rien ne m'oblige à vous le donner. Et j'aimerais que vous partiez immédiatement.

Myron a haussé les épaules.

— Bon, je vois qu'il est inutile d'insister.

Joan Rochester s'était remise à ciller. Et elle ne semblait pas pouvoir s'arrêter.

— Mais peut-être que votre mari sera plus convaincant que moi.

Elle est devenue livide.

— Autant que je lui dise tout ce que je sais. Vous lui expliquerez pour votre amie qui fait du shopping. Il va sûrement vous croire.

Les yeux de Joan s'étaient agrandis de terreur.

— Vous n'imaginez pas ce dont il est capable.

— Détrompez-vous. Il avait engagé deux hommes de main pour me torturer.

— C'est parce qu'il pensait que vous saviez ce qui était arrivé à Katie.

— Et vous l'avez laissé faire, madame Rochester.

Vous l'auriez laissé me torturer, voire me tuer, tout en sachant pertinemment que je n'y étais pour rien.

Elle a cessé de ciller.

— Ne dites rien à mon mari. S'il vous plaît.

— Je ne cherche pas à nuire à votre fille. Tout ce que je veux, c'est retrouver Aimee Biel.

— Je ne sais rien à son sujet.

— Mais votre fille, elle, sait peut-être quelque chose.

Joan Rochester a secoué la tête.

— Vous ne comprenez pas.

— Je ne comprends pas quoi ?

Elle s'est éloignée. Elle l'a planté là pour traverser la pièce. Lorsqu'elle s'est retournée, elle avait des larmes aux yeux.

— S'il découvre… s'il la retrouve…

— Il ne la retrouvera pas.

Elle a secoué la tête de plus belle.

— Je vous le promets, a-t-il dit.

Ses paroles – une promesse irréfléchie de plus – ont résonné dans la pièce silencieuse.

— Où est-elle, madame Rochester ? Il faut que je lui parle.

Son regard a balayé le séjour comme si elle craignait que la grande armoire ne les entende. Elle a ouvert la porte donnant sur le jardin et lui a fait signe de sortir.

— Où est Katie ? a demandé Myron.

— Je ne sais pas. C'est la vérité.

— Madame Rochester, je n'ai vraiment pas le temps…

— Ces coups de fil…

— Oui, eh bien ?

— Vous dites qu'ils proviennent de New York ?

— Oui.

Elle a détourné les yeux.

— Alors c'est là qu'elle doit être.

— Sérieusement, vous ne le savez pas ?

— Katie ne veut pas me le dire. Et je ne lui ai pas demandé non plus.

— Pourquoi ?

Joan avait des yeux ronds comme des soucoupes.

— Dans la mesure où je ne le sais pas, a-t-elle répondu enfin en lui faisant face, il ne pourra pas me forcer à le lui dire.

Une tondeuse s'est mise en marche à côté, trouant le silence. Myron a marqué une pause.

— Mais vous avez bien eu des nouvelles de Katie ?

— Oui.

— Et elle est en sécurité ?

— Tant qu'elle se tient loin de son père.

— En général, j'entends. Elle n'a pas été enlevée.

Joan a hoché lentement la tête.

— Edna Skylar l'a aperçue avec un homme brun. Qui est-ce ?

— Vous sous-estimez Dominick. S'il vous plaît, ne faites pas ça. Laissez-nous tranquilles. Vous voulez retrouver l'autre jeune fille. Katie n'a rien à voir avec elle.

— Elles ont tiré de l'argent dans le même distributeur.

— C'est une coïncidence.

Myron n'a pas pris la peine de discuter ce point de vue.

— Quand Katie doit-elle vous rappeler ?

— Je ne sais pas.

— Alors vous ne m'êtes d'aucune utilité.

— Ça veut dire quoi, ça ?

— Il faut que je parle à votre fille. Si vous ne pouvez

pas m'aider, je serai obligé de tenter ma chance auprès de votre mari.

Elle s'est contentée de secouer la tête.

— Je sais qu'elle est enceinte, a dit Myron.

Joan a poussé un gémissement.

— Vous ne comprenez pas, a-t-elle répété.

— Eh bien, expliquez-moi.

— L'homme brun… il s'appelle Rufus. Si Dom l'apprend, il le tuera. C'est aussi simple que ça. Et je ne sais pas ce qu'il fera à Katie.

— C'est quoi, leur plan ? Se cacher jusqu'à la fin de leurs jours ?

— Je doute qu'ils aient un plan.

— Et Dominick n'est au courant de rien ?

— Il n'est pas bête. Il pense que Katie a fugué.

Myron a réfléchi un instant.

— Il y a une chose qui m'échappe. S'il croit à une fugue, pourquoi a-t-il alerté la presse ?

Joan Rochester a souri alors, mais c'était un sourire infiniment triste.

— Vous ne devinez pas ?

— Non.

— Il aime gagner. À n'importe quel prix.

— Je n'ai toujours pas…

— Il a fait ça pour leur mettre la pression. Il veut retrouver Katie. Tout le reste n'a pas d'importance. C'est ce qui fait sa force. Ça ne le gêne pas de prendre des coups. De gros coups. Dom ne s'encombre pas de scrupules. Il ne connaît pas la honte. Il est prêt à perdre et à souffrir pour vous faire souffrir encore plus. Voilà le genre d'homme que c'est.

Ils se sont tus. Myron a failli demander pourquoi elle restait avec lui, mais cela ne le regardait pas. Les violences conjugales étaient un phénomène fréquent dans ce pays. Il aurait bien voulu l'aider, mais Joan Rochester ne l'accepterait pas, et en ce moment il avait d'autres chats à fouetter. Il a repensé aux jumeaux, au fait que leur mort le laissait de glace, à Edna Skylar et à son attitude envers ceux qu'elle considérait comme les plus purs parmi ses patients.

Joan Rochester avait fait son choix. Ou peut-être qu'elle était juste un peu moins innocente que d'autres.

— Vous devriez prévenir la police, a-t-il dit.

— Les prévenir de quoi ?

— Que votre fille a fugué.

— Vous ne comprenez toujours pas, hein ? s'est-elle exclamée. Dom l'apprendra. Il a des sources dans la place. Comment croyez-vous qu'il a su aussi rapidement pour vous ?

Pour lui, oui, mais pas pour Edna Skylar. Pas encore. Ses sources n'étaient donc pas infaillibles. Myron s'est demandé s'il pouvait en tirer parti, mais il ne voyait pas comment. Se rapprochant d'elle, il a pris les mains de Joan et l'a obligée à le regarder dans les yeux.

— Votre fille n'a rien à craindre. Je vous le garantis. Mais il faut que je lui parle. C'est tout. Il faut juste que je lui parle. Comprenez-vous ?

Elle a dégluti.

— Je n'ai pas vraiment le choix, n'est-ce pas ?

Myron n'a pas répondu.

— Si je ne coopère pas, vous irez voir Dom ?

— Oui.

— Katie doit m'appeler ce soir vers sept heures, a-t-elle dit. Je vous la passerai à ce moment-là.

35

Win a appelé Myron sur son portable.

— Drew Van Dyne, ton directeur adjoint chez Planet Music, est également professeur au lycée de Livingston.

— Tiens, tiens.

— Comme tu dis.

Myron se rendait chez Claire. Elle lui avait parlé du coup de fil qu'elle avait reçu, de ce « elle va bien ». Il avait aussitôt contacté Berruti qui, à en croire sa boîte vocale, était « momentanément absente de son bureau ». Il lui a laissé un message.

Claire et lui devaient aller au lycée d'Aimee pour inspecter le contenu de son casier. Au passage, Myron espérait choper son ex, Randy Wolf. Ainsi que Harry Davis, alias M.D. Et maintenant, par-dessus tout, le prof de musique amateur de lingerie fine, Drew Van Dyne.

— Tu as autre chose sur lui ?

— Van Dyne est marié, sans enfants. Ces quatre dernières années, il a été interpellé deux fois pour conduite en état d'ivresse et une fois pour possession de drogue. Il a aussi un casier de délinquant juvénile, mais on ne peut pas y accéder. C'est tout ce que j'ai pour l'instant.

— Et au nom de quoi achète-t-il de la lingerie pour une élève ?

— Il faut te faire un dessin ?

— Je viens de parler à Mme Rochester. Katie est tombée enceinte et s'est enfuie avec son petit copain.

— Ce sont des choses qui arrivent.

— Oui, mais… peut-on supposer qu'Aimee ait fait pareil ?

— Qu'elle s'est enfuie avec son jules ? Ça m'étonnerait. Van Dyne n'a pas été porté disparu.

— Il n'avait pas besoin de disparaître. Le copain de Katie doit avoir peur de Dominick Rochester. C'est pour ça qu'il est avec elle. Or si personne n'était au courant pour Aimee et Van Dyne…

— Notre homme n'avait rien à craindre.

— Exact.

— Alors dis-moi, je te prie, pourquoi Aimee a-t-elle pris la poudre d'escampette ?

— Parce qu'elle est enceinte.

— Bah, a dit Win.

— Bah quoi ?

— De quoi Aimee Biel aurait-elle peur ? a demandé Win. Erik n'a pas grand-chose de commun avec Dominick Rochester.

Il n'avait pas tort.

— Peut-être qu'elle ne s'est pas enfuie. Peut-être qu'elle a décidé de garder son enfant. Peut-être qu'elle l'a dit à son amant…

— Lequel, a renchéri Win, serait fichu en tant que prof, si cela venait à se savoir.

Tout ça tombait malheureusement sous le sens.

— Sauf qu'il y a encore un gros hic, a dit Myron.

— Quoi donc ?

— Le distributeur de billets. Tout le reste est anecdotique. Deux filles qui tombent enceintes dans un établissement qui en compte quasiment un millier ? C'est insignifiant du point de vue statistique. Même si toutes les deux ont fugué à cause de ça, on peut certes envisager un lien, mais il est plus que probable que les deux histoires n'aient aucun rapport entre elles, tu ne crois pas ?

— Oui, a acquiescé Win.

— Seulement, il y a ce distributeur. Comment tu expliques ça ?

— Ta petite analyse statistique, a répondu Win, s'en va en eau de boudin.

— Il y a quelque chose qui nous échappe.

— Tout nous échappe. À ce stade, la matière dont on dispose est trop maigre pour qu'on puisse parler d'hypothèse.

Un deuxième point pour Win. Il était peut-être trop tôt pour tirer des conclusions, mais ils se rapprochaient de la solution. Il y avait d'autres éléments par ailleurs, comme les menaces proférées par Roger Chang au téléphone. Fallait-il les prendre en compte ? Et Harry Davis dans tout ça ? Il aurait pu servir d'intermédiaire entre Van Dyne et Aimee, mais cela semblait un peu tiré par les cheveux. Et que penser de ce coup de fil reçu par Claire ? Pourquoi maintenant, et dans quel but – rassurer ou faire peur, mais dans les deux cas, pourquoi ? –, il ne voyait toujours pas.

— OK, a-t-il dit à Win, on est prêts pour ce soir ?

— Fin prêts.

— Je te rappelle tout à l'heure.

Win a raccroché au moment où Myron s'engageait dans l'allée devant chez les Biel. Claire est sortie avant même qu'il ne se soit complètement arrêté et elle est montée dans la voiture.

— Ça va ? a-t-il demandé.

Elle n'a pas pris la peine de répondre tant la réponse était évidente.

— Tu as des nouvelles de ton contact aux télécoms ?

— Pas encore. Connais-tu un professeur de lycée qui s'appelle Drew Van Dyne ?

— Non.

— Son nom ne te dit rien ?

— Je ne crois pas. Pourquoi ?

— Tu te souviens de ce truc affriolant que j'ai trouvé dans sa chambre ? Il est possible que ce soit un cadeau de Van Dyne.

Le visage de Claire s'est empourpré.

— Un enseignant ?

— Il travaille au magasin de musique qui est dans le centre commercial.

— Planet Music ?

— C'est ça.

Claire a secoué la tête.

— Je n'y comprends rien.

Myron a posé la main sur son bras.

— Reste avec moi, Claire, OK ? Il faut que tu sois calme et que tu te concentres.

— Ne me parle pas comme à une gamine, Myron.

— Je n'en ai pas l'intention, mais si tu pètes les plombs en arrivant au lycée…

— On va rater notre coup. Je sais. Qu'y a-t-il d'autre ?

— Tu avais cent pour cent raison, à propos de Joan Rochester.

Claire l'a écouté, le regard rivé sur la vitre. De temps

en temps, elle hochait la tête, mais sans lien apparent avec ce qu'il lui racontait.

— D'après toi, Aimee serait donc enceinte ?

Sa voix était posée. Détachée presque. Elle s'efforçait de prendre du recul. Tant mieux.

— Oui.

Claire s'est mise à se triturer la lèvre. Comme au lycée. C'était bizarre. Ce chemin, ils l'avaient emprunté des milliers de fois dans leur jeunesse, et la voilà qui se tripotait la lèvre comme avant un contrôle de maths.

— OK, tâchons de voir les choses rationnellement, a-t-elle déclaré.

— Allons-y.

— Aimee a rompu avec son copain du lycée. Elle ne nous a rien dit. Elle était devenue cachottière. Elle a effacé ses e-mails. Elle était mal dans sa peau. Elle avait dans son tiroir un article de lingerie offert par un professeur qui travaille dans le magasin de musique où elle avait ses habitudes.

Un silence pesant s'est installé dans la voiture.

— J'ai une autre idée, a-t-elle dit.

— Je t'écoute.

— Si Aimee était enceinte – mon Dieu, c'est moi qui dis ça ? –, elle serait allée consulter.

— Ou elle aurait acheté un test de grossesse.

— Non.

Claire était catégorique.

— On en avait discuté. Une de ses amies a utilisé cette méthode et a obtenu un résultat qui s'est révélé faussement positif. Aimee aurait eu besoin d'un second avis. Elle se serait sûrement adressée à un médecin.

— Soit.

— Or, le centre médical le plus proche, c'est St. Barnabas. C'est là que tout le monde va, non ? On devrait les appeler. Je suis la mère, après tout. Ils seront obligés d'en tenir compte.

— Je ne connais pas trop la législation en la matière.

— Ça change tout le temps.

— Attends une minute.

Myron a attrapé son portable et, une fois qu'il a eu le standard de l'hôpital, a demandé à parler au Dr Rickenback. Il a donné son nom à la secrétaire. Puis il s'est garé sur la place devant le lycée. Rickenback a répondu : il avait l'air tout excité que Myron l'appelle. Mais lorsque Myron lui a eu exposé le motif de son coup de fil, son excitation est retombée aussi sec.

— Je ne peux pas faire ça, a-t-il dit.

— J'ai sa mère à côté de moi.

— Vous venez de me dire qu'elle est majeure. C'est contraire au règlement.

— Écoutez, vous avez eu raison à propos de Katie Rochester. Elle est enceinte. Nous voudrions savoir si Aimee l'est aussi.

— Je comprends bien, mais je ne peux pas vous aider. Son dossier médical relève du secret professionnel. Avec ces nouvelles lois sur l'informatique, chaque fois qu'on ouvre le dossier d'un patient, l'ordinateur en conserve une trace. Le problème éthique mis à part, ce serait prendre un trop grand risque, je regrette.

Il a raccroché. Myron a contemplé le pare-brise. Puis il a rappelé le standard.

— Le Dr Edna Skylar, s'il vous plaît.

Une minute plus tard, Edna a dit :

— Myron ?

— Vous pouvez accéder au dossier d'un patient depuis votre ordinateur, n'est-ce pas ?

— Oui.

— N'importe quel patient de l'hôpital ?

— Que me demandez-vous exactement ?

— Vous vous souvenez de notre conversation sur les innocents ?

— Oui.

— Je veux aider une innocente, docteur Skylar. Et peut-être même deux innocents.

— Deux ?

— Une jeune fille de dix-huit ans du nom d'Aimee Biel et, sauf erreur de notre part, l'enfant qu'elle porte.

— Mon Dieu ! Stanley avait donc raison ?

— S'il vous plaît, docteur Skylar.

— C'est contraire à la déontologie.

Myron a laissé planer le silence. Il avait donné ses arguments. Inutile d'en rajouter. Qu'elle prenne le temps d'y réfléchir dans son coin.

Ça n'a pas été long. Il a entendu cliqueter les touches du clavier.

— Myron ? a dit Edna.

— Oui.

— Aimee Biel est enceinte de trois mois.

36

Le proviseur du lycée de Livingston, Amory Reid, portait un pantalon en tergal, une chemise blanc cassé à manches courtes dont la mince étoffe faisait ressortir le marcel qu'il arborait en dessous, et des chaussures noires à semelles compensées qui ressemblaient à du vinyle. Sa cravate, bien que desserrée, avait l'air de l'étrangler.

— Nous sommes très préoccupés, bien sûr.

Ses mains étaient posées sur le bureau. L'une d'elles s'ornait d'une chevalière du lycée frappée d'un insigne de footballeur. Il avait prononcé ces mots comme s'il les avait répétés devant une glace.

Myron était assis à sa droite, Claire à sa gauche. Elle était encore hébétée d'avoir appris que sa fille, sa fille qu'elle connaissait bien, qu'elle aimait et à qui elle faisait confiance, était enceinte de trois mois. En même temps, c'était presque un soulagement. Ça expliquait sa conduite. Et ça permettrait peut-être de trouver une explication à ce qui, jusque-là, avait semblé inexplicable.

— Vous pouvez examiner son casier, a déclaré le proviseur. Pas de problème, j'ai un passe qui ouvre toutes les serrures.

— Nous aimerions aussi parler à deux de vos professeurs, a dit Claire, ainsi qu'à un élève.

Plissant les yeux, il les a regardés l'un et l'autre.

— Quels professeurs ?

— Harry Davis et Drew Van Dyne, a répondu Myron.

— M. Van Dyne est déjà parti. Le mardi, il quitte à quatorze heures.

— Et M. Davis ?

Reid a jeté un œil sur la grille horaire.

— Il est salle B 202.

Myron savait exactement où c'était. Après tant d'années. Les couloirs étaient désignés par des lettres, de A à E. Les numéros des salles commençaient par le chiffre 1 au premier étage, 2 au second. Il s'est souvenu d'un prof exaspéré disant à un élève retardataire qu'il serait incapable de faire la différence entre le couloir A et le couloir E.

— Je vais voir si je peux libérer M.D. Puis-je savoir pourquoi vous voulez parler à ces professeurs ?

Claire et Myron ont échangé un regard.

— Pour le moment, a dit Claire, nous préférons que cela reste confidentiel.

Il s'est contenté de cette explication. Son poste était de nature politique. S'il apprenait quelque chose, il se devait d'en informer les autorités. Quelquefois, l'ignorance était une bénédiction. De toute façon, Myron n'avait aucun élément concret sur les enseignants susnommés, juste des présomptions. Bref, pas de quoi alerter le proviseur.

— Nous voudrions également parler à Randy Wolf, a dit Claire.

— Alors là, je crains que ce ne soit pas possible.

— Pourquoi ?

— En dehors de l'établissement, vous êtes libre de faire ce que vous voulez. Mais ici, il me faudrait une autorisation parentale.

— Ah bon ?

— C'est le règlement.

— Si un gamin est surpris en train de sécher un cours, vous avez le droit de lui parler.

— Moi, oui. Mais pas vous. Et, dans le cas présent, il ne s'agit pas de quelqu'un qui sèche les cours.

Le regard de Reid s'est posé sur Myron.

— Qui plus est, je suis un peu étonné de vous voir ici, monsieur Bolitar.

— Il me représente vis-à-vis de la justice, a dit Claire.

— J'entends bien, mais il n'est pas habilité pour autant à parler aux élèves… ni aux professeurs, du reste. Je ne peux pas obliger M. Davis à s'entretenir avec vous, mais je peux au moins le convoquer dans mon bureau. Il est adulte. Je ne peux pas faire la même chose avec Randy Wolf.

Ils sont sortis dans le couloir et se sont dirigés vers le casier d'Aimee.

— Il y a autre chose, a dit Amory Reid.

— Quoi donc ?

— Je ne suis pas certain qu'il y ait un rapport, mais dernièrement, on a eu un petit problème avec Aimee.

Ils se sont arrêtés.

— Comment ça ? a demandé Claire.

— Elle a été prise sur le fait dans notre bureau d'orientation, en train de se servir d'un ordinateur.

— Je ne comprends pas.

— Nous non plus, on n'a pas compris. C'est un de nos conseillers qui nous a alertés. Elle essayait d'imprimer un dossier scolaire. Il s'est avéré que c'était le sien.

Myron a réfléchi un instant.

— L'accès à ces ordinateurs n'est-il pas protégé par un mot de passe ?

— Si.

— Alors comment a-t-elle fait ?

Reid a répondu un peu trop prudemment :

— Nous ne le savons pas vraiment. Mais on suppose qu'un membre du personnel administratif a dû commettre une erreur.

— Quel genre d'erreur ?

— Il a pu oublier de refermer le programme.

— Autrement dit, celui-ci était ouvert afin qu'elle puisse y accéder ?

— C'est une hypothèse, oui.

Parfaitement débile, a ajouté Myron intérieurement.

— Pourquoi ne m'a-t-on pas prévenue ? a demandé Claire.

— Ce n'était pas bien grave.

— Accéder par effraction à un dossier scolaire, vous trouvez que ce n'est pas grave, vous ?

— C'était son propre dossier. Aimee est une excellente élève. Elle n'a jamais eu d'ennuis auparavant. Nous avons décidé de nous en tenir à un avertissement.

Et de vous épargner une mauvaise publicité au passage, a songé Myron. Ça la fiche mal, une élève qui réussit à s'introduire dans le système informatique d'un lycée. Mieux vaut pousser tout ça sous le tapis d'un petit coup de balai.

Ils étaient arrivés devant le casier. Fronçant le sourcil,

Amory Reid a cherché le passe sur son trousseau de clés. Quand il a ouvert le casier, ils sont tous restés un moment sans bouger. Myron a été le premier à s'approcher. Ce casier, c'était tout Aimee. Sa personnalité semblait en déborder jusque dans le couloir. Des photos comme celles qu'il avait vues dans sa chambre ornaient les parois métalliques. Ici non plus, pas de Randy. Il y avait des images de ses guitaristes préférés. Deux cintres, l'un avec un T-shirt noir de la tournée *American Idiot*, de Green Day, l'autre avec un sweat-shirt à l'effigie de la statue de la Liberté. Une pile de manuels scolaires recouverts de jaquettes de protection. Sur l'étagère du haut, des chouchous, une brosse à cheveux, un miroir. Claire les a effleurés tendrement.

Mais il n'y avait rien là-dedans qui puisse les éclairer. Pas de pistolet fumant, pas de panneau géant avec l'inscription POUR RETROUVER AIMEE, SUIVEZ LES FLÈCHES.

Myron se sentait vide et désemparé, et ce casier – qui rappelait tellement Aimee – rendait son absence plus révoltante encore.

La sonnerie du portable de Reid l'a tiré de sa prostration. Le proviseur a répondu brièvement.

— J'ai trouvé quelqu'un pour reprendre la classe de M. Davis. Il vous attend dans mon bureau.

37

Lorsqu'il est arrivé à Planet Music, Drew Van Dyne était en train de penser à Aimee et à ce qu'il allait faire. Comme chaque fois qu'il perdait pied, confronté aux ratages qui jalonnaient son parcours à travers l'existence, Van Dyne avait recours soit aux médicaments, soit à la musique.

Les oreillettes de l'iPod profondément enfoncées dans les canaux auditifs, il écoutait *Gravity*, d'Alejandro Escovedo, en essayant d'imaginer la genèse de la chanson. Il adorait ça, Van Dyne, décortiquer un morceau pour remonter à ses origines, à l'idée de départ, aux premiers balbutiements de l'inspiration. Avait-il germé à partir d'un riff de guitare, d'un refrain, d'une strophe particulière ? L'auteur était-il triste, désespéré ou joyeux… et si oui, pour quelle raison ? Et où ce premier pas l'avait-il entraîné dans la chanson ? Van Dyne le voyait très bien à son piano ou pinçant sa guitare, prenant des notes, biffant, recommençant encore et encore.

C'était du bonheur à l'état pur. Revivre la naissance

d'une chanson. Même si… Même si une petite voix, tout au fond de lui, disait : « Ç'aurait dû être toi, Drew. »

On oublie la femme qui vous regarde comme si vous étiez une crotte de chien et qui maintenant parle de divorcer. On oublie le père qui vous a abandonné quand vous étiez gamin. On oublie la mère qui aujourd'hui cherche à se rattraper, vu qu'elle n'en a rien eu à cirer pendant des années. On oublie ce boulot abrutissant de prof qu'on exècre. On oublie que le travail, ce n'est pas quelque chose qu'on fait en attendant le succès. On oublie que le succès, pour être tout à fait honnête avec soi-même, ne viendra jamais. On oublie qu'on a trente-six ans et qu'on a beau s'escrimer à lui tordre le cou, votre fichu rêve ne veut pas mourir – non, ce serait trop facile. Il est toujours là, le rêve, il vous nargue et vous rappelle à chaque instant que jamais il ne deviendra réalité.

Du coup, on s'évade dans la musique.

Que faire, bon sang ?

C'est ce qu'il pensait, Drew Van Dyne, en passant devant Bedroom Rendezvous. Il a vu une vendeuse chuchoter à l'oreille d'une autre. Peut-être qu'elles parlaient de lui, mais il s'en moquait. Il est entré à Planet Music, un lieu qu'il aimait et détestait tout à la fois. Il aimait être entouré de musique. Et il détestait l'idée qu'elle n'était pas de lui.

Jordy Deck, un autre lui-même en plus jeune et moins doué, était derrière le comptoir. À son expression, Van Dyne a compris tout de suite qu'il y avait un problème.

— Que se passe-t-il ?

— Un grand mec, a dit le jeune homme. Il vous cherchait.

— Il s'appelle comment ?

Jordy a haussé les épaules.

— Qu'est-ce qu'il voulait ?

— Il m'a posé des questions sur Aimee.

Une boule d'angoisse s'est logée dans sa poitrine.

— Qu'est-ce que tu lui as dit ?

— Qu'elle vient souvent ici, mais à mon avis, il le savait déjà. C'était pas franchement un scoop.

Drew Van Dyne s'est rapproché.

— Décris-le-moi.

En l'écoutant, il a songé à la mise en garde qu'il avait reçue le matin même. Ça ressemblait bien à Myron Bolitar.

— Oh, il y a encore un truc, a dit Jordy.

— Quoi ?

— En sortant d'ici, je crois qu'il est allé chez Bedroom Rendezvous.

Claire et Myron étaient convenus que Myron parlerait à M. Davis en tête à tête.

— Aimee Biel était l'une de mes meilleures élèves.

Pâle et tremblant, Harry Davis avait perdu son assurance coutumière.

— Était ? a répété Myron.

— Pardon ?

— Vous avez dit « était ». « Était l'une de mes meilleures élèves. »

Davis ouvrait de grands yeux.

— Je ne l'ai plus dans ma classe, cette année.

— Je vois.

— C'est tout ce que j'ai voulu dire.

— Bien, a acquiescé Myron dont le but était, justement, de le déstabiliser. Quand l'avez-vous eue comme élève ?

— L'an dernier.

— OK.

Assez de préliminaires. Le moment était venu d'attaquer de front :

— Si Aimee n'était plus votre élève, que faisait-elle chez vous samedi soir ?

Des gouttes de sueur ont perlé sur le front de Davis.

— Pourquoi vous dites ça ?

— Parce que je l'ai déposée devant chez vous.

— Ce n'est pas possible.

Myron a soupiré et croisé les jambes.

— On a deux solutions, monsieur D. Soit j'appelle le proviseur, soit vous me dites ce que vous savez.

Silence.

— Pourquoi avez-vous parlé à Randy Wolf ce matin ?

— Lui aussi est un de mes élèves.

— Est ou était ?

— Est. J'ai des classes de seconde, de première et de terminale.

— Je me suis laissé dire que les élèves vous ont élu professeur de l'année pour la quatrième fois consécutive.

Davis n'a pas répondu.

— J'ai fait mes études ici, a dit Myron.

— Oui, je sais.

Un léger sourire jouait sur ses lèvres.

— Il est difficile d'échapper à la présence tutélaire du légendaire Myron Bolitar.

— Ce que je veux dire par là, c'est qu'il n'est pas évident de décrocher le titre de professeur de l'année. De faire l'unanimité parmi les élèves.

Le compliment a fait plaisir à Davis.

— Vous aviez un professeur préféré, vous ? a-t-il demandé.

— Mme Friedman. Histoire de l'Europe contemporaine.

— Elle était encore là à mes débuts, a souri Davis. Je l'aimais bien.

— Tout ça est très joli, monsieur D., mais on a une jeune fille qui est portée disparue.

— Je ne suis au courant de rien.

— Ça m'étonne.

Harry Davis a baissé les yeux.

— Monsieur D. ?

Pas de réaction.

— Je ne sais pas ce qui se passe, mais tout est en train de partir à vau-l'eau. Tout. Je pense que vous en êtes conscient. Avant cette petite conversation, votre vie était une chose. Elle est autre chose maintenant. Sans vouloir verser dans le mélodrame, je ne lâcherai pas l'affaire tant que je n'aurai pas tout découvert. Tant pis si ce n'est pas beau à voir. Tant pis s'il y en a qui y laissent des plumes.

— Je ne suis au courant de rien, a-t-il répété. Aimee n'a jamais mis les pieds chez moi.

Sur le moment, Myron n'aurait même pas dit qu'il était en colère. C'était ça, le problème : il n'a rien vu venir. Il s'exprimait d'une voix posée ; le risque était là, bien sûr, mais il n'éprouvait pas vraiment le besoin de se contenir. Sinon il aurait réagi. La fureur a déferlé brusquement, sans crier gare.

Rapide comme l'éclair, il a empoigné Davis par les épaules en enfonçant les pouces sous les omoplates et l'a propulsé vers la baie vitrée. Davis a poussé un petit cri tandis que Myron lui écrasait le visage contre la vitre.

— Regardez par là, monsieur D.

Assise dans l'antichambre, bien droite, les yeux clos,

Claire ne se savait pas observée. Des larmes coulaient sur ses joues.

Myron a appuyé plus fort.

— Aïe !

— Vous voyez ça, monsieur D. ?

— Lâchez-moi !

Zut. La vague de fureur a reflué, la raison a repris ses droits. Comme avec Jake Wolf, Myron s'en est voulu d'avoir perdu son sang-froid. Il a desserré son étreinte. Davis a reculé en se frottant le cou. Il était rouge pivoine.

— Si vous vous approchez de moi, a-t-il déclaré, je porterai plainte. Vous avez compris ?

Myron a secoué la tête.

— Quoi ?

— Vous êtes fichu, monsieur D. Simplement, vous ne le savez pas encore.

38

Drew Van Dyne est retourné au lycée de Livingston.

Comment diable Myron Bolitar avait-il retrouvé sa trace ?

Il balisait sec à présent. Il avait été persuadé que Harry Davis, ce professeur modèle à la mords-moi le nœud, allait la fermer. Lui laisser la liberté de gérer les choses à sa guise. Or voilà que Bolitar s'était pointé à Planet Music pour poser des questions sur Aimee.

Quelqu'un avait bavé.

En arrivant devant le lycée, il a vu Harry Davis en sortir en trombe. Drew Van Dyne n'était pas psychologue, mais là il s'est rendu compte que le bonhomme n'était visiblement pas dans son état normal. Les poings serrés, la tête rentrée dans les épaules, il marchait en traînant la patte. D'habitude, il avait une démarche élastique et il souriait ; quelquefois même il sifflotait. Mais pas aujourd'hui.

Van Dyne a traversé le parking et arrêté la voiture de manière à lui bloquer le passage. En le voyant, Davis a bifurqué sur la droite.

— Monsieur D. ?

— Laissez-moi tranquille.

— Il faut qu'on cause, vous et moi.

Van Dyne est descendu de voiture. Davis n'a pas ralenti le pas.

— Vous savez ce qui va se passer si vous parlez à Bolitar, hein ?

— Je n'ai pas parlé, a lâché Davis entre ses dents.

— Mais vous comptez le faire ?

— Remontez dans votre voiture, Drew. Et fichez-moi la paix.

Van Dyne a secoué la tête.

— N'oubliez pas, monsieur D. Vous avez beaucoup à perdre dans cette histoire.

— Comme vous n'arrêtez pas de me le rappeler.

— Plus que n'importe qui d'autre.

— Non.

Parvenu à sa voiture, Davis s'est installé au volant et, avant de refermer la portière, a ajouté :

— C'est Aimee qui a le plus à perdre, vous ne croyez pas ?

Van Dyne a marqué une pause.

— Qu'entendez-vous par là ?

— Réfléchissez un peu.

Davis a claqué la portière et démarré. Inspirant profondément, Drew Van Dyne est retourné à sa voiture. Aimee avait le plus à perdre… Il a remis le moteur en marche et s'apprêtait à sortir du parking quand la porte latérale s'est ouverte à nouveau.

La mère d'Aimee en est sortie, quelques minutes à peine après le professeur bien-aimé. Et elle était accompagnée de Myron Bolitar.

La voix au téléphone, celle qui tantôt l'avait mis en garde : *Ne fais pas de bêtises. Tout est sous contrôle.*

Que dalle. Ils maîtrisaient que dalle.

Drew Van Dyne a cherché le bouton de son autoradio comme un plongeur l'ouverture de sa bouteille à oxygène. Il y avait un CD à l'intérieur, le dernier Coldplay. Il est reparti en se laissant bercer par la douce voix de Chris Martin.

Mais la peur était toujours là.

C'est là qu'il se plantait, en général. Qu'il prenait la mauvaise décision. Il le savait. Il savait qu'il ferait mieux de prendre du recul, de réfléchir à froid. Mais c'est comme ça qu'il avait vécu sa vie. Imaginez un accident de voiture au ralenti. Vous voyez ce qui vous attend. Vous savez que le choc sera violent. Mais vous êtes incapable de freiner ou de changer de trajectoire.

Vous vous sentez impuissant.

Pour finir, Drew Van Dyne a sorti son téléphone portable.

— Allô ?

— Je crois qu'on a un problème.

Il a entendu le Grand Jake Wolf soupirer dans le combiné.

— Je vous écoute, a dit Jake.

Myron a déposé Claire chez elle avant de se rendre au centre commercial. Il espérait tomber sur Drew Van Dyne à Planet Music. Pas de chance. Le jeune au poncho s'est montré beaucoup moins loquace cette fois, mais Sally Ann lui a dit qu'elle avait vu Van Dyne arriver, échanger quelques mots avec son vendeur et repartir en courant. Myron avait le numéro du domicile de Van Dyne. Il l'a appelé, mais personne n'a décroché.

Il a téléphoné à Win.

— Il faut qu'on le retrouve, ce type.

— On n'a plus beaucoup de marge.

— Qui pourrait-on charger de surveiller la maison de Van Dyne ?

— Que dirais-tu de Zorra ? a suggéré Win.

Ancien espion du Mossad, exécuteur des basses œuvres, Zorra était un travesti juché sur des *stilettos* [1] – au sens propre du terme. Les travestis sont souvent canon. Mais Zorra ne l'était pas.

— Je ne suis pas certain qu'elle va se fondre dans le décor suburbain.

— Zorra n'a aucun problème, pour ce qui est de se fondre.

— Très bien, si tu le dis.

— Tu vas où, toi ?

— À la teinturerie Chang. Je voudrais parler à Roger.

— OK, j'appelle Zorra.

À la teinturerie, les affaires allaient bon train. En voyant Myron entrer, Maxine lui a fait signe d'avancer. Il est passé devant la file de clients et l'a suivie dans l'arrière-boutique où l'odeur de détergent et de peluche l'a pris à la gorge. Il a eu l'impression que des grains de poussière lui collaient aux poumons. Il a été soulagé quand elle a ouvert la porte de derrière.

Tête basse, Roger était assis sur un cageot dans la ruelle. Maxine a croisé les bras :

— Roger, tu n'as rien à dire à M. Bolitar ?

C'était un adolescent maigrichon ; ses bras avaient la grosseur d'une allumette. Il n'a pas levé les yeux pendant qu'elle parlait.

— Je suis désolé d'avoir donné ces coups de fil.

On aurait dit un gamin qui aurait brisé une vitre en jouant au base-ball et que sa mère aurait traîné chez le

1. En anglais, *stiletto* signifie à la fois stylet et talon aiguille. *(N.d.T.)*

voisin pour qu'il demande pardon. Myron n'avait pas besoin de ça. Il s'est tourné vers Maxine.

— J'aimerais lui parler seul à seul.

— Je ne vous le permets pas.

— Très bien, j'irai à la police.

D'abord Joan Rochester, et maintenant Maxine Chang… Décidément, il était très fort pour menacer des mères terrorisées. Peut-être qu'il pourrait y ajouter une gifle ou deux, histoire d'affirmer sa supériorité de mâle.

Myron n'a pas cillé. Maxine Chang, si.

— Je serai à côté.

— Je vous remercie.

La ruelle empestait, comme toutes les ruelles, les vieilles ordures et l'urine séchée. Myron attendait que Roger le regarde. Mais l'adolescent n'a pas levé la tête.

— Tu m'as appelé, a dit Myron. Et tu as aussi appelé Aimee Biel.

Toujours sans lever les yeux, il a hoché la tête.

— Pourquoi ?

— Je la rappelais, en fait.

Myron a esquissé une moue sceptique. En pure perte, vu que le garçon gardait la tête baissée.

— Regarde-moi, Roger.

Lentement, il a levé les yeux.

— Tu es en train de me dire qu'Aimee Biel t'a téléphoné la première ?

— Je l'ai croisée au lycée. Elle a dit qu'elle voulait me parler.

— De quoi ?

Il a haussé les épaules.

— Elle a juste dit qu'elle voulait me parler.

— Et pourquoi vous ne l'avez pas fait ?

— Fait quoi ?

— Parler. À ce moment-là ?

— On était dans le hall. Il y avait du monde autour. Elle préférait me parler en privé.

— Je vois. Tu l'as donc appelée ?

— Oui.

— Et qu'a-t-elle dit ?

— C'était bizarre. Elle m'a posé des questions sur mes notes et mes activités parascolaires. Enfin, c'était plus pour avoir une confirmation. On se connaît un peu, elle et moi. Je ne lui ai pas appris grand-chose.

— Et c'est tout ?

— Ç'a duré deux minutes, pas plus. Elle m'a dit aussi qu'elle regrettait.

— Quoi donc ?

— Que je n'aie pas été accepté à Duke.

À nouveau, il a baissé la tête.

— Tu as beaucoup de colère au fond de toi, Roger.

— Vous ne pouvez pas comprendre.

— Explique-moi alors.

— Laissez tomber.

— Je ne demande pas mieux, mais n'oublie pas que c'est toi qui m'as téléphoné.

Roger Chang a scruté la ruelle comme s'il la voyait pour la première fois. Il a froncé le nez en une grimace de dégoût. Son regard, finalement, s'est posé sur Myron.

— Je ne serai jamais qu'un Asiatique attardé, vous comprenez ? Je suis né dans ce pays. Je ne suis pas un immigré. Dès que j'ouvre la bouche, les gens s'attendent la moitié du temps à ce que je parle comme dans un vieux film de Charlie Chan. Ici, dans ce patelin, quand on n'a pas d'argent ou qu'on n'est pas sportif… Je vois ma mère qui se sacrifie. Qui bosse nuit et jour. Et je me dis : Si seulement j'arrivais à m'en sortir. Si je pouvais travailler dur au lycée, sans me préoccuper de tout ce que je n'ai pas, si je pouvais faire ce sacrifice-là, tout finirait par s'arranger. J'aurais la possibilité de partir d'ici. Je ne sais pas pourquoi j'ai fait une fixation sur Duke. Mais c'était mon seul objectif. Si j'avais réussi à y entrer, j'aurais pu lâcher du lest. Quitter cette boutique…

Il s'est tu.

— Dommage que tu ne m'aies rien dit, a observé Myron.

— Je ne suis pas très doué pour demander de l'aide.

Myron a failli répondre qu'il devrait faire plus que ça, peut-être suivre une thérapie pour se libérer de sa colère, mais il n'était pas dans la peau de ce gamin et, qui plus est, il n'avait pas le temps.

— Vous allez me dénoncer ? s'est enquis Roger.

— Non.

Puis :

— Il te reste encore une chance, avec la liste d'attente.

— Ils l'ont déjà supprimée.

— Ah, a dit Myron. Écoute, je sais qu'aujourd'hui c'est une question de vie ou de mort, mais au fond, l'établissement que tu fréquentes n'a pas grande importance. Je suis sûr que tu te plairas à Rutgers.

— Ouais, peut-être.

Il n'avait pas l'air convaincu. Myron était en rogne, mais d'un autre côté, il s'est rappelé – avec une acuité croissante – les accusations de Maxine. Il se pouvait fort bien qu'en voulant aider Aimee, il ait brisé le rêve de ce garçon. Il n'allait pas le laisser comme ça, si ?

— Si tu souhaites changer au bout d'un an, je t'écrirai une lettre de recommandation.

Roger n'a pas réagi. Du coup, Myron a dû l'abandonner dans cette ruelle nauséabonde derrière le pressing de sa mère.

39

Myron s'apprêtait à aller retrouver Joan Rochester en ville – elle ne voulait pas prendre le risque d'être à la maison quand sa fille appellerait, au cas où son mari serait dans les parages – lorsque son portable a sonné. Il a jeté un œil sur l'écran, et son cœur a manqué un battement quand il a vu s'afficher ALI WILDER.

— Salut, a-t-il lancé.

— Salut.

Un silence.

— Je regrette, pour hier soir, a dit Ali.

— Tu n'as pas à t'excuser.

— Mais si, j'étais hystérique. Je sais bien ce que tu as voulu faire avec les filles.

— Je n'avais pas l'intention de mêler Erin à cette histoire.

— C'est bon. Peut-être que je devrais me faire du souci, mais en fait, j'ai surtout envie de te voir.

— Moi aussi.

— Tu passes ?

— Je suis pris, là.

— Ah…

— Et ça risque de se terminer tard.

— Myron ?

— Oui.

— Tard ou pas, je m'en fiche.

Il a souri.

— Viens à l'heure que tu veux, a ajouté Ali. Je t'attendrai. Et si jamais je m'endors, tu n'auras qu'à lancer des cailloux contre la croisée pour me réveiller, OK ?

— Ça marche.

— Sois prudent.

— Ali ?

— Oui ?

— Je t'aime.

Le temps de reprendre sa respiration, avec une inflexion chantante dans la voix :

— Moi aussi je t'aime, Myron.

Et soudain, Jessica n'était plus qu'un souffle d'air.

Les bureaux de Dominick Rochester se trouvaient dans un dépôt de bus de ramassage scolaire.

Une marée jaune s'étendait sous ses fenêtres. Cet endroit lui servait de couverture. Un miracle, ces bus scolaires ! Un véhicule qui transportait des gosses pouvait embarquer tout et n'importe quoi sous son châssis. Les flics pouvaient arrêter et fouiller un camion. Jamais un bus scolaire.

Le téléphone a sonné. Rochester a décroché :

— Allô ?

— Vous m'avez demandé de surveiller votre maison ?

— Oui, et alors ?

— Il y a un type qui est passé tout à l'heure voir votre femme.

— Ça fait combien de temps ?

— Deux heures environ.

— Pourquoi tu n'as pas appelé plus tôt ?

— J'ai pensé que ce n'était pas important. Je l'ai noté, ça oui. Mais vous m'avez dit de vous prévenir seulement en cas d'urgence.

— Il était comment, ce type ?

— Il s'appelle Myron Bolitar. Je le connais. C'est un ancien basketteur.

Dominick a plaqué le combiné contre son oreille comme s'il avait voulu le traverser.

— Il est resté longtemps ?

— Un quart d'heure.

— Ils étaient tout seuls ?

— Oui. Mais ne vous inquiétez pas, monsieur Rochester. Je les ai observés. Ils étaient en bas, si c'est à ça que vous pensez. Il n'y a pas eu de…

L'homme s'est interrompu, embarrassé.

Dominick a failli éclater de rire. Ce couillon s'imaginait qu'il faisait surveiller sa femme pour éviter qu'elle le trompe. Elle était bien bonne, celle-là. Seulement, pourquoi Bolitar était-il venu chez lui et pourquoi était-il resté tout ce temps ?

Qu'est-ce que Joan avait pu lui raconter ?

— Rien d'autre ?

— Justement, monsieur.

— Justement quoi ?

— Ben, j'ai pris note de la visite de Bolitar, mais du moment que je les avais sous les yeux, je ne me suis pas affolé, vous comprenez ?

— Et maintenant ?

— Je suis en train de suivre Mme Rochester. Elle est allée dans un parc. Riker Hill. Vous connaissez ?

— Mes gosses étaient à l'école élémentaire là-bas.

— Oui, bon. Elle est assise sur un banc. Mais elle n'est pas seule. Elle est toujours avec ce type, Myron Bolitar.

Un silence.

— Monsieur Rochester ?

— Trouve-moi quelqu'un pour filer Bolitar aussi. Je veux qu'on les suive l'un et l'autre.

À l'époque de la guerre froide, le parc de Riker Hill, niché en plein cœur de la zone suburbaine, avait abrité une base militaire de défense antiaérienne. « Batterie de missiles Nike, site NY-80 » dans le jargon de l'armée. Entre 1954 et la suppression du système de défense antiaérien Nike en 1974, on y avait entreposé des missiles Ajax et Hercules. La plupart des bâtiments d'origine ont depuis été convertis en ateliers de peinture, sculpture et artisanat au service de la collectivité.

Jadis, Myron trouvait ça émouvant et singulièrement réconfortant, ce vestige de la guerre qui servait de refuge aux artistes, mais le monde avait changé. Dans les années quatre-vingt et quatre-vingt-dix, tout cela était charmant et idyllique. Aujourd'hui, ce « progrès » relevait d'une symbolique de supermarché.

Myron s'est assis sur un banc avec Joan Rochester, à côté de l'ancienne tour de contrôle. Ils avaient à peine échangé un signe de tête. Maintenant, ils attendaient. Joan tenait son téléphone mobile comme si ç'avait été un animal blessé. Myron a consulté sa montre. Katie était censée appeler d'un instant à l'autre.

Les yeux dans le vague, Joan a dit :

— Vous devez vous demander ce que je fais avec lui.

À vrai dire, non. Tout d'abord, malgré la gravité de la situation, il se sentait encore un peu sonné depuis le coup de fil d'Ali. C'était peut-être égoïste de sa part, mais pour la première fois en sept ans, il avait dit à une femme qu'il l'aimait. Il avait beau essayer de chasser leur conversation de son esprit, de se concentrer sur la tâche qui l'attendait, il avait du mal à redescendre de son nuage.

Ensuite – et plus à propos –, Myron avait renoncé depuis belle lurette à analyser les rapports au sein d'un couple. Il connaissait le syndrome des femmes battues : peut-être bien qu'il en avait une en face de lui et que c'était un appel à l'aide. Mais bizarrement, dans ce cas précis, il n'avait pas très envie d'y répondre.

— Ça fait longtemps que je suis avec Dom. Très longtemps.

Joan Rochester s'est tue. Au moment où elle allait se remettre à parler, le téléphone a vibré. Elle l'a regardé comme s'il venait de se matérialiser dans sa main. Il a vibré de nouveau, puis s'est mis à sonner.

— Répondez, a dit Myron.

Joan a hoché la tête et pressé la touche verte. Portant l'appareil à son oreille, elle a dit :

— Allô ?

Myron s'est penché vers elle. Il entendait une voix dans le téléphone – une voix plus jeune, féminine –, mais il n'arrivait pas à distinguer les paroles.

— Oh, ma chérie…

Le visage de Joan s'était éclairé au son de cette voix.

— Je suis contente que tu ailles bien. Oui. Oui, d'accord. Écoute-moi une seconde, tu veux ? C'est très important.

Un flot de paroles à l'autre bout.

— J'ai quelqu'un ici, avec moi…

De l'autre côté, le ton a monté d'un cran.

— Je t'en supplie, Katie, écoute-moi. Il s'appelle Myron Bolitar. Il est de Livingston. Il ne te veut aucun mal. Comment il a su… c'est compliqué… Non, bien sûr que je n'ai rien dit. Il a eu accès à des relevés téléphoniques, je ne sais pas très bien, mais il a dit qu'il préviendrait papa…

La discussion prenait un tour de plus en plus animé.

— Non, non, il ne l'a pas encore fait. Il aimerait te parler une minute. Je pense que tu devrais l'écouter. C'est au sujet de cette jeune fille qui a disparu, Aimee Biel. Je sais, je sais, je le lui ai déjà dit. Bon… ne quitte pas, OK ? Je te le passe.

Joan a tendu le téléphone à Myron. Il le lui a arraché, redoutant de perdre cette liaison précaire. Prenant sa voix la plus calme, il a dit :

— Bonjour, Katie. Je m'appelle Myron.

On aurait cru un animateur d'une émission de nuit sur NPR.

Katie, cependant, était un brin plus hystérique.

— Qu'est-ce que vous me voulez ?

— J'ai juste quelques questions à te poser.

— Je ne sais rien sur Aimee Biel.

— Si tu pouvais seulement me dire…

— Vous essayez de me localiser, hein ?

Sa voix a encore grimpé dans l'aigu.

— C'est mon père qui vous envoie. Vous me gardez en ligne pour pouvoir localiser cet appel !

Myron allait se lancer dans des explications à la Berruti sur le véritable fonctionnement du système, mais Katie ne lui en a pas laissé l'occasion.

— Fichez-nous la paix, OK ?

Et elle a raccroché.

Digne d'un personnage de série B, Myron a répété :

— Allô ? Allô ?

Tout en sachant pertinemment que Katie n'était plus là.

Ils sont restés assis en silence une minute ou deux. Puis Myron a rendu le téléphone à Joan.

— Je suis désolée.

Il a hoché la tête.

— J'aurai au moins essayé.

Elle s'est levée.

— Vous allez le dire à Dom ?

— Non.

— Merci.

Il s'est contenté d'un nouveau hochement de tête. Joan est partie. S'éloignant en sens inverse, Myron a sorti son portable et appuyé sur la touche avec le chiffre 1.

— Articule.

— C'était bien Katie Rochester ?

Il s'y était attendu… à ce qu'elle refuse de coopérer. Du coup, il avait pris ses dispositions. Win se trouvait sur place, à Manhattan, prêt à lui filer le train. C'était encore mieux, en un sens. Elle allait les conduire à l'endroit où elle se cachait.

— Ça lui ressemblait, a dit Win. Elle était avec un beau ténébreux.

— Et maintenant ?

— Après qu'elle a raccroché, ils se sont dirigés vers le centre-ville à pied. À propos, le ténébreux en question porte une arme dans un holster sous l'aisselle.

Ce n'était pas bon signe.

— Tu les suis, là ?

— Je ferai comme si je n'avais rien entendu.

— OK, à tout de suite.

40

Joan Rochester a bu une gorgée de la flasque qu'elle gardait sous le siège de la voiture.

Elle venait de se garer dans l'allée devant la maison. Elle aurait pu attendre de rentrer. Mais quelle importance ? Elle était dans les vapes depuis si longtemps qu'elle ne se rappelait plus avoir eu les idées claires un jour. Tant pis, on s'y habitue. On s'y habitue si bien que cet état de torpeur devient la norme, et que c'est la lucidité qui risquerait de la faire dérailler.

Joan restait dans la voiture à contempler la maison. La maison où elle habitait. Ça paraissait simple à première vue. Et pourtant… C'est ici qu'elle passait sa vie. Dans cette maison sans âme. Elle avait aidé à la choisir. Et maintenant, elle la regardait en se demandant pourquoi.

Fermant les yeux, elle a essayé d'imaginer autre chose. Comment en était-elle arrivée là ? Il ne s'agissait pas d'un dérapage. Les changements, ça n'est jamais spectaculaire. Ils s'opèrent petit à petit, si insensiblement qu'ils en sont presque invisibles à l'œil nu. C'est ce qui s'est produit avec Joan Delnuto Rochester, la plus jolie fille du lycée de Bloomfield.

On tombe amoureuse d'un homme parce qu'il est tout le contraire de votre père. Il est fort, il est dur, et on adore ça. Il vous fait tourner la tête. On ne se rend même pas compte de l'ascendant qu'il acquiert sur vous ; on ne se voit pas devenir un simple prolongement de sa personne plutôt qu'une entité à part entière ou, ainsi qu'on l'a toujours rêvé, une entité élargie, les deux ne faisant qu'un comme dans les romans d'amour. On cède sur de petites choses, puis sur de grandes, puis finalement sur tout. Votre rire résonne moins fort avant de s'éteindre définitivement. Votre sourire s'efface jusqu'à n'être qu'un ersatz de gaieté, quelque chose qu'on applique façon mascara.

À quel moment tout avait-il basculé ?

Joan était incapable de le situer dans le temps. À la réflexion, elle ne voyait pas quand elle aurait pu inverser la tendance. Les dés avaient probablement été jetés le jour de leur rencontre. Il n'y avait pas eu une occasion où elle aurait pu lui tenir tête, pas une bataille qu'elle aurait pu gagner et qui aurait changé le cours de son existence.

Si c'était à refaire, lui aurait-elle tourné le dos la première fois où il lui avait demandé de sortir avec lui ? Lui aurait-elle dit non ? Lui aurait-elle préféré un autre garçon, comme ce gentil Mike Braun qui aujourd'hui vivait à Parsippany ? Vraisemblablement pas. Ses enfants ne seraient pas venus au monde. Or, les enfants, ça change tout. Regretter ce qui est arrivé serait la pire des trahisons : comment peut-on se regarder dans la glace si on souhaite que ses enfants ne soient jamais nés ?

Elle a bu une autre gorgée.

La vérité, c'est que Joan Rochester aurait voulu que son mari meure. Elle en rêvait même. Parce que c'était sa seule porte de sortie. Les femmes battues qui se dressent contre leur mari, ce sont des bobards. Ce serait totalement suicidaire. Jamais elle ne pourrait le quitter. Il la retrouverait, la battrait et l'enfermerait. Et Dieu seul sait comment il réagirait vis-à-vis des enfants. De toute façon, il le lui ferait payer.

Quelquefois, Joan imaginait qu'elle embarquait les enfants et se réfugiait dans un foyer d'accueil pour femmes victimes de violences conjugales. Oui, et après ? Elle se voyait témoigner contre Dom – et il y avait de quoi –, mais même le dispositif de protection des témoins n'y ferait pas grand-chose. Il les retrouverait. D'une manière ou d'une autre.

Il était comme ça.

Joan est descendue de voiture. Elle avait la démarche incertaine, mais là encore, c'était pratiquement devenu la norme. Elle a glissé la clé dans la serrure, a ouvert la porte. Quand elle s'est retournée après l'avoir refermée, Dominick se tenait devant elle.

Elle a porté la main à son cœur.

— Tu m'as fait une de ces peurs.

Il a fait un pas vers elle. Un instant, elle a cru qu'il allait la prendre dans ses bras. Mais non, il a plié les genoux et, se servant de la force de ses hanches, l'a frappée aux reins.

La bouche de Joan s'est ouverte en un hurlement muet. Ses jambes ont fléchi. Elle s'est écroulée sur le sol. L'empoignant par les cheveux, Dominick l'a relevée et, de son poing, il lui a assené un second coup dans le dos, plus violent encore que le premier.

Elle a glissé à terre comme un sac de sable.

— Tu vas me dire où est Katie.

Et il a frappé à nouveau.

Myron était dans la voiture, en train de parler au téléphone avec Wheat Manson, son ancien camarade de Duke qui travaillait aujourd'hui au service des admissions en tant qu'adjoint du doyen, quand il s'est aperçu qu'une fois de plus, il était suivi.

Wheat Manson avait été un défenseur de choc originaire des quartiers malfamés d'Atlanta. Il s'était beaucoup plu à Durham, en Caroline du Nord, et n'était jamais retourné chez lui. Les deux vieux copains ont échangé quelques plaisanteries rapides avant que Myron n'entre dans le vif du sujet.

— J'ai une question peu orthodoxe à te poser, a-t-il annoncé.

— Je t'écoute.

— Ne te vexe pas.

— Alors ne sois pas vexant, a rétorqué Wheat.

— C'est grâce à moi qu'Aimee Biel a été reçue ?

— Oh non, a gémi Wheat, tu ne vas pas me demander ça !

— Il faut que je sache.

— Tu ne vas pas me demander ça !

— Bon, d'accord, on laisse tomber pour le moment. Je voudrais que tu me faxes deux dossiers de candidature. Celui d'Aimee Biel. Et celui de Roger Chang.

— Qui ça ?

— Un autre élève du lycée de Livingston.

— Voyons voir. Roger n'a pas été admis, hein ?

— Il était mieux classé, avec de meilleures notes aux examens…

— Myron ?

— Quoi ?

— C'est hors de question. Tu m'entends ? Ce sont

des documents confidentiels. Je ne t'enverrai pas les dossiers. Je ne discuterai pas de candidatures avec toi. Je te rappelle que l'admission n'est pas fonction de notes ou de résultats scolaires et qu'il y a des impondérables. Vu que nous deux, on a été reçus grâce à notre capacité à faire passer une sphère à travers un anneau métallique plus qu'à nos notes en classe, on devrait le comprendre mieux que quiconque. Et maintenant, moyennement vexé, je vais être obligé de te laisser.

— Attends une seconde.

— Je ne te faxerai pas les dossiers.

— Ce ne sera pas utile. Je vais te dire quelque chose au sujet de ces deux candidats. J'aimerais simplement que tu vérifies sur ton ordinateur que je ne me trompe pas.

— Mais qu'est-ce que tu racontes, nom d'un chien ?

— Fais-moi confiance, Wheat. Je ne te demande pas d'informations. Je te demande juste une confirmation.

Wheat a poussé un soupir.

— Je ne suis pas dans mon bureau, là.

— Fais-le quand tu pourras.

— Que veux-tu que je te confirme ?

Myron le lui a expliqué. Et pendant qu'il parlait, il s'est rendu compte que la voiture continuait à le suivre.

— Tu le feras ?

— Tu es un emmerdeur, tu le sais, ça ?

— Je l'ai toujours été, a dit Myron.

— Oui, mais avant tu tirais comme un dieu du fond de la zone restrictive. Et qu'est-ce qu'il en reste aujourd'hui ?

— Un magnétisme animal brut et un charisme surnaturel ?

— Je raccroche.

C'est ce qu'il a fait. Myron a ôté l'écouteur du kit

mains libres de son oreille. La voiture était toujours là, à une cinquantaine de mètres derrière lui.

Mais qu'est-ce qu'ils avaient tous à lui coller aux basques ? Dans le temps, un prétendant envoyait plutôt des fleurs ou des friandises. Bon, allez, ce n'était pas le moment de rêvasser ! Cette voiture lui filait le train depuis qu'il était sorti de Riker Hill. C'était donc probablement encore un sbire de Dominick Rochester. Or, si Rochester avait envoyé quelqu'un pour le suivre, il devait savoir que Myron avait vu sa femme. Fallait-il qu'il appelle Joan pour la mettre en garde ? Myron a décidé que non. Elle l'avait dit elle-même, ça faisait longtemps qu'elle était avec lui. Elle saurait se débrouiller toute seule.

Il se trouvait dans Northfield Avenue, direction New York. Bien que le temps lui fût compté, il devait à tout prix se débarrasser du type qui l'avait pris en filature. Au cinéma, on aurait assisté à une course-poursuite ou à un demi-tour sur les chapeaux de roues. Ce qui n'était pas jouable dans la vraie vie, surtout quand on était pressé et qu'on ne voulait pas attirer l'attention des flics.

Cependant, il connaissait un moyen.

Drew Van Dyne, le prof du magasin de musique, habitait à West Orange, pas très loin d'ici. À cette heure-ci, Zorra devait être à son poste. Myron a composé le numéro sur son téléphone portable. Elle a répondu à la première sonnerie.

— Salut, joli cœur.

— Je présume que rien n'a bougé chez Van Dyne.

— Tu présumes correctement, joli cœur. Zorra est assise là, à s'ennuyer comme un rat mort.

Zorra parlait toujours d'elle à la troisième personne. Elle avait une voix grave, un accent à couper au couteau et des postillons plein la bouche. Le résultat n'était pas très agréable à l'oreille.

— Une voiture me suit, a dit Myron.

— Zorra peut faire quelque chose ?

— Oh que oui.

Il a exposé son plan… un plan d'une simplicité enfantine. Le rire de Zorra s'est transformé en quinte de toux.

— Zorra aime ?

Souvent, quand il avait affaire à Zorra, Myron se mettait à parler comme elle.

— Zorra aime. Zorra aime beaucoup.

Dans la mesure où l'opération nécessitait quelques minutes de mise en place, Myron a tourné plusieurs fois sans raison. Finalement, il a pris à droite sur Pleasant Valley Way. En face de lui, il a aperçu Zorra qui attendait devant une pizzeria. Affublée d'une perruque blonde style années trente, un fume-cigarette à la main, elle ressemblait à Veronica Lake au sortir d'une énorme cuite, à supposer que Veronica Lake ait mesuré un mètre quatre-vingts, porté une barbe naissante à la Homer Simpson et été vraiment très, très laide.

En le voyant passer, Zorra lui a adressé un clin d'œil et a soulevé légèrement son pied. Myron savait ce qu'il y avait dans son talon. La première fois qu'il l'avait rencontrée, elle lui avait lacéré la poitrine avec le stylet caché à l'intérieur. Pour finir, Win avait épargné la vie de Zorra… à l'immense surprise de Myron. Aujourd'hui, ils étaient tous copains comme cochons. Esperanza comparait ça au ring où un lutteur qui passait pour une brute se révélait être un gentil garçon à la surprise générale.

Myron a mis son clignotant et, s'arrêtant deux blocs plus loin, a baissé sa vitre pour mieux entendre. Zorra, ça allait sans dire, se tenait à côté d'une place de stationnement libre. Le type qui suivait Myron s'y est engagé pour voir ce qui se passait. Évidemment, il aurait pu se garer n'importe où dans la rue. Mais Zorra avait prévu son coup.

Le reste, comme on l'a déjà dit, a été d'une simplicité enfantine. Zorra s'est approchée de l'arrière de la voiture. Ça faisait bien quinze ans qu'elle portait des hauts talons, mais elle marchait toujours comme un poulain nouveau-né après un mauvais trip à l'acide.

Myron observait la scène dans le rétroviseur.

Zorra a dégagé le poignard planqué dans son talon. Levant la jambe, elle a donné un coup dans le pneu. L'air s'est échappé en sifflant. Elle a promptement contourné la voiture et fait la même chose avec l'autre pneu. Puis – et ça ne faisait pas partie du plan – elle a attendu la réaction du conducteur.

— Non, a chuchoté Myron. Va-t'en.

Il avait été clair. Crève les pneus et tire-toi. Ne cherche pas la bagarre. Zorra était une tueuse. Si le type – un homme de main probablement habitué à cogner – descendait de voiture –, elle allait le réduire en sauce pour pizza. Toute considération morale mise à part, ils n'avaient pas besoin de rameuter les flics du quartier.

L'homme au volant a hurlé :

— Eh ! Ça va pas, non ?

Déjà, il ouvrait sa portière.

Myron s'est penché par la vitre. Le sourire aux lèvres, Zorra a fléchi les genoux. Il l'a appelée. Elle a levé les yeux sur lui. On voyait bien que ça la démangeait. Il a secoué la tête avec toute la fermeté dont il était capable.

Une autre seconde s'est écoulée. Le type a claqué la portière.

— Espèce de connasse !

Myron continuait à secouer la tête, d'un air plus

pressant encore. Le type s'est avancé. Myron a croisé le regard de Zorra. À contrecœur, elle a baissé les paupières en signe d'acquiescement.

Et elle s'est enfuie.

— Eh !

L'homme s'est élancé à sa poursuite.

— Arrête-toi !

Myron a redémarré. Le type s'est retourné, hésitant. Puis il a pris une décision qui lui a certainement sauvé la vie.

Il a regagné sa voiture en courant.

Mais avec les deux pneus arrière crevés, il ne pouvait pas aller bien loin.

Myron, lui, était en route pour son rendez-vous avec l'insaisissable Katie Rochester.

41

Assis dans le salon du Grand Jake Wolf, Drew Van Dyne réfléchissait à ce qu'il allait faire.

Jake lui avait servi une Corona light. Drew a froncé les sourcils. Une vraie Corona, d'accord, mais une bière mexicaine allégée ? Pourquoi pas de la pisse de chat, tant qu'il y était ? Néanmoins, Drew l'a bue à petites gorgées.

Le salon était à l'image du Grand Jake. Une tête de cerf était accrochée au-dessus de la cheminée. Des trophées de golf et de tennis s'alignaient sur le manteau. Il y avait même une espèce de peau d'ours par terre. L'écran du téléviseur, géant, mesurait au moins un mètre cinquante. Des mini-enceintes haut de gamme diffusaient de la musique classique. Une machine à faire du pop-corn, comme celles qu'on voit dans les fêtes foraines, clignotait dans un coin. Sans oublier les fougères et les hideuses statuettes en or. Rien ici ne relevait de la mode ou du côté pratique ; le mot d'ordre, dans le choix de la déco, avait dû être « ostentation ». Ou encore « luxe tapageur ».

Sur une console, trônait une photo de la ravissante épouse de Jake Wolf. Drew l'a prise et l'a examinée en secouant la tête. Lorraine Wolf avait posé en bikini. Un trophée de plus, s'est-il dit. La photo de sa propre femme en bikini sur une console du salon… qui diable aurait l'idée de faire ça ?

— J'ai parlé à Harry Davis, a dit Wolf.

Lui aussi avait pris une Corona light, avec un quartier de citron vert coincé dans le goulot de la bouteille. En matière de consommation d'alcool, Van Dyne avait un principe : une bière qui nécessite qu'on l'agrémente d'un morceau de fruit ne mérite pas d'être bue.

— Il ne dira rien.

Drew se taisait.

— Vous en doutez ?

Il a haussé les épaules en sirotant sa bière.

— C'est lui qui a le plus à perdre dans l'histoire.

— Vous trouvez ?

— Pas vous ?

— Je l'ai fait remarquer à Harry. Vous savez ce qu'il m'a répondu ?

Haussement d'épaules.

— Que la grande perdante, c'était peut-être Aimee.

Drew a reposé sa bière, volontairement à côté du dessous-de-verre.

— Qu'en pensez-vous ?

Le Grand Jake a pointé un doigt boudiné sur lui.

— À qui la faute, hein ?

Il y a eu un silence.

S'approchant de la fenêtre, Jake a désigné du menton la maison du voisin.

— Vous voyez cette baraque, là-bas ?

— Oui, et alors ?

— C'est un vrai château, bordel.

— Vous-même, vous n'êtes pas trop mal loti, Jake.

Un petit sourire jouait sur ses lèvres.

— Pas si bien que ça.

Drew aurait pu rétorquer que tout était relatif, que lui, Drew Van Dyne, vivait seul dans un clapier plus petit que le garage des Wolf, mais à quoi bon ? Sans mentionner le fait qu'il ne possédait ni court de tennis, ni trois voitures, ni statuettes en or, ni salle de projection, ni même une femme depuis leur séparation, et encore moins une femme suffisamment bien roulée pour se faire photographier en bikini.

— C'est un grand avocat, poursuivait Jake. Il a fait ses études à Yale et il s'arrange pour que tout le monde le sache. Quand il va courir, il met des T-shirts avec le logo de Yale. Il organise des fêtes avec des anciens de Yale. Il reçoit les jeunes qui ont postulé pour Yale dans son château. Son fils est une tache, mais devinez où il a été reçu malgré tout ?

Drew Van Dyne a remué dans son fauteuil.

— Le monde n'est pas un terrain plat, Drew. Il faut avoir ses entrées. Tenez, vous, par exemple, vous vouliez être une rock star. Les mecs qui y arrivent – qui vendent des milliards de disques et remplissent les stades –, vous croyez qu'ils sont plus doués que vous ? Pas du tout. La grande différence, voire même la seule, c'est qu'ils sont prêts à tirer leur épingle du jeu. Ils profitent de la situation, et pas vous. Vous savez quelle est la vérité première entre toutes ?

Drew voyait bien qu'il était lancé. Ça ne faisait rien, en parlant, le bonhomme se dévoilait à sa manière. Le tableau devenait clair, on pressentait déjà à quoi il voulait en venir.

— Non, laquelle ?

— Derrière chaque grande fortune, il y a un grand crime.

Jake s'est interrompu pour ménager son effet. Drew a senti sa respiration s'accélérer.

— Prenez un type plein aux as, un Rockefeller ou un Carnegie. Vous savez la différence entre lui et nous ? Un de ses arrière-grands-pères a dû voler, tricher ou tuer. En tout cas, il en avait dans le ventre. Il savait que le terrain n'est jamais plat. Si on veut réussir, on fait tout pour. Et après, il n'y a plus qu'à servir aux masses le couplet du dur labeur accompli à la sueur de son front.

Drew Van Dyne s'est rappelé la récente mise en garde : *Ne fais pas de bêtises. Tout est sous contrôle*.

— Ce type, Bolitar, a-t-il dit, vous lui avez déjà envoyé vos copains flics. Ça ne l'a pas perturbé.

— Ne vous inquiétez pas pour lui.

— Ça ne me rassure pas beaucoup, Jake.

— Eh bien, n'oublions pas qui est le responsable.

— C'est votre fils.

— Dites donc !

À nouveau, ce doigt brandi dans sa direction.

— Laissez Randy en dehors de ça.

Van Dyne a haussé les épaules.

— C'est vous qui cherchez un coupable à tout prix.

— Il va à Dartmouth. C'est une affaire réglée. Personne, et surtout pas une petite salope, ne pourra l'en empêcher.

Drew a pris une profonde inspiration.

— Tout de même, il faudrait savoir ce que Bolitar va trouver s'il continue à creuser.

Jake Wolf l'a regardé.

— Rien, a-t-il dit.

Drew Van Dyne a senti comme un picotement lui parcourir l'échine.

— Comment pouvez-vous en être aussi sûr ?

Wolf n'a pas répondu.

— Jake ?

— Ne vous tracassez pas pour ça. Je viens de le dire, mon fils va entrer à l'université. Tout cela est de l'histoire ancienne.

— Vous avez dit aussi que derrière chaque grande fortune, il y a un grand crime.

— Et alors ?

— Elle n'est rien pour vous, n'est-ce pas, Jake ?

— Il ne s'agit pas d'elle. Il s'agit de Randy. De son avenir.

Jake Wolf a pivoté vers la fenêtre, vers le château de son prestigieux voisin. Drew a rassemblé ses idées, muselé ses émotions. Il a considéré cet homme. Il a réfléchi à ce qu'il venait d'entendre. Il a encore repensé à la mise en garde.

— Jake ?

— Quoi ?

— Vous saviez qu'Aimee Biel était enceinte ?

La pièce s'est trouvée plongée dans le silence. La musique de fond était justement sur « pause ». Puis elle est repartie au galop, sur un vieux standard de Supertramp. Jake Wolf a tourné lentement la tête pour regarder par-dessus son épaule. Visiblement, la nouvelle l'avait surpris.

— Ça ne change rien, a-t-il déclaré.

— Je pense que si.

— Comment ?

Drew a tiré le pistolet de son holster et l'a pointé sur Jake Wolf.

— Je vous laisse deviner.

42

La devanture, c'était un bar à ongles dans un quartier de Queens qu'on n'avait pas encore eu le temps de réhabiliter. L'immeuble lui-même était si délabré qu'en s'adossant à un mur, on pouvait craindre qu'il ne s'effondre. Au regard de l'épaisse couche de rouille qui recouvrait l'échelle d'incendie, les chances d'attraper le tétanos étaient largement supérieures à celles d'inhaler de la fumée. Les fenêtres étaient obstruées soit par de lourds stores, soit par des planches en bois. Haut de trois étages, l'immeuble constituait à lui seul pratiquement tout le pâté de maisons.

— La lettre G sur l'enseigne a été grattée, a dit Myron à Win.

— C'est fait exprès.

— Pourquoi ?

Win l'a regardé. Myron a relu l'inscription. Le bar à ongles était ainsi devenu bar à oncles.

— Joli, a-t-il observé.

— Il y a deux vigiles armés postés derrière les fenêtres, a dit Win.

— On doit sortir de là sacrément manucuré.

Win a froncé les sourcils.

— Ils ont pris position au retour de ta Mlle Rochester avec son fiancé.

— Ils doivent avoir peur de son père, a dit Myron.

— Ça paraît logique.

— Tu connais cet endroit ?

— La clientèle est au-dessous de mon niveau de compétence. (Win a désigné du menton quelqu'un qui se trouvait derrière Myron.) Mais pas du sien.

Myron a fait volte-face. Le soleil couchant avait disparu comme caché par une éclipse. La Grosse Cyndi arrivait dans leur direction, entièrement vêtue de Stretch blanc. Blanc et moulant. Sans rien en dessous. Hélas, aurait-on pu ajouter. Sur un mannequin de dix-sept ans, une combinaison en Stretch relevait d'une audace vestimentaire. Sur une femme de quarante ans qui pesait plus de cent cinquante kilos… ma foi, il fallait avoir des tripes, beaucoup de tripes, et elles se baladaient sans honte devant tout le monde. Le tout ballottait quand elle marchait ; chaque partie du corps semblait animée d'une vie propre et bougeait à sa guise, comme si des dizaines d'animaux piégés dans un ballon blanc gigotaient pour s'en échapper.

La Grosse Cyndi a embrassé Win sur la joue. Puis elle s'est tournée :

— Bonjour, monsieur Bolitar.

Et elle l'a serré dans ses bras, lui donnant l'impression d'être enveloppé de matériau isolant mouillé.

— Bonjour, Cyndi, a dit Myron quand elle l'a eu reposé par terre. Merci d'être venue aussi vite.

— Vous appelez, monsieur Bolitar, et j'accours.

Son visage demeurait placide. Myron ne savait jamais si la Grosse Cyndi le menait en bateau ou pas.

— Vous connaissez cet endroit ? a-t-il demandé.

— Oh oui.

Elle a poussé un soupir. Dans un rayon de soixante kilomètres, les cervidés ont entamé leur parade nuptiale. La Grosse Cyndi portait un rouge à lèvres blanc comme dans un film documentaire sur Elvis. Son maquillage était constellé de paillettes. Ses ongles étaient peints dans une couleur appelée, comme elle le lui avait expliqué un jour, Pinot noir.

Dans le temps, la Grosse Cyndi avait été catcheuse professionnelle. Elle jouait le rôle de la méchante. Pour ceux qui n'ont jamais vu un match de catch, il s'agit d'un spectacle moralisateur où les gentils affrontent les méchants. Pendant des années, la Grosse Cyndi avait été la guerrière maléfique surnommée Big Mama ou Volcan humain. Mais un soir, après un match particulièrement éprouvant au cours duquel elle avait « blessé » la fine et jolie Esperanza Diaz, alias Petite Pocahontas, avec une chaise – la « blessure » était si grave qu'on avait fait venir une fausse ambulance, avec minerve et tout –, une foule de fans en colère l'avait attendue à la sortie de la salle.

Ils auraient pu la tuer. Ces gens-là étaient ivres, déchaînés et incapables de faire la différence entre un spectacle et la réalité. La Grosse Cyndi avait tenté de fuir, en vain. Elle s'était battue comme une lionne, mais ils étaient des dizaines, assoiffés de sang. On l'avait frappée, qui avec un appareil photo, qui avec une canne, qui avec une botte. La foule s'était refermée sur elle. La Grosse Cyndi était tombée. Et ils s'étaient mis à la piétiner.

Esperanza avait essayé d'intervenir pour arrêter le massacre. Rien à faire. Même leur catcheuse préférée ne pouvait pas calmer leur fureur. Alors Esperanza avait eu une idée de génie.

Grimpant sur une voiture, elle avait « révélé » que la Grosse Cyndi faisait juste semblant d'être méchante pour infiltrer le camp ennemi. Cette annonce avait eu pour effet de ramener un début d'accalmie. Qui plus est, avait expliqué Esperanza, la Grosse Cyndi était en fait la sœur de Petite Pocahontas, Big Mama, une sœur qu'elle avait depuis longtemps perdue de vue. Le pseudo n'était pas terrible, mais bon, elle était obligée d'improviser dans l'urgence. Enfin réunies, Petite Pocahontas et sa sœur allaient désormais faire équipe.

Les gens avaient applaudi. Ils avaient aidé la Grosse Cyndi à se relever.

Très vite, Big Mama et Petite Pocahontas sont devenues l'équipe de catch la plus populaire de la FFL. Toutes les semaines, c'était le même scénario : Esperanza commençait par remporter une victoire grâce à son seul talent ; leurs adversaires enfreignaient la règle en lui lançant du sable dans les yeux ou en utilisant un quelconque objet défendu ; les deux méchantes se liguaient contre la pauvre frêle Pocahontas pendant que quelqu'un faisait diversion auprès de Big Mama ; elles tabassaient la langoureuse beauté jusqu'à ce que la bretelle de son bikini en daim craque, et alors Big Mama poussait son cri de guerre et fonçait à la rescousse.

Le spectacle était total.

Après avoir quitté le ring, la Grosse Cyndi avait trouvé du travail comme videuse et même artiste à ses heures perdues dans quelques minables clubs porno. Le côté sordide de la vie, elle connaissait. C'est justement là-dessus qu'ils comptaient maintenant.

— Alors, c'est quoi ici ? a demandé Myron.

La Grosse Cyndi a froncé les sourcils façon emblème totémique.

— Ils font des tas de choses, monsieur Bolitar. Il y a de la drogue, des arnaques sur Internet, mais ce sont surtout des boîtes de cul.

— Des boîtes ? a-t-il répété. Au pluriel ?

La Grosse Cyndi a hoché la tête.

— Il doit y en avoir six ou sept. Vous vous rappelez, il y a quelques années de ça, quand la 42e Rue était infestée de racaille ?

— Oui.

— Bon, ben, quand on les a chassés, où croyez-vous qu'ils sont tous allés ?

Myron a regardé le bar à ongles.

— Ici.

— Ici et là, partout. La racaille, ça ne se liquide pas, monsieur Bolitar. Elle s'est juste cherché un nouveau repaire.

— Comme celui-ci ?

— Entre autres. Ici, dans ce bâtiment, on trouve des clubs spécialisés dans chaque goût que recèle la nature humaine.

— Et quand vous dites spécialisés… ?

— Voyons voir. Si vous aimez les femmes aux cheveux filasse, vous allez à la Vraie Blonde. C'est au premier, à droite. Si vous préférez les hommes afro-américains, vous montez au deuxième et frappez au – ça va vous plaire, monsieur Bolitar – Malcolm Sex.

Myron a regardé Win. Qui a haussé les épaules.

— Pour ceux qui sont branchés Asie, poursuivait la Grosse Cyndi d'une voix de guide touristique, il y a le Braguette Club…

— C'est bon, a dit Myron. Je vois le tableau. Et

comment je fais pour retrouver Katie Rochester là-dedans ?

La Grosse Cyndi a réfléchi deux secondes.

— Je pourrais postuler pour un job.

— Pardon ?

Cyndi a posé ses énormes poings sur ses hanches. Autrement dit, à quelques mètres l'un de l'autre.

— Les hommes, monsieur Bolitar, ne sont pas tous friands de petits gabarits.

Myron a fermé les yeux, s'est frotté l'arête du nez.

— Oui, soit. D'autres suggestions ?

Win attendait patiemment. Myron avait cru qu'il aurait du mal à supporter la Grosse Cyndi, mais son ami l'avait surpris il y avait des années en énonçant ce qui aurait dû être un truisme : « L'un de nos pires préjugés, et des plus répandus, est contre les femmes pléthoriques. Nous n'arrivons jamais à voir au-delà. » En l'entendant, Myron avait eu très honte. Et il s'était mis à traiter la Grosse Cyndi comme il se devait… comme n'importe qui en fait. Cyndi, ça l'avait fichue en rogne. Une fois, alors qu'il lui avait souri gentiment, elle l'avait tapé sur l'épaule – si fort qu'il n'avait pas pu lever le bras pendant deux jours – en criant : « Pas de ça avec moi ! »

— On devrait peut-être tenter une approche plus directe, a dit Win. Je reste là. Tu gardes ton portable allumé. Vous y allez, Cyndi et toi, et vous essayez de les baratiner.

— On pourrait faire semblant d'être un couple branché triolisme, a acquiescé Cyndi.

Myron ouvrait déjà la bouche pour répondre quand elle a ajouté :

— Je rigole.

— C'est bien ce que je pensais.

Elle a arqué un sourcil brillant et s'est penchée vers lui. La montagne venant à Mahomet.

— Maintenant que j'ai planté cette graine érotique entre toutes, vous risquez d'avoir du mal avec un petit gabarit, monsieur Bolitar.

— Je prendrai sur moi. On y va ?

Myron est entré le premier. Derrière la porte, un Noir avec des lunettes de soleil griffées lui a intimé l'ordre de s'arrêter. Équipé d'une oreillette façon agent des services secrets, il a palpé Myron de haut en bas.

— Eh ben, a dit Myron, tout ça pour une manucure ?

L'homme lui a confisqué son téléphone portable.

— Les photos sont interdites.

— Ce n'est pas un photophone.

Le Noir l'a gratifié d'un large sourire.

— Vous le récupérerez en sortant.

Il a gardé le sourire jusqu'à ce que la Grosse Cyndi remplisse l'encadrement de la porte. Une expression proche de la terreur s'est alors peinte sur son visage. La Grosse Cyndi a baissé la tête tel un géant pénétrant dans une maisonnette d'enfant. Puis elle a levé les bras et écarté les jambes. Le Stretch blanc a gémi, près de rendre l'âme. Cyndi a adressé un clin d'œil au portier.

— Fouille-moi, grand garçon. Je suis armée.

La combinaison la moulait comme une seconde peau. Si la Grosse Cyndi avait vraiment une arme sur elle, l'homme préférait ne pas savoir où.

— C'est bon, madame. Allez-y.

Myron a repensé à la remarque de Win sur les préjugés. Il avait senti que le sujet ne laissait pas Win indifférent, mais lorsqu'il avait essayé de le sonder, Win s'était refermé comme une huître. Il y avait quatre ans, Esperanza avait décidé de confier certains de leurs clients à la Grosse Cyndi. En dehors d'elle-même et de

Myron, c'était Cyndi qui était restée le plus longtemps chez MB Reps. Quelque part, son choix paraissait logique. Mais Myron savait que ce serait un désastre. Il ne s'était pas trompé. Personne n'avait envie d'être représenté par la Grosse Cyndi. Les gens lui reprochaient ses accoutrements excentriques, son maquillage, sa façon de parler (elle aimait grogner), mais même sans ça, l'auraient-ils acceptée davantage ?

Le Noir a porté la main à son oreille. Quelqu'un était en train de lui parler. Soudain, il a posé la main sur l'épaule de Myron.

— Que puis-je pour vous, monsieur ?

Myron a décidé de s'en tenir à l'approche directe.

— Je cherche une jeune femme nommée Katie Rochester.

— On n'a personne qui s'appelle comme ça.

— Je sais qu'elle est ici. Elle a franchi cette même porte il y a une vingtaine de minutes.

L'homme s'est encore rapproché de Myron.

— Vous êtes en train de me traiter de menteur ?

Myron était tenté de lui mettre un coup de genou, mais ça n'aurait pas résolu leur problème.

— Écoutez, on peut toujours continuer à prendre des poses menaçantes, mais franchement, quel intérêt ? Je sais qu'elle est là. Je sais pourquoi elle se cache. Je ne lui veux aucun mal. De deux choses l'une. Ou elle accepte de me voir, et on n'en parle plus. Cet entretien restera strictement entre nous. Ou alors… mettez-moi à la porte, et j'appellerai son père. Il fera venir d'autres hommes que ceux qui m'attendent dehors. Ça va tourner au grabuge. Ni vous ni moi, on n'a intérêt à ce que ça arrive. Tout ce que je veux, c'est lui parler.

Le Noir ne bronchait pas.

— Encore une chose, a dit Myron. Si elle a peur que

je travaille pour son père, demandez-lui ceci : à supposer qu'il la sache ici, son père se montrera-t-il aussi subtil que moi ?

L'homme avait l'air d'hésiter.

Myron a écarté les bras.

— Je suis chez vous. Sans arme. Qu'avez-vous à craindre ?

Le portier a marqué une pause. Puis :

— Vous avez fini ?

— On serait éventuellement intéressés par une partie à trois, a dit la Grosse Cyndi.

Myron l'a fait taire d'un regard. Elle a haussé les épaules, mais n'a pas insisté.

— Attendez ici.

Il s'est dirigé vers une porte en acier. Celle-ci s'est ouverte en bourdonnant. Il est entré. Ç'a duré cinq minutes. Un type est arrivé entre-temps. Chauve avec des lunettes. Il paraissait nerveux. La Grosse Cyndi lui a décoché une œillade. Elle s'est humecté les lèvres. A fait mine de soupeser ses seins. Myron a secoué la tête, de peur qu'elle ne tombe à genoux pour mimer Dieu sait quoi quand, par bonheur, la porte s'est rouverte. Le Noir a passé la tête à l'extérieur.

— Venez avec moi, a-t-il dit à Myron.

Il a regardé la Grosse Cyndi.

— Seul.

Cyndi, ça ne lui a guère plu. Myron l'a rassurée d'un geste et a pénétré dans la pièce d'à côté. La porte en acier s'est refermée derrière lui. Il a jeté un coup d'œil et dit :

— Mm-mm.

Ils étaient quatre. De différentes tailles. Nombreux tatouages. Certains souriaient. D'autres grimaçaient. Tous étaient vêtus de jeans et de T-shirts noirs. Aucun n'était rasé. Myron a essayé de repérer leur chef. Dans une bagarre à plusieurs, les gens croient à tort qu'il faut chercher le maillon faible. C'est un mauvais calcul. Du reste, s'ils étaient bons, il n'y avait pas grand-chose à faire.

Quatre contre un dans un espace restreint. On était cuit.

Myron s'est adressé à l'homme brun qui se tenait légèrement devant les autres et correspondait en gros à la description de Win et d'Edna Skylar. Les yeux dans les yeux, il lui a dit :

— Vous êtes bête ou quoi ?

Surpris et offusqué, l'homme a froncé les sourcils.

— C'est à moi que vous parlez ?

— Si je réponds oui, ça ira ou vous allez me dire : « J'espère que ce n'est pas à moi que vous parlez ? » Parce que, sincèrement, ni vous ni moi n'avons de temps à perdre.

Le brun a souri.

— Vous avez omis une option en discutant avec mon collègue tout à l'heure.

— Laquelle ?

— Option numéro trois.

Il a levé trois doigts comme si Myron ne savait pas compter.

— On fait en sorte que vous ne puissiez rien dire à son père.

Son sourire s'est élargi. Les autres souriaient aussi.

— Comment ? a répliqué Myron.

Nouveau froncement de sourcils.

— Hein ?

— Vous allez faire comment ?

Myron a regardé autour de lui.

— Vous allez me tomber dessus, les gars… c'est ça, le plan ? Et après ? Le seul moyen de me neutraliser serait de me tuer. Vous êtes prêts à aller jusque-là ? Et ma délicieuse associée qui attend dans l'entrée ? Elle aussi, vous comptez l'occire ? Et mes autres petits camarades… (N'ayons pas peur de l'exagération.) ceux qui sont dehors ? Vous allez les aligner également ? Ou alors votre plan, c'est de me passer à tabac pour me donner une leçon ? Si c'est le cas, primo, sachez que je n'apprends pas vite. Pas de cette façon, du moins. Et deuzio, je vous regarde, là, pour mémoriser vos trombines, et si jamais vous m'agressez, débrouillez-vous pour que j'y reste, sinon je reviendrai la nuit, pendant que vous dormirez, je vous ligoterai et vous arroserai d'essence pour mettre le feu à votre braguette.

Myron Bolitar, le roi du mélo. Imperturbable, il a scruté leurs visages un à un.

— Alors c'est ça, votre troisième option ?

L'un des hommes s'est dandiné d'un pied sur l'autre. C'était bon signe. Un deuxième a coulé un regard furtif en direction du troisième. Le type brun était à deux doigts de sourire. Quelqu'un a frappé à la porte au fond de la pièce. Il l'a entrebâillée pour parler à la personne qui se trouvait derrière. Puis il s'est tourné vers Myron.

— Vous êtes très fort, a-t-il dit.

Myron n'a pas pipé.

— Par ici.

Il a ouvert la porte et lui a fait signe d'entrer. Myron s'est retrouvé dans une pièce aux murs rouges. Ils étaient couverts de photos porno et d'affiches de films classés XXX. L'endroit était meublé d'un canapé en cuir noir, de deux fauteuils pliants et d'une lampe. Et sur le canapé, l'air affolée mais apparemment en bonne forme, il y avait Katie Rochester.

43

Edna Skylar avait raison. Katie semblait avoir mûri, vieilli même. Elle jouait avec une cigarette, mais sans l'allumer.

L'homme brun a tendu la main.

— Je suis Rufus.

— Myron.

Ils se sont serré la main. Rufus s'est assis sur le canapé à côté de Katie et lui a enlevé la cigarette.

— Tu ne dois pas fumer dans ton état, chérie.

Il a mis la cigarette dans sa bouche, l'a allumée et, posant les deux pieds sur la table basse, a exhalé un long panache de fumée.

Myron est resté debout.

— Comment m'avez-vous retrouvée ? a demandé Katie.

— Peu importe.

— C'est cette femme qui m'a reconnue dans le métro. Elle a parlé, hein ?

Myron n'a pas répondu.

— Zut.

Katie a secoué la tête et placé la main sur la cuisse de Rufus.

— Il faut qu'on aille habiter ailleurs, maintenant.

— Comment ? a dit Myron en désignant l'affiche avec une femme nue, jambes écartées, et abandonner tout ça ?

— Ce n'est pas drôle, a déclaré Rufus. Tout ça, c'est votre faute, vieux.

— Je veux savoir où est Aimee Biel.

— Je vous l'ai dit au téléphone. Je n'en ai aucune idée.

— Tu es au courant qu'elle a disparu aussi ?

— Je n'ai pas disparu, moi. Je me suis enfuie. C'était mon choix.

— Tu es enceinte.

— C'est vrai.

— Aimee l'est également.

— Et alors ?

— Vous êtes enceintes toutes les deux, vous fréquentiez le même établissement scolaire, vous avez l'une et l'autre quitté le domicile familial…

— Il y a un million de filles enceintes qui s'enfuient de chez elles tous les ans.

— Et toutes retirent de l'argent dans le même distributeur ?

Katie Rochester s'est redressée.

— Quoi ?

— Avant de fuguer, tu es allée à un distributeur…

— J'ai fait des tas de distributeurs. J'avais besoin d'argent pour partir.

— Quoi, Rufus n'était pas capable de t'entretenir ?

— Allez vous faire foutre, a dit Rufus.

— C'était mon argent, a déclaré Katie.

— Où en es-tu aujourd'hui, à propos ?

— Ça ne vous regarde pas. Ni ça ni le reste.

— Le dernier distributeur dont tu t'es servie est celui de la Citibank dans la 52e Rue.

— Et alors ?

En s'énervant, Katie semblait rajeunir de minute en minute.

— Le dernier distributeur qu'Aimee Biel a utilisé avant de disparaître se trouve à la même agence de la Citibank dans la 52e Rue.

À présent, Katie avait l'air sincèrement perplexe. Ce n'était pas de la comédie. Elle n'était pas au courant. Lentement, elle a tourné la tête vers Rufus. Ses yeux se sont étrécis.

— Eh, a dit Rufus. Ce n'est pas la peine de me regarder.

— Rufus, as-tu… ?

— Quoi ?

Il a jeté la cigarette et bondi sur ses pieds, levant la main comme pour la gifler d'un revers. Myron s'est glissé entre eux. Rufus a souri et esquissé un geste de capitulation.

— C'est bon, ma puce.

— Qu'est-ce qu'elle a voulu dire ? s'est enquis Myron.

— Rien, c'est fini.

Rufus a regardé Katie.

— Excuse-moi, ma puce. Tu sais bien que jamais je ne lèverais la main sur toi, pas vrai ?

Katie se taisait. Myron a essayé de déchiffrer son expression. Elle ne s'était pas recroquevillée sur elle-même, mais quelque chose dans son attitude lui a rappelé sa mère. Il s'est accroupi pour être à sa hauteur.

— Tu veux que je te sorte d'ici ?

— Quoi ?

Katie a relevé la tête d'un geste brusque.

— Bien sûr que non. Rufus et moi, on s'aime.

Il l'a scrutée, cherchant une quelconque trace de désarroi. Sans succès.

— On va avoir un bébé, a-t-elle dit.

— Pourquoi as-tu regardé Rufus quand j'ai parlé du distributeur ?

— C'était stupide. Laissez tomber.

— Explique-moi quand même.

— J'ai cru… mais je me suis trompée.

— Tu as cru quoi ?

Rufus a remis les pieds sur la table basse, croisant les chevilles.

— C'est bon, chérie. Tu peux lui dire.

Katie gardait les yeux baissés.

— C'était plus une réaction, quoi.

— Une réaction ?

— J'étais avec Rufus. C'est lui qui a eu l'idée de ce distributeur. Vu que c'était le centre-ville et tout, ça permettait de brouiller les pistes.

Rufus a arqué un sourcil, fier de son astuce.

— Seulement, vous comprenez, il a des tas de filles qui bossent pour lui. Si elles ont de l'argent, il les amène à un distributeur pour qu'elles vident leur compte. Il a un club ici. Ça s'appelle L'IlLégal. Pour les hommes qui aiment les filles…

— Je crois savoir ce qu'ils aiment. Continue.

— Là-dedans, il y a « légal », a dit Rufus, le doigt en l'air. C'est le mot clé. Toutes les filles sont majeures.

— Je suis sûr que les copines du club de bridge de votre mère aimeraient avoir un fils comme vous, Rufus.

Myron s'est tourné vers Katie.

— Qu'est-ce que tu as imaginé… ?

— Je n'ai rien imaginé. Je vous l'ai dit, j'ai juste réagi.

Rufus a descendu ses pieds et s'est assis droit.

— Elle a cru que cette Aimee était une de mes filles. Mais ce n'est pas vrai. Écoutez un peu le boniment que je vends. Les gens pensent que ces filles-là ont quitté leur ferme ou leur banlieue pour monter à la ville parce qu'elles rêvaient de devenir, je ne sais pas, actrices ou danseuses, et comme elles ont échoué, elles ont fini par faire des choses. C'est le fantasme que je leur vends, moi. Les clients croient avoir affaire à une fille de la campagne, ça les émoustille. La vérité, c'est que ce sont des zonardes, des junkies. Les plus chanceuses tournent dans les films… (Il a désigné une affiche.) Et les moins mignonnes, on les met en salle. C'est aussi simple que ça.

— Vous ne recrutez pas dans les lycées ?

— J'aimerais bien, a ri Rufus. Vous voulez savoir où je recrute ?

Myron n'a pas répondu.

— Dans les réunions des Alcooliques anonymes. Ou dans les centres de réinsertion. C'est un peu comme une séance de casting, vous voyez ce que je veux dire ? Je m'assois au fond, je bois leur jus de chaussette et j'écoute. Puis je leur parle pendant les pauses, je leur donne ma carte et j'attends qu'elles tombent du train. Ça ne rate jamais. Et moi, je suis là pour les ramasser.

Myron a regardé Katie.

— Il est super, ton homme.

— Il faut le connaître, a-t-elle dit.

— Ah, ça, je n'en doute pas une seconde.

La main de Myron lui démangeait, mais il s'est retenu.

— Et alors, comment vous êtes-vous rencontrés ?

Rufus a secoué la tête.
— Ça n'a rien à voir.
— On est amoureux, a dit Katie. C'était une relation d'affaires de mon père. Un jour, il est venu à la maison, et dès qu'on s'est vus…
Elle a souri : elle avait l'air jeune, jolie, heureuse et complètement gaga.
— Ç'a été le coup de foudre, a confirmé Rufus.
Myron s'est contenté de le regarder.
— Quoi, vous croyez que c'est impossible ?
— Mais non, voyons, Rufus, vous êtes le gendre idéal.
— Ici, c'est juste un boulot. Rien d'autre. Katie et le bébé, c'est ça, ma vie. Vous comprenez ?
De sa poche, Myron a sorti la photo d'Aimee Biel.
— Jetez un œil là-dessus, Rufus.
Il s'est exécuté.
— Elle est ici ?
— Je jure sur mon enfant à naître, mec, que je n'ai jamais vu cette nana et que je ne sais pas où elle est.
— Si vous me mentez…
— Ça va, les menaces. Vous avez une fille portée disparue, OK ? La police la recherche. Ses parents la recherchent. Et vous pensez que j'irais me mettre dans un pétrin pareil ?
— Katie aussi est une jeune fille portée disparue, a rétorqué Myron. Son père remuerait ciel et terre pour la retrouver. Et la police est sur le coup également.
— Ce n'est pas la même chose.
Rufus a pris un ton implorant.
— Je l'aime. Je traverserais le feu pour Katie. Vous m'entendez ? Alors que cette fille-là, je n'en ai rien à faire. Si je l'avais ici, je la rendrais. Je n'ai pas besoin de ce genre d'embrouille.

C'était tristement, pathétiquement logique.

— Aimee a utilisé le même distributeur, a répété Myron. Vous voyez une explication à ça ?

L'un et l'autre ont secoué la tête.

— Vous en avez parlé à quelqu'un ?

— Du distributeur ? a dit Katie.

— Oui.

— Je ne le pense pas.

Myron s'est agenouillé à nouveau.

— Écoutez, Katie. Je ne crois pas aux coïncidences. Ce n'est pas un hasard si Aimee est allée retirer de l'argent à ce distributeur. Il y a forcément un lien entre vous deux.

— Je la connais à peine, Aimee. Oui, bon, on était dans le même lycée, on se croisait des fois au centre commercial, mais on ne se disait même pas bonjour. Elle était toujours fourrée avec son petit copain.

— Randy Wolf.

— Ouais.

— Et lui, tu le connais ?

— Évidemment. C'était notre golden boy. Avec un papa bourré de thune qui était toujours là pour sortir le fiston d'un mauvais pas. Vous savez comment on le surnommait, Randy ?

Myron s'est rappelé ce qu'il avait entendu dans le parking du lycée.

— Shootman, c'est ça ?

— Pas Shootman. Shitman. Avec un i. Et vous savez pourquoi ?

— Non.

— Parce que Randy est le plus gros dealer du lycée de Livingston.

Katie a souri tout à coup.

— Tenez, vous voulez connaître le lien qu'il y a entre

moi et Aimee Biel ? Je n'en vois qu'un seul. Son mec m'a vendu pour cinq dollars de came.

— Attends une minute.

Myron a eu l'impression que la pièce se mettait à tourner lentement autour de lui.

— Tu as parlé de son père ?

— Le Grand Jake Wolf. Le caïd local.

Myron a hoché la tête. Il osait à peine bouger.

— Et tu disais qu'il était toujours là pour sortir Randy d'un mauvais pas ?

Sa propre voix semblait soudain venir de très loin.

— C'est ce qu'on raconte.

— Tu peux m'en dire plus ?

— Qu'est-ce que vous croyez ? Un jour, un prof a chopé Randy en train de dealer. Il l'a dénoncé aux flics. Le papa leur a graissé la patte. Au prof aussi, je pense. Tout le monde rigolait en disant qu'on n'allait quand même pas briser sa brillante carrière de quarterback.

Myron continuait à hocher la tête.

— Et ce professeur, c'était qui ?

— Je ne sais pas.

— La rumeur ne faisait circuler aucun nom ?

— Aucun.

Il avait cependant sa petite idée.

Myron a posé encore deux ou trois questions, mais n'a rien appris de plus. Randy et le Grand Jake Wolf. On en revenait toujours à eux. Ainsi qu'au professeur-conseiller d'orientation, Harry Davis, et au professeur-musicien-amateur de lingerie, Drew Van Dyne. On en revenait toujours à la même ville, Livingston, à la rébellion des jeunes, à l'obligation de réussite qui pesait sur eux.

Pour finir, Myron a regardé Rufus.

— Laissez-nous seuls une minute.

— Pas question.

Mais entre-temps Katie avait repris ses esprits.

— C'est bon, Rufus.

Il s'est levé.

— Je serai derrière la porte, a-t-il dit à Myron, avec mes associés. C'est compris ?

Myron a ravalé sa riposte et attendu qu'ils soient seuls. Il songeait à Dominick Rochester, à tous ses efforts pour retrouver sa fille. Il savait peut-être que Katie était dans un endroit comme celui-ci, avec un homme comme Rufus, et son attitude extrémiste en devenait soudain compréhensible.

Se penchant vers l'oreille de Katie, il a chuchoté :

— Je peux te sortir d'ici.

Elle s'est écartée en faisant la moue.

— De quoi parlez-vous ?

— J'entends bien que tu veux fuir ton père, mais ce gars-là n'est pas la solution.

— Qu'en savez-vous ?

— Il dirige un bordel, nom d'un chien. Il a failli te frapper.

— Rufus m'aime.

— Je peux te sortir d'ici.

— Je ne partirai pas, a-t-elle décrété. Plutôt mourir que vivre sans Rufus. Suis-je assez claire ?

— Katie…

— Allez-vous-en.

Myron s'est levé.

— Vous savez quoi ? a-t-elle dit. J'ai peut-être plus de choses en commun avec Aimee que vous ne le croyez.

— Comment ça ?

— Peut-être qu'elle n'a pas besoin qu'on la sauve, elle non plus.

Ou peut-être, a pensé Myron, que vous en avez besoin toutes les deux.

44

La Grosse Cyndi est restée pour montrer la photo d'Aimee à droite et à gauche, juste au cas où. Les gens qui travaillaient dans un business illégal n'iraient pas parler aux flics, ni à Myron. Mais à Cyndi, si. C'était un don qu'elle avait.

Myron et Win se sont dirigés vers leurs voitures respectives.

— Tu rentres à l'appart ? a demandé Win.

Myron a secoué la tête.

— J'ai des choses à faire.

— Je vais relayer Zorra.

— Merci.

Regardant l'immeuble lépreux, Myron a ajouté :

— Ça ne me plaît pas trop de la laisser ici.

— Katie Rochester est adulte.

— Elle a dix-huit ans.

— Justement.

— Et alors, à t'entendre, quand on a dix-huit ans, on se débrouille tout seul ? Nous, on n'aide que les mineurs ?

— Non, a dit Win. On aide ceux qu'on peut aider. Ceux qui ont des ennuis. Ceux qui ont besoin de nous. On n'aide pas – j'insiste là-dessus – ceux qui ont fait un choix incompatible avec les nôtres. Les mauvais choix, ça fait partie de la vie.

Toujours en marchant, Myron a répondu :

— J'aime bien lire le journal au Starbucks, tu le sais, n'est-ce pas ?

Win a hoché la tête.

— Les jeunes qui traînent là fument. Tous sans exception. Je les regarde et, quand ils allument une clope, comme ça, sans même y penser, je me dis : « Myron, tu devrais faire quelque chose. » Je me dis que je devrais aller les voir, m'excuser de les déranger et les supplier d'arrêter parce que plus ils attendent, plus ce sera difficile. J'ai envie de les secouer, de leur faire comprendre à quel point c'est stupide. Je voudrais leur parler de gens que je connais, des gens qui menaient une vie formidable, comme Peter Jennings, tiens, un type extra, à ce qu'on m'a raconté, et qui a tout perdu pour avoir commencé à fumer de bonne heure. Je voudrais scander la liste complète des problèmes de santé qui les guettent à cause de ce geste qu'ils font nonchalamment, sans y penser.

Win avançait en silence, regardant droit devant lui.

— Et puis je me dis de me mêler de mes oignons. De toute façon, ils ne m'écouteraient pas. Je ne suis qu'un quidam parmi d'autres, je n'ai aucune autorité sur eux. À tous les coups, ils m'enverraient promener. Alors je la boucle. Je regarde ailleurs, je me replonge dans mon journal, je bois mon café, et pendant ce temps, ces mômes assis à côté de moi se suicident à petit feu. Sans que je lève le doigt pour les en empêcher.

— Nous choisissons nos batailles, a dit Win. Celle-ci serait perdue d'avance.

— Je sais, mais bon, si je disais quelque chose à chacun de ces jeunes, à force, j'arriverais peut-être à peaufiner mon discours. Et à en toucher un. Un qui arrêterait de fumer. Mon ingérence permettrait alors de sauver une vie. Je me demande si me taire est la bonne solution… ou la solution de facilité.

— Et après ? a rétorqué Win.

— Comment ça, et après ?

— Tu vas aller chez McDonald's et sermonner les gens qui mangent des Big Mac ? Si tu vois une mère encourager son fils obèse à engouffrer sa deuxième portion de frites, iras-tu la mettre en garde contre l'avenir sombre qui attend son gamin ?

— Non.

Win a haussé les épaules.

— OK, laisse tomber tout ça, a déclaré Myron. Dans ce cas précis, à quelques mètres d'ici, il y a une fille enceinte enfermée dans ce bordel…

— … de son propre chef, a achevé Win.

Ils continuaient à marcher côte à côte.

— Tu parles un peu comme ce Dr Skylar.

— Qui ?

— La femme qui a reconnu Katie dans la rue. Edna Skylar. Elle a une préférence pour les patients innocents. D'accord, elle a prêté le serment d'Hippocrate, mais si elle pouvait choisir, elle soignerait quelqu'un qui l'aurait mérité.

— La nature humaine, a dit Win. J'imagine que ça t'a mis mal à l'aise.

— Tout cela me met mal à l'aise.

— Tu fais pareil que le Dr Skylar, Myron. Oublie un instant le trip de la culpabilité que Claire t'a fait endosser. À l'heure actuelle, tu choisis d'aider Aimee parce que, pour toi, elle incarne l'innocence. Si elle avait été un garçon, un ado avec un passé de drogué, te serais-tu précipité à sa rescousse ? Bien sûr que non. Tout le monde sélectionne, tout le monde choisit, que ça te plaise ou non.

— Ça va bien au-delà.

— Comment ?

— Dans quelle mesure est-ce important, l'université dont on sort ?

— Je ne vois pas le rapport.

— On a eu de la chance, a dit Myron. On était à Duke.

— Où veux-tu en venir ?

— J'y ai fait entrer Aimee. J'ai écrit une lettre, passé un coup de fil. Sans moi, elle n'aurait probablement pas été reçue.

— Oui, et alors ?

— Et alors, je me le suis pris en pleine poire. Comme l'a fait remarquer Maxine Chang, là où il y a de la place pour un, il n'y en a pas pour deux.

Win a esquissé une moue.

— C'est la vie.

— Ce n'est pas une raison.

— On fait tous des choix fondés sur un ensemble de critères purement subjectifs. Pourquoi pas toi, hein ?

Myron a secoué la tête.

— Je ne peux pas m'empêcher de penser qu'il y a un rapport avec la disparition d'Aimee.

— Le fait qu'elle ait été reçue ?

— Oui.

— Et de quelle façon ?

— Je ne sais pas encore.

Ils se sont quittés. Une fois dans la voiture, Myron a

consulté son téléphone portable. Il avait un nouveau message.

« Myron ? C'est Gail Berruti. L'appel dont tu m'as parlé, au domicile d'Erik Biel. » Il y a eu un bruit de fond. « Quoi ? Zut, attends une seconde. »

Cet appel, c'était la voix mécanique disant à Claire que sa fille allait bien. L'instant d'après, Berruti était de retour.

« Excuse-moi. Où en étais-je ? Ah oui. Il provenait d'un taxiphone – il y en a toute une rangée – situé à la station de métro de la 23ᵉ Rue. J'espère que ça va t'aider. »

Clic.

À l'endroit même où Katie avait été repérée. C'était logique. À moins que, avec ce qu'il venait d'apprendre, ce ne soit pas logique du tout.

Son portable s'est mis à bourdonner. C'était Wheat Manson qui le rappelait de Duke. Il n'avait pas l'air épanoui.

— Que se passe-t-il ? a demandé Wheat.

— Comment ?

— Le classement que tu m'as donné pour le petit Chang. Ça correspond.

— Quatrième de sa classe, et il n'a pas été reçu ?

— Tu y tiens vraiment, Myron ?

— Non, Wheat. Et Aimee, quel était son classement ?

— C'est ça le problème.

Myron lui a posé encore deux ou trois questions avant de raccrocher.

Le tableau commençait à se préciser.

Une demi-heure plus tard, il arrivait chez Ali Wilder, la première femme à qui il avait dit « je t'aime » depuis sept ans. Il s'est garé, mais n'est pas descendu tout de suite. Il a contemplé la maison. Trop de pensées se bousculaient dans sa tête. Il songeait à son défunt mari, Kevin. Cette maison, ils l'avaient achetée ensemble. Il les voyait, jeune couple venu visiter les lieux en compagnie de l'agent immobilier : c'était leur futur foyer, c'est ici qu'ils allaient vivre et élever leurs enfants. S'étaient-ils tenu la main pendant qu'ils faisaient le tour du propriétaire ? Qu'est-ce qui avait plu à Kevin… ou était-ce l'enthousiasme de sa chérie qui avait fait pencher la balance ? Et pourquoi diable pensait-il à ça maintenant ?

Il avait dit à Ali qu'il l'aimait.

L'aurait-il fait – ainsi, de but en blanc – si Jessica n'était pas venue le voir ?

Oui.

Tu en es sûr, Myron ?

Son portable a sonné.

— Allô ?

— Tu comptes passer la soirée dans la voiture ?

Au son de la voix d'Ali, son cœur a fait un bond.

— Désolé, je réfléchissais.

— Tu pensais à moi ?

— Oui.

— À ce que tu avais envie de me faire ?

— Pas exactement, a-t-il dit. Mais il n'est jamais trop tard.

— Ne t'inquiète pas. J'ai déjà tout prévu. Tu ne ferais que brouiller mes plans.

— Raconte-moi.

— Je préfère te montrer. Allez, viens. Ne frappe pas. Ne parle pas. Jack dort, et Erin est en haut, branchée sur son ordinateur.

En raccrochant, Myron a aperçu son reflet – son sourire idiot – dans le rétroviseur. Il s'est efforcé de ne pas courir, mais il n'a pas pu s'empêcher d'accélérer le pas. La porte s'est ouverte. Ali avait dénoué ses cheveux. Son chemisier, rouge, brillant et moulant, ne demandait qu'à être déboutonné.

Elle a posé un doigt sur ses lèvres.

— Chut.

Et elle l'a embrassé. Ce baiser ardent, profond, il l'a ressenti jusqu'au bout de ses doigts. Son corps chantait. Elle a chuchoté :

— Les gamins sont en haut.

— C'est ce que tu m'as dit.

— Normalement, je ne prends pas beaucoup de risques.

Là-dessus, Ali lui a léché l'oreille. Un frisson de plaisir a parcouru Myron.

— Mais j'ai très, très envie de toi.

Myron a ravalé son trait d'esprit. Ils se sont embrassés à nouveau. Puis elle lui a pris la main et l'a rapidement entraîné dans le couloir. Elle a refermé la porte de la cuisine. Ils ont traversé le salon. Elle a fermé une autre porte.

— Le canapé, ça te va ?

— Je suis prêt à le faire sur un lit de clous pendant la mi-temps au Madison Square Garden.

Ils se sont laissés tomber sur le canapé.

— Deux portes closes, a haleté Ali.

Ils se sont embrassés. Leurs mains vagabondaient.

— Personne ne peut nous surprendre.

— Quel plan d'enfer !

— Ça m'a pris la journée.

— Et ça en valait la peine, a-t-il dit.

Elle a remué les sourcils.

— Attends un peu, tu vas voir.

Ils ont gardé leurs vêtements. C'était ça, le plus stupéfiant. Certes, il y a eu des boutons défaits, des fermetures Éclair abaissées. Mais ils avaient gardé leurs vêtements. À présent, tandis qu'ils pantelaient dans les bras l'un de l'autre, totalement épuisés, Myron a dit ce qu'il disait toujours à la fin :

— Waouh !

— Tu as un sacré vocabulaire, toi.

— Pourquoi employer un grand mot là où un petit suffit ?

— J'ai une vanne qui me vient à l'esprit, mais je t'en ferai grâce.

— Merci, a-t-il dit.

Puis :

— Je peux te demander quelque chose ?

Ali s'est lovée contre lui.

— Tout ce que tu voudras.

— C'est exclusif, toi et moi ?

Elle l'a regardé.

— Tu es sérieux, là ?

— Plutôt, oui.

— Alors comme ça, tu voudrais sortir avec moi ?

— Et si c'était le cas, tu répondrais quoi ?

— Je m'exclamerais : « Oh oui ! » Ensuite, je te demanderais si je peux dessiner ton nom sur mon cahier de textes et porter ton blouson de sport.

Il a souri.

Ali a dit :

— Ta question a quelque chose à voir avec notre échange de « je t'aime » ?

— Je ne crois pas.

Un silence.

— Nous sommes des adultes, Myron. Tu as le droit de coucher avec qui tu veux.

— Je ne veux coucher avec personne d'autre.

— Alors pourquoi tu me demandes ça maintenant ?

— Parce que, avant, je… euh, je n'ai pas les idées très claires quand je suis en état de… enfin, tu vois…

Il a esquissé un geste. Ali a levé les yeux au ciel.

— Les hommes ! Non, je veux dire, pourquoi ce soir ?

Myron a hésité. Il était pour l'honnêteté, entièrement pour, mais avait-il pour autant envie de parler de la visite de Jessica ?

— C'était juste pour savoir où on en est.

Soudain, il y a eu un bruit de galopade dans l'escalier.

— Maman !

C'était Erin. Une porte – la première des deux – a claqué derrière elle.

Myron et Ali ont réagi à la vitesse de la lumière. Comme deux adolescents, ils se sont assurés que tout était bien reboutonné et en ordre au moment où la poignée de la deuxième porte commençait à bouger. Myron a bondi à l'autre bout du canapé quand Erin a fait irruption au salon. Tous deux ont essayé de dissimuler leur air coupable, avec un succès mitigé.

Erin a regardé Myron.

— Je suis contente que vous soyez là.

Ali finissait de rajuster sa jupe.

— Qu'est-ce qui se passe, chérie ?

— Venez vite.

— Quoi, qu'est-ce que c'est ?

— J'étais sur mon ordi en train de chatter avec des copains. Et là, à l'instant – il y a trente secondes à peine –, Aimee Biel s'est connectée à ma messagerie pour me dire bonjour.

45

Ils se sont tous hâtés dans la chambre d'Erin.

Myron a grimpé les marches quatre à quatre. La maison a tremblé sur ses fondations. Peu importe. La première chose qui l'a frappé, c'est à quel point cette chambre-là ressemblait à celle d'Aimee. Les guitares, les photos sur le miroir, l'ordinateur sur le bureau. Les couleurs étaient différentes ; les coussins et les peluches, plus nombreux, mais il était clair au premier regard que c'étaient deux chambres d'adolescentes, et qu'elles avaient beaucoup de choses en commun.

Myron s'est dirigé vers l'ordinateur, Erin et Ali sur ses talons. Erin s'est perchée sur sa chaise et a désigné un mot :

GuitArtisteCHC.

— CHC, ça veut dire « Crazy Hat Care », a expliqué Erin. C'est le nom du groupe que nous étions en train de former.

— Demande-lui où elle est, a dit Myron.

Erin a tapé : *Où es-tu ?* Puis elle a pressé la touche « retour ».

Dix secondes ont passé. Myron a aperçu l'icône d'Aimee. Le groupe Green Day. Le fond d'écran, c'étaient les New York Rangers. Lorsqu'elle a répondu, le jingle de connexion, une chanson d'Usher, a résonné dans les haut-parleurs.

Je ne peux pas le dire. Mais ça va. Ne t'inquiète pas.

— Dis-lui que ses parents se font du souci. Qu'elle devrait les appeler.

Erin a tapé : *Tes parents flippent comme des malades. Appelle-les.*

Je sais. Je reviendrai bientôt. Je leur expliquerai tout.

Myron se demandait par quel bout la prendre.

— Dis-lui que je suis là.

Erin a tapé : *Myron est là.*

Il y a eu une longue pause. Le curseur clignotait.

Je croyais que tu étais seule.

Désolée. Il est ici. À côté de moi.

Je sais qu'il a eu des ennuis à cause de moi. Dis-lui que je m'excuse, mais que je vais bien.

Myron réfléchissait.

— Erin, demande-lui quelque chose qu'elle est la seule à savoir.

— Genre ?

— Vous avez bien des secrets, non ? Que vous partagez entre filles ?

— Oui.

— Je ne suis pas convaincu que ce soit Aimee. Pose-lui une question à laquelle vous êtes les seules à pouvoir répondre.

Erin a cherché un moment. Puis elle a tapé : *Comment s'appelle le mec sur lequel j'ai flashé ?*

Le curseur continuait à clignoter. Pas de réponse. Myron en était sûr. Puis GuitArtiste a tapé :

Il t'a enfin demandé de sortir avec lui ? ! ? !

— Insiste sur le nom, a dit Myron.

— C'est ce que je fais, a répliqué Erin.

Comment il s'appelle ?

Il faut que je te laisse.

Erin n'avait pas besoin qu'on lui souffle. *Tu n'es pas Aimee. Aimee saurait son nom.*

Nouvelle pause. La plus longue de toutes. Myron s'est tourné vers Ali. Elle avait les yeux rivés sur l'écran. Il entendait le bruit de sa propre respiration, comme s'il s'était enfoncé des coquillages dans les oreilles. La réponse a fini par s'afficher :

Mark Cooper.

Le pseudo a disparu de l'écran. GuitArtisteCHC n'était plus en ligne.

Pendant un moment, personne n'a bougé. Myron et Ali regardaient Erin. Elle s'est raidie.

— Erin ?

Il était arrivé quelque chose à son visage. Le coin de sa lèvre s'était mis à trembler. Puis ça s'est propagé.

— Oh, mon Dieu, a dit Erin.

— Qu'est-ce que c'est ?

— Qui est ce Mark Cooper, bon sang ?

— C'était Aimee, oui ou non ?

Elle a hoché la tête.

— C'était Aimee, oui. Mais…

Le ton de sa voix a fait chuter la température ambiante d'une bonne dizaine de degrés.

— Mais quoi ? a dit Myron.

— Mark Cooper n'est pas le garçon qui me branche.

Ali et Myron avaient l'air déconcertés.

— Qui est-ce alors ? a demandé Ali.

Erin a dégluti. Pivotant sur sa chaise, elle a regardé Myron, puis sa mère.

— Mark Cooper était un type que j'avais rencontré

en colonie de vacances. Il nous flanquait la pétoche. J'en avais parlé à Aimee. Il suivait certaines filles avec un horrible rictus sur la figure. Chaque fois qu'on le croisait, on rigolait et on chuchotait…

Elle s'est interrompue avant d'achever tout bas :

— … on chuchotait : « Galère. »

Ils surveillaient tous l'écran dans l'espoir de voir reparaître le même pseudo. Mais Aimee n'est pas revenue. Elle avait transmis son message. Pour disparaître à nouveau.

46

Quelques secondes plus tard, Claire appelait Myron sur son portable.

— Aimee était à l'instant sur Internet ! Deux de ses amies viennent de téléphoner !

Assis à la table, Erik Biel écoutait, les mains jointes. Il avait passé la journée à chercher, conformément aux instructions de Myron, le nom des gens qui habitaient à proximité de l'impasse. Maintenant, il savait qu'il avait perdu son temps. Myron avait repéré une voiture avec le macaron du lycée de Livingston. Le soir même, il avait établi qu'elle appartenait à l'un des professeurs d'Aimee, un certain Harry Davis.

Il avait simplement voulu écarter Erik pour ne pas l'avoir dans les pattes.

Du coup, il lui avait trouvé une occupation.

Claire a laissé échapper un petit cri.

— Oh non, oh mon Dieu…

— Quoi ? a dit Erik.

Elle l'a fait taire d'un geste de la main.

Une nouvelle bouffée de rage l'a submergé. Il n'en

voulait pas à Myron. Il n'en voulait même pas à Claire. Il s'en voulait à lui-même. Il a fixé le monogramme sur son bouton de manchette. Tous ses habits étaient taillés sur mesure. La belle affaire. Qui croyait-il impressionner ? Il a levé les yeux sur sa femme. Il avait menti à Myron en disant qu'il ne la désirait plus. Son vœu le plus cher était que Claire le regarde comme elle le regardait autrefois. Myron avait peut-être raison. Peut-être qu'elle l'avait réellement aimé. Aimé, mais pas respecté. Elle n'avait pas besoin de lui.

Elle ne croyait pas en lui.

Dans un moment de crise, elle s'était précipitée chez Myron. En laissant Erik de côté. Et bien sûr, il avait encaissé.

Il avait fait ça toute sa vie. Encaisser. Sa maîtresse, une créature insipide rencontrée au bureau, était en grande demande affective et le traitait comme une altesse royale. Avec elle, il avait l'impression d'être un homme. Pas avec Claire. C'était aussi simple – et aussi pitoyable – que ça.

— Qu'est-ce que c'est ? a-t-il redemandé.

Claire l'a ignoré. Il a attendu. Finalement, elle a interrompu sa conversation en priant Myron de patienter une seconde.

— Myron aussi l'a eue sur le Net. Il a dit à Erin de lui poser une question. Elle a répondu à sa façon... c'était bien elle, mais elle a des ennuis.

— Qu'a-t-elle dit ?

— Je n'ai pas le temps d'entrer dans les détails.

Claire a rapproché le combiné de son oreille et dit à Myron... à *Myron* :

— Il faut faire quelque chose.

Faire quelque chose.

La vérité, c'est qu'Erik Biel était une mauviette. Il

l'avait su très tôt dans son existence. À quatorze ans, il avait fui une bagarre. Tout le lycée était là. L'autre, son persécuteur, était prêt à sauter sur lui. Mais Erik avait tourné les talons. Sa mère disait qu'il était prudent. D'après les médias, tourner les talons, c'est ça qui demande du « courage ». C'est totalement débile. Aucune raclée, aucun séjour à l'hôpital, aucune contusion ou fracture ne l'aurait fait souffrir autant que sa débandade. Il ne l'a jamais oublié, ne s'en est jamais remis. Dégonflé, il n'était qu'un dégonflé. Et ç'avait continué. Il avait abandonné ses copains quand ils s'étaient fait agresser à une soirée d'étudiants. À un match des Jets, quelqu'un avait renversé de la bière sur sa petite amie, et il n'avait pas bronché. Quand un homme le regardait de travers, Erik Biel détournait les yeux le premier.

On peut traduire tout ça dans le jargon psy des temps modernes – comme quoi la force vient de l'intérieur et la violence ne résout rien –, mais ce n'est qu'une manière de se trouver des excuses. Ces bobards, on peut vivre avec, du moins provisoirement. Mais qu'une crise éclate, une crise comme celle-ci, et on se rend compte de ce qu'on est vraiment, que les costumes élégants, les belles voitures et les pantalons au pli impeccable ne font pas de vous un homme.

Cependant, même dans le cas d'une mauviette comme Erik, il y avait une limite à ne pas franchir. Un point de non-retour. Ça concernait les enfants. Un homme se doit de protéger les siens quel qu'en soit le prix. Il est prêt à tous les sacrifices. Il n'hésitera pas à prendre des coups. Il ira au bout du monde et bravera tous les dangers pour leur éviter de souffrir. Il ne reculera pas. Il se battra jusqu'à son dernier souffle.

Quelqu'un avait enlevé sa petite fille.

On n'esquive pas cette bataille-là.

Erik Biel a sorti son arme.

C'était un vieux Ruger .22 qui avait appartenu à son père. Il n'avait pas dû servir depuis une trentaine d'années. Ce matin, Erik l'avait porté chez l'armurier. Il avait acheté des munitions et autres accessoires dont il pourrait avoir besoin. L'homme derrière le comptoir avait nettoyé le Ruger, l'avait essayé, avec une moue dégoûtée pour ce client tellement pathétique qu'il ne savait même pas charger et utiliser son propre flingue.

En tout cas, il était opérationnel maintenant.

Erik écoutait sa femme parler avec Myron. Ils réfléchissaient à ce qu'ils allaient faire. Drew Van Dyne, disaient-ils, n'était pas chez lui. Ils se sont posé la question pour Harry Davis. Erik a souri. Là-dessus, il avait une longueur d'avance sur eux. Il avait téléphoné chez le professeur après avoir pris soin de masquer son numéro et s'était fait passer pour un courtier en assurances. Davis avait répondu qu'il n'était pas intéressé.

C'était il y avait une demi-heure.

Le pistolet dans la ceinture du pantalon, Erik s'est dirigé vers la porte.

— Erik ? Où vas-tu ?

Il n'a pas répondu. Myron Bolitar avait affronté Davis au lycée. Ce dernier avait refusé de lui parler. Mais qu'il le veuille ou non, il serait bien obligé de parler à Erik Biel.

Myron a entendu Claire qui disait :

— Erik ? Où vas-tu ?

Et aussitôt un déclic dans son téléphone.

— Claire, quelqu'un essaie de me joindre. Je te rappelle tout de suite.

Il a pris l'autre appel.

— Myron Bolitar ?

La voix lui a paru familière.

— Lance Banner, police de Livingston. On s'est vus hier.

C'était hier seulement ?

— Oui, bien sûr, que puis-je pour vous ?

— Vous êtes loin de l'hôpital St. Barnabas ?

— Un quart d'heure, vingt minutes. Pourquoi ?

— Joan Rochester vient d'être transportée d'urgence au bloc opératoire.

47

Myron a mis dix minutes pour arriver à l'hôpital. Lance Banner l'attendait.

— Elle est toujours au bloc.

— Que s'est-il passé ?

— Vous voulez sa version à elle ou celle du mari ?

— Les deux.

— D'après Dominick Rochester, elle est tombée dans l'escalier. Ce n'est pas la première fois. Elle tombe souvent dans l'escalier, si vous voyez ce que je veux dire.

— Très bien. Et la seconde version ?

— Jusqu'à présent, elle a toujours confirmé celle de son mari.

— Pas cette fois ?

— Elle affirme qu'il l'a battue, a répliqué Banner. Elle a décidé de porter plainte.

— Il a dû être surpris, non ? Au fait, c'est grave ?

— Plutôt, oui. Plusieurs côtes cassées. Une fracture au bras. Il a dû s'acharner sur les reins parce que le chirurgien envisage de lui en retirer un.

— Nom de Dieu.

— Et naturellement, aucune trace sur le visage. Ce type-là est trop fort.

— Question de pratique, a dit Myron. Il est ici ?

— Le mari ? Oui. Mais on va le placer en garde à vue.

— Pour combien de temps ?

Lance Banner a haussé les épaules.

— Vous connaissez la réponse.

En clair, pas longtemps.

— Pourquoi m'avez-vous appelé ? a demandé Myron.

— Joan Rochester était consciente à son arrivée ici. Elle voulait vous mettre en garde. Vous dire de faire attention.

— Quoi d'autre ?

— C'est tout. C'était déjà un miracle qu'elle ait réussi à articuler ça.

Myron était partagé entre la rage et le remords. Il l'avait crue capable de gérer son mari. Elle vivait avec lui. Elle avait fait son choix. Allez, quelle excuse s'inventerait-il encore pour ne pas l'avoir aidée… Qu'elle l'avait cherché ?

— Pouvez-vous m'expliquer comment vous vous êtes trouvé mêlé à la vie des Rochester ? a dit Lance Banner.

— Aimee Biel n'a pas fugué. Elle a des ennuis.

Myron lui a résumé la situation en deux mots. Après l'avoir écouté, Banner a déclaré :

— On va envoyer un message à toutes les patrouilles pour intercepter Drew Van Dyne.

— Et Jake Wolf ?

— Je ne vois pas très bien quel rôle il a pu jouer là-dedans.

— Vous connaissez son fils ?

— Vous parlez de Randy ? a répondu Banner un peu trop nonchalamment. Il joue dans l'équipe de foot du lycée.

— Il n'a jamais eu de problèmes ?

— Pourquoi cette question ?

— J'ai entendu dire que son père vous avait soudoyés afin qu'il ne soit pas poursuivi pour trafic de drogue, a dit Myron. Un commentaire ?

Banner l'a foudroyé du regard.

— Non, mais pour qui vous prenez-vous ?

— Épargnez-moi votre indignation, Lance. Deux de vos gars, la fine fleur de la police municipale, m'ont alpagué sur l'ordre de Jake Wolf. Ils m'ont empêché de parler à Randy. L'un des deux m'a frappé au ventre alors que j'étais menotté.

— Foutaises.

Myron s'est contenté de le regarder.

— Qui était-ce ? a demandé Banner. Je veux des noms, bon sang !

— Il y avait un grand maigre, à peu près de ma taille. Et un avec une grosse moustache : il ressemblait à John Oates du duo Hall et Oates.

Une ombre a traversé le visage de Lance. Aussitôt, il a essayé de se ressaisir.

— Vous savez de qui je parle.

— Dites-moi exactement ce qui s'est passé, a-t-il rétorqué entre ses dents.

— On n'a pas le temps. C'était quoi, l'histoire du jeune Wolf ?

— Personne n'a été soudoyé.

Une femme en fauteuil roulant se dirigeait vers eux. Banner s'est écarté pour lui céder le passage. Puis il s'est frotté le visage.

— Il y a six mois environ, un enseignant a prétendu avoir surpris Randy Wolf en train de vendre de l'herbe. Il l'a fouillé et a découvert deux sachets sur lui. Deux sachets à cinq dollars. Pas grand-chose, quoi.

— Cet enseignant, a dit Myron. Qui était-ce ?

— Il nous a demandé de ne pas divulguer son nom.

— Était-ce Harry Davis ?

Lance Banner n'a pas acquiescé, mais c'était tout comme.

— Comment est-ce arrivé ?

— Le professeur nous a appelés. J'ai envoyé deux de mes gars sur place. Hildebrand et Peterson. Ils correspondent… à votre signalement. Randy Wolf a déclaré avoir été victime d'un coup monté.

Myron a froncé les sourcils.

— Et vos gars ont gobé ça ?

— Non. Mais les preuves étaient minces. Les conditions de la fouille étaient légalement contestables. Les quantités étaient négligeables. Et Randy Wolf était un bon élément. Aucun précédent en matière de délinquance.

— Vous ne vouliez pas lui attirer d'ennuis.

— Personne n'y tenait.

— Dites-moi, Lance. S'il s'était agi d'un ado noir de Newark pris en train de dealer au lycée de Livingston, auriez-vous réagi de la même façon ?

— Ne commencez pas à m'emmerder avec vos théories. D'abord, les chefs d'inculpation étaient maigres, et ensuite, le lendemain, Harry Davis a déclaré à mes agents qu'il ne témoignerait pas. Point barre. Il s'est rétracté. Et l'affaire s'est arrêtée là. Mes gars n'avaient pas d'autre choix.

— Ça tombait bien, a opiné Myron. Au fait, la saison a été bonne pour l'équipe de foot ?

— Il n'y avait pas de quoi en faire un fromage. Ce gamin a un brillant avenir devant lui. Il doit aller à Dartmouth.

— C'est ce qu'on ne cesse de me répéter, a dit Myron. Mais à force, je me demande si ça va se réaliser.

Quelqu'un a crié soudain :

— Bolitar !

Myron s'est retourné. C'était Dominick Rochester, au bout du couloir. Rouge, les menottes aux poignets, il était flanqué de deux policiers. Myron s'est dirigé vers lui. Lance Banner l'a suivi au trot.

— Myron… ?

— Je ne ferai rien, Lance. Je veux juste lui parler.

Myron s'est arrêté à cinquante centimètres de lui. Les yeux noirs de Rochester lançaient des éclairs.

— Où est ma fille ?

— Vous êtes fier de vous, Dominick ?

— Vous, a éructé Rochester, vous savez quelque chose au sujet de Katie.

— C'est votre femme qui vous a dit ça ?

— Non.

Il a souri – c'était une vision cauchemardesque.

— En fait, c'est tout le contraire.

— Comment ça ?

Se penchant plus près, Dominick Rochester a chuchoté :

— Quoi que j'aie pu lui faire, et malgré la douleur, ma chère moitié n'a pas desserré les dents. Voilà pourquoi je suis sûr que vous savez quelque chose. Parce que, malgré ce que je lui ai fait endurer, elle n'a pas dit un mot.

Myron avait regagné sa voiture quand il a eu un appel d'Erin Wilder.

— Je sais où est Randy Wolf.

— Où ?

— Les terminales ont organisé une fête chez Sam Harlow.

— Une fête ? Les amis d'Aimee ne s'inquiètent donc pas pour elle ?

— Tout le monde pense qu'elle a fugué, a dit Erin. Et comme certains ont chatté avec elle sur Internet, ça leur paraît encore plus évident.

— Attends un peu. S'ils sont dans une fête, comment ont-ils su qu'elle s'était connectée ?

— Ils peuvent accéder à leur messagerie depuis leurs téléphones portables.

Les progrès de la technologie, s'est dit Myron. S'éloigner pour mieux communiquer. Erin lui a donné l'adresse. Il connaissait le quartier. Le trajet n'a pas été long.

Il y avait toute une flopée de voitures devant chez les Harlow. Une grande tente avait été dressée dans le jardin. C'était une véritable réception, avec convives, rien à voir avec la poignée d'ados qui vont chiper des bières dans le frigo. Myron s'est garé et a pénétré dans le jardin.

Il y avait aussi quelques parents – en guise de chaperons, sûrement. Ça risquait de compliquer les choses, mais il n'avait pas le temps de s'en préoccuper. La police était peut-être mobilisée, mais guère pressée de saisir le taureau par les cornes. Myron, de son côté, commençait à y voir clair. Et l'une des pièces maîtresses sur l'échiquier, c'était Randy Wolf.

La soirée était subtilement cloisonnée. Les parents se tenaient sur la terrasse, Myron les distinguait dans la pénombre. Ils riaient, massés autour d'un tonnelet de bière. Les hommes, en bermuda et mocassins, fumaient des cigares. Les femmes portaient des claquettes et des jupes Lilly Pulitzer de toutes les couleurs.

Les élèves de terminale s'étaient regroupés au fond de la tente, le plus loin possible des adultes. La piste de danse était vide. Le DJ avait mis une chanson des Killers, où il était question d'une petite copine qui ressemblait à un petit copain que quelqu'un avait eu en février. Myron est allé droit vers Randy et lui a posé la main sur l'épaule.

Randy s'est dégagé d'un geste brusque.

— Lâchez-moi.

— Il faut que je te parle.

— Mon père a dit…

— Je sais très bien ce qu'a dit ton père. Mais on va parler quand même.

Randy Wolf était entouré de cinq ou six autres garçons. Dont quelques gros gabarits. Le quarterback et sa ligne d'attaque.

— Cette tête de nœud t'enquiquine, Shitman ?

Ce gars-là était énorme. Il a souri à Myron. Il avait des cheveux blonds hérissés, mais ce qu'on remarquait en premier, ce qui d'emblée sautait aux yeux, c'est qu'il était torse nu. Ils étaient invités à une réception. Il y avait des filles, du punch, de la musique, des danses, des parents même. Et ce garçon était torse nu.

Randy n'a rien dit.

Torse Nu avait des barbelés tatoués autour de ses biceps hypertrophiés. Myron a froncé les sourcils. Pour faire plus frime que ça, il restait juste à graver le mot « Frimeur » en toutes lettres. Tout y était : les tablettes de chocolat, la peau tellement lisse qu'on aurait dit qu'il était passé sous une ponceuse. Il jouait des pectoraux. Il avait un front fuyant, et ses yeux rougis laissaient entendre qu'un peu de bière avait trouvé le chemin de la tente. Il portait un pantalon à mi-mollet, une sorte de corsaire, même si Myron avait toujours cru que ceux-ci étaient réservés aux filles.

— Qu'est-ce que tu mates, tête de nœud ?

— Rien, a répondu Myron. Et quand je dis rien… je suis sincère.

Il y a eu des exclamations étouffées dans la foule. Quelqu'un a dit :

— Hou là, il va s'en prendre une, le vioque !

Et un autre :

— Vas-y, montre-lui, Crush !

Torse Nu, alias Crush, a pris son air le plus féroce.

— Shitman n'a rien à te dire, t'as compris, tête de nœud ?

Ç'a fait rire ses copains.

— Tête de nœud, a répété Myron. C'est encore plus drôle la troisième fois.

Il a fait un pas vers lui. Crush n'a pas bougé.

— Ceci ne te regarde pas.

— Ben maintenant, ça me regarde.

Myron a marqué une pause. Puis :

— Tu voulais dire : « Ça me regarde, tête de nœud », non ?

Tout le monde s'est à nouveau exclamé. L'un des jeunes a dit :

— Courez vite vous mettre à l'abri, m'sieur. Personne ne se paie la tête de Crush comme ça.

Myron a regardé Randy.

— Il faut que je te parle avant que ça dégénère.

Souriant, Crush a fait onduler ses pectoraux.

— Ça a déjà dégénéré.

Myron n'avait pas envie de se colleter avec un gamin, pas devant les parents. C'était trop problématique.

— Je ne cherche pas la bagarre, a-t-il dit.

— Mais tu vas l'avoir, tête de nœud.

Quelques « Oooh ! » ont accueilli cette déclaration. Crush a croisé ses bras massifs. C'était un geste stupide. Myron voulait régler ça le plus rapidement possible, avant que les parents ne flairent quelque chose. Mais les copains de Crush le regardaient. Il était le gros dur de service, il ne pouvait plus faire machine arrière.

Les bras croisés sur la poitrine. Que c'était macho… Et que c'était bête !

Myron est donc passé à l'action. Quand on veut neutraliser quelqu'un avec un minimum d'efforts ou de dégâts, cette technique se révèle des plus efficaces. La main de Myron est partie d'en bas, de sa position de repos. C'était ça, l'astuce. On ne plie pas le poignet. On n'écarte pas le bras. On ne serre pas le poing. La distance la plus courte entre deux points est la ligne droite. C'est ça qu'il faut garder en mémoire. Profitant de sa célérité naturelle et de l'élément de surprise, Myron a frappé en ligne droite, celle qui reliait sa main reposant le long de sa hanche à la gorge de Crush.

Il n'a pas frappé fort. Se servant du tranchant à la hauteur du petit doigt, il a touché le point sensible, parmi les plus vulnérables du corps humain. Lorsqu'on frappe quelqu'un à la gorge, ça fait mal. La personne tousse, suffoque et se fige. Mais il faut savoir ce qu'on fait. Un coup trop violent peut occasionner des dommages irréparables. La main de Myron a jailli, tel un cobra.

Les yeux de Crush lui sont sortis de la tête. Un bruit étranglé s'est coincé dans sa gorge. Avec une aisance quasi désinvolte, Myron a balayé ses jambes de son cou-de-pied. Crush s'est effondré. Sans perdre une seconde, Myron a empoigné Randy par le col et l'a traîné hors de la tente. Si quelqu'un avait osé bouger, un regard aurait suffi pour le clouer au sol.

Myron a poussé Randy dans le jardin du voisin.

— Aïe, lâchez-moi !

Tant pis. Randy avait dix-huit ans. Il était majeur, non ? Donc, pas de cadeau. Il l'a emmené derrière un garage deux maisons plus loin. Quand il l'a relâché, Randy s'est frotté le cou.

— Ça va pas, non, qu'est-ce qui vous prend ?

— Aimee a des ennuis, Randy.

— Elle s'est tirée. Tout le monde le dit. Il y a des gens qui ont chatté avec elle, tout à l'heure.

— Pourquoi avez-vous rompu ?

— Quoi ?

— Je t'ai demandé…

— J'ai entendu.

Randy a haussé les épaules.

— On a évolué différemment, c'est tout. Chacun allait partir étudier de son côté. Il était temps de tourner la page.

— La semaine dernière, vous êtes allés ensemble au bal de la promo.

— Oui, et alors ? C'était prévu depuis un an. Le smoking, la robe, on a loué une limousine avec une bande de potes. Tout notre groupe d'amis. On ne voulait pas leur gâcher la soirée. Du coup, on y a été ensemble.

— Pourquoi avez-vous rompu, Randy ?

— Je viens de vous le dire.

— Aimee a découvert que tu vendais de la drogue ?

Randy a souri. Il était beau gosse et avait un sourire magnifique.

— À vous entendre, on croirait que je zone à Harlem pour fourguer de l'héroïne aux mômes.

— J'engagerais bien le débat, Randy, mais je suis un peu pressé, là.

— Évidemment qu'Aimee était au courant. Elle a

même participé, et pas qu'une fois. C'était pas grand-chose. Je fournissais juste quelques potes.

— Dont Katie Rochester ?

— Elle est venue me voir. Je lui ai rendu service.

— Alors, une fois de plus, Randy, pourquoi avez-vous rompu, Aimee et toi ?

À nouveau, il a haussé les épaules et répondu, à peine un demi-ton plus bas :

— Demandez à Aimee.

— C'est elle qui a cassé ?

— Aimee a changé.

— Changé comment ?

— Allez poser la question à son vieux.

Myron s'est redressé.

— Erik ?

Il a froncé les sourcils.

— Que vient-il faire là-dedans ?

Silence.

— Randy ?

— Aimee a découvert que son père avait une autre nana. Et depuis, elle a changé.

— Comment ?

— Je ne sais pas. On aurait dit qu'elle faisait tout pour l'emmerder. Son père m'aimait bien. Du coup... (Haussement d'épaules.) elle a cessé de m'aimer.

Myron s'est rappelé sa conversation avec Erik, la nuit précédente, au fond de l'impasse. Et cette explication lui a paru plausible.

— Je tenais à elle, poursuivait Randy. Vous n'imaginez pas à quel point. J'ai essayé de la récupérer, mais ça m'est retombé dessus. Maintenant, c'est fini. Terminé. Aimee ne fait plus partie de ma vie.

On entendait les autres jeunes qui se rapprochaient.

Myron a voulu rattraper Randy par le col pour l'entraîner à l'écart, mais il s'est reculé.

— C'est bon ! a-t-il lancé à ses camarades. On discute, c'est tout.

Il s'est tourné vers Myron. Son regard était soudain limpide.

— Allez-y. Il y a autre chose que vous voulez savoir ?

— Ton père a traité Aimee de traînée.

— Oui.

— Pourquoi ?

— À votre avis ?

— Elle fréquentait quelqu'un d'autre ?

Randy a hoché la tête.

— Était-ce Drew Van Dyne ?

— Ça n'a plus d'importance.

— Si, justement.

— Non. Sauf votre respect et tout, ça ne m'intéresse plus. Écoutez, le lycée, c'est fini. Je vais à Dartmouth. Aimee va à Duke. Ma mère m'a dit que le lycée, ça ne compte pas. Que les gens qui étaient heureux au lycée deviennent les plus malheureux des adultes. J'ai de la chance. Je le sais. Et je sais que ça ne durera pas, à moins de faire un pas de plus. Je pensais... on en avait parlé... je pensais qu'Aimee était d'accord avec moi. L'importance du prochain pas à faire. On a eu tous les deux ce qu'on voulait. On a été reçus à l'université qu'on avait choisie.

— Elle est en danger, Randy.

— Je ne peux pas vous aider.

— Et elle est enceinte.

Il a fermé les yeux.

— Randy ?

— Je ne sais pas où elle est.

— Tu as dit que tu avais essayé de la récupérer, et que ça t'était retombé dessus. Que s'est-il passé, Randy ?

Il a secoué la tête. Il refusait de répondre. Mais Myron avait sa petite idée là-dessus. Il lui a donné sa carte.

— Si jamais tu penses à quelque chose…

— OK.

Tournant les talons, Randy a rejoint la fête. La musique était forte. Les parents riaient. Et Aimee était toujours dans le pétrin.

48

En arrivant à sa voiture, Myron est tombé sur Claire.

— C'est Erik, a-t-elle dit.

— Quoi, qu'est-ce qu'il a ?

— Il est parti en courant. Avec le vieux pistolet de son père.

— Tu l'as appelé sur son portable ?

— Il ne répond pas.

— À ton avis, où a-t-il pu aller ?

— Il y a quelques années, a dit Claire, j'ai représenté une société nommée KnowWhere. Tu connais ?

— Non.

— Ils équipent les véhicules d'un GPS, pour les cas d'urgence par exemple. Bref, on en a fait installer un dans chaque voiture. J'ai pu joindre le patron chez lui et je l'ai supplié de m'aider à localiser la voiture d'Erik.

— Alors ?

— Il est garé devant chez Harry Davis.

— Nom de Dieu !

Myron s'est précipité dans sa voiture. Claire s'est

glissée à côté de lui. Il a voulu protester, mais ce n'était pas le moment. Chaque seconde comptait.

— Téléphone chez Harry Davis.

— J'ai essayé, a dit Claire. Ça ne répond pas.

La voiture d'Erik était bel et bien garée juste en face de la maison des Davis. Pour passer inaperçu, il devait y avoir mieux.

Myron a sorti sa propre arme.

— C'est pour quoi faire, ça ? a demandé Claire.

— Reste ici.

— Je t'ai posé une…

— Pas maintenant, Claire. Reste là. J'appellerai si j'ai besoin de toi.

Sa voix était sans réplique et, pour une fois, Claire a obéi. Se baissant, il s'est engagé dans l'allée. La porte d'entrée était entrebâillée. Ce n'était pas bon signe. Courbé en deux, Myron a tendu l'oreille.

Il a entendu des bruits, sans pouvoir déterminer leur origine.

Il a poussé la porte avec la crosse de son pistolet. Il n'y avait personne dans l'entrée. Les sons provenaient de la gauche. Il s'est avancé à pas de loup et, au détour d'un couloir, a aperçu une femme allongée sur le sol. Ce devait être Mme Davis.

Elle était bâillonnée. Ses mains étaient ligotées derrière son dos. La peur dilatait ses pupilles. Myron a posé un doigt sur ses lèvres. Son regard a pivoté à droite avant de revenir sur Myron.

Les bruits venaient de là.

Il y avait du monde dans la pièce. Sur sa droite.

Myron a hésité. Il pouvait ressortir pour appeler la

police. Ils encercleraient la maison, parlementeraient avec Erik. Sauf que d'ici là, il serait peut-être déjà trop tard.

Il a entendu le bruit d'une gifle. Quelqu'un a crié. Mme Davis a fermé les yeux.

Il n'avait pas vraiment le choix. Le pistolet à la main, il s'apprêtait à bondir, il avait fléchi les jambes, puis il s'est arrêté.

Était-ce bien prudent ?

Erik était armé. Il pouvait, certes, réagir en capitulant. Mais il pouvait aussi paniquer et tirer.

Cinquante-cinquante.

Alors Myron a tenté autre chose.

— Erik ?

Silence.

— Erik, c'est moi. Myron.

— Entre, Myron.

Le ton était calme. Chantant presque. Myron a pénétré dans la pièce. Erik était debout, en chemise blanche sans cravate. Sa main serrait le pistolet. Le plastron de la chemise était éclaboussé de sang.

En voyant Myron, il a souri.

— M. Davis est enfin disposé à parler.

— Baisse ton arme, Erik.

— Je n'en ai pas l'intention.

— J'ai dit…

— Quoi ? Tu vas tirer sur moi ?

— Personne ne tire sur personne. Allez, baisse ton arme.

Erik a secoué la tête. Il souriait toujours.

— Approche, je t'en prie.

Myron a traversé la pièce, le canon du pistolet pointé en l'air. Et il a vu Harry Davis. Assis dans un fauteuil, il lui tournait le dos. Des liens en Nylon lui entravaient les poignets. Sa tête retombait sur sa poitrine.

Myron a contourné le fauteuil.

— Oh, nom d'un chien !

Davis avait été frappé. Son visage était en sang. Il avait perdu une dent qui gisait sur le plancher. Myron a regardé Erik. Il le trouvait différent, beaucoup moins raide que d'habitude. Il ne semblait ni anxieux ni agité. En fait, Myron ne l'avait encore jamais vu aussi détendu.

— Il lui faut un médecin, a dit Myron.

— Il n'a rien.

Les yeux d'Erik étaient deux lacs paisibles.

— Ce n'est pas le bon moyen, Erik.

— Moi, je pense que si.

— Écoutez…

— C'est inutile. Tu es un pro, Myron, pas de doute là-dessus. Tu suis certaines règles. Tu te conformes à un code. Mais quand ton enfant est en danger, plus rien de tout cela n'existe.

Myron a songé à Dominick Rochester qui avait dit pratiquement la même chose chez les Seiden. On ne pouvait imaginer deux individus plus dissemblables ; or, voici que la peur et le désespoir leur dictaient des réactions quasi identiques.

Harry Davis a levé son visage ensanglanté.

— Je ne sais pas où est Aimee, je le jure.

Avant que Myron n'ait eu le temps d'intervenir, Erik a pointé son arme vers le bas et tiré. La détonation a retenti, assourdissante, dans la petite pièce. Harry Davis a hurlé. Un gémissement s'est échappé du bâillon de Mme Davis.

Myron, les yeux agrandis, a contemplé la chaussure de Davis.

Il y avait un trou dans le cuir.

Au bord du gros orteil. Le sang commençait à couler. Myron a levé son arme, visant Erik à la tête.

— Lâche ça tout de suite !

— Non.

Erik a dévisagé Harry Davis. Malgré la douleur, ce dernier s'était redressé, et son regard était plus clair.

— Avez-vous couché avec ma fille ?

— Jamais !

— Il dit la vérité, Erik.

Erik a pivoté vers Myron.

— Comment le sais-tu ?

— C'était un autre prof. Un certain Drew Van Dyne. Il travaille au magasin de musique où elle avait l'habitude d'aller.

Erik a eu l'air déconcerté.

— Mais quand tu l'as déposée, Aimee est venue ici, non ?

— C'est vrai.

— Pourquoi ?

Ils se sont tournés tous les deux vers Harry Davis. Sa chaussure était maculée de sang. Les voisins avaient-ils entendu le coup de feu et appelé la police ? Myron en doutait. Les gens d'ici auraient plutôt tendance à croire à un pot d'échappement défectueux ou à l'explosion d'un pétard, phénomènes explicables et inoffensifs.

— Ce n'est pas ce que vous croyez, a dit Harry Davis.

— Quoi ?

Davis a risqué un coup d'œil en direction de sa femme. Myron a compris. Il a entraîné Erik à l'écart.

— Tu l'as fait craquer. Il est prêt à se mettre à table.

— Et alors ?

— Il ne parlera pas devant sa femme. Et, s'il a fait

quelque chose à Aimee, il ne parlera pas devant toi non plus.

Erik ne s'était pas départi de son petit sourire.

— Tu veux reprendre la main ?

— La question n'est pas là. Ce qu'on cherche, c'est obtenir des informations.

À la grande surprise de Myron, Erik a hoché la tête.

— Tu as raison.

Myron l'a regardé, comme s'il attendait la chute.

— Tu penses qu'il s'agit de moi, a dit Erik. Pas du tout. Il s'agit de ma fille. De ce dont je suis capable pour la sauver. Cet homme, je le tuerais sans sourciller. Je tuerais sa femme. Et toi aussi, Myron, tiens. Mais ça ne servirait à rien. Tu as raison. Je l'ai fait craquer. Mais si on veut qu'il parle librement, sa femme et moi devrions sortir d'ici.

Erik s'est approché de Mme Davis. Elle s'est tassée sur elle-même.

— Laissez-la tranquille ! a crié Harry Davis.

Sans se préoccuper de lui, Erik a aidé Mme Davis à se relever. Puis il s'est retourné vers Harry.

— Votre femme et moi allons attendre à côté.

Ils sont passés dans la cuisine. Erik a fermé la porte. Myron a voulu détacher Davis, mais les liens en Nylon étaient trop serrés. Il a attrapé une couverture pour stopper l'hémorragie au pied.

— Je ne sens pas grand-chose, a dit Davis.

Sa voix semblait venir de loin. Curieusement, lui aussi s'était détendu. Myron avait déjà vu ça. Se confesser est en effet bon pour l'âme. Cet homme portait un lourd fardeau. Ça lui ferait du bien, temporairement au moins, de vider son sac.

— J'enseigne dans le secondaire depuis vingt-deux ans, a commencé Davis sans se faire prier. J'aime ça. Ce n'est pas bien payé, je sais. Ce n'est pas prestigieux. Mais j'adore mes élèves. J'aime les aider à avancer. J'aime qu'ils reviennent me voir quand ils ont quitté le lycée.

Il s'est interrompu.

— Pourquoi Aimee est-elle venue ici l'autre soir ? a demandé Myron.

Mais Davis ne semblait pas avoir entendu.

— Réfléchissez un peu, monsieur Bolitar. Vingt ans et quelque. Avec des lycéens. Je ne dis pas des « gamins ». Car ce ne sont pas des gamins. Ils ont seize, dix-sept, dix-huit ans pour certains. Ils sont assez vieux pour voter et servir dans l'armée. Et, à moins d'être aveugle, ce sont des jeunes femmes, pas des petites filles. Il ne vous arrive jamais de regarder le *Sports Illustrated* spécial maillots de bain ? Et les podiums des grands défilés de mode ? Ces mannequins ont l'âge des beautés juvéniles que j'ai en face de moi cinq jours par semaine, dix mois par an. Des femmes, monsieur Bolitar. Pas des petites filles. Il ne s'agit pas de quelque déviance genre pédophilie ou autre.

— J'espère, a dit Myron, que vous ne cherchez pas à justifier des histoires de coucheries avec des élèves.

Davis a secoué la tête.

— J'essaie juste de replacer ce que j'ai à vous dire dans son contexte.

— Je n'ai pas besoin de contexte, Harry.

Ça l'a presque fait rire.

— Vous comprenez ce dont je parle plus que vous ne voulez l'admettre, je pense. Il se trouve que je suis un homme normal… j'entends par là un être humain hétérosexuel de sexe masculin avec des désirs et des appétits normaux. Je suis entouré, année après année, de ravissantes créatures qui portent des habits moulants, des jeans taille basse et qui exhibent leurs décolletés plongeants et leurs ventres nus. Chaque jour que Dieu fait, monsieur Bolitar. Elles me sourient. Elles flirtent avec moi. Et nous autres, enseignants, nous sommes censés être forts et résister à la tentation.

— Laissez-moi deviner, a dit Myron. Vous avez cessé de résister ?

— Je ne cherche pas à ce que vous partagiez mon point de vue. Ce que je vous dis, c'est que notre situation est contre nature. Quand on croise dans la rue une fille sexy de dix-sept ans, on la regarde. On la désire. On fantasme même.

— Mais on ne passe pas à l'acte.

— Pourquoi ? Parce que c'est mal... ou parce que vous n'en avez pas l'occasion ? Imaginez maintenant que vous en voyiez par centaines, des filles comme ça, tous les jours, pendant des années. Depuis la nuit des temps, l'homme aspire à la richesse et au pouvoir. Pourquoi ? Les anthropologues vous diront que c'est pour attirer plus de femmes, et parmi les meilleures. C'est dans l'ordre naturel des choses. Ne pas regarder, ne pas désirer, ne pas éprouver d'attirance... ce serait inhumain, non ?

— Je n'ai pas le temps, Harry. Vous savez très bien que c'est mal.

— Je sais, oui. Pendant vingt ans, j'ai réprimé ces pulsions. Je me bornais à regarder, à imaginer, à fantasmer.

— Et puis ?

— Il y a deux ans, j'ai eu une élève extraordinaire, belle, douée. Non, ce n'est pas Aimee. Je ne vous dirai pas son nom. Vous n'avez aucune raison de le connaître. Elle était assise au premier rang, cette merveille des merveilles. Elle me regardait comme si j'étais un dieu.

Les deux premiers boutons de son chemisier étaient toujours défaits…

Davis a fermé les yeux.

— Vous avez cédé à vos pulsions naturelles, a dit Myron.

— Je ne connais pas beaucoup d'hommes qui auraient résisté.

— Et quel rapport avec Aimee Biel ?

— Aucun. Enfin, pas directement. J'ai eu une aventure avec cette jeune femme. Je n'entrerai pas dans le détail.

— Je vous remercie.

— Mais pour finir, on a été découverts. Vous imaginez le désastre. Ses parents ont perdu la tête. Ils l'ont dit à ma femme. Elle ne m'a toujours pas pardonné. Pas tout à fait. Seulement, Donna a de l'argent qui lui vient de sa famille. Nous les avons achetés. Eux non plus ne voulaient pas ébruiter l'affaire. Ils craignaient pour la réputation de leur fille. Nous sommes tous convenus de nous taire. Elle est allée à la fac. Je suis retourné au lycée. J'avais appris ma leçon.

— Et donc ?

— J'ai tourné la page. Je sais que vous voulez me faire passer pour un monstre. Je n'en suis pas un. J'ai eu beaucoup de temps pour réfléchir. Vous croyez que je cherche à me justifier, mais ce n'est pas ça. Je suis un bon enseignant. Vous-même avez souligné la prouesse que ça représente d'être nommé professeur de l'année… or j'ai remporté ce titre plus de fois que n'importe qui dans toute l'histoire de ce lycée. Parce que je prends mon métier à cœur. Ce n'est pas contradictoire, le fait d'avoir ces pulsions et de tenir à mes élèves. Les ados ont des antennes, vous le savez bien. Ils sont capables de flairer l'imposture à un kilomètre de distance. Ils votent pour moi, ils viennent me parler de leurs problèmes, parce qu'ils savent que je tiens sincèrement à eux.

Myron avait envie de vomir, tout en sachant que ces arguments n'étaient pas dénués d'un fondement pervers.

— Vous êtes donc retourné au lycée, a-t-il repris pour le remettre sur les rails. Vous avez tourné la page et… ?

— C'est là que j'ai commis une nouvelle erreur.

Davis a souri. Il avait du sang sur les dents.

— Non, ce n'est pas ce que vous croyez. Je n'ai pas eu d'autre aventure.

— C'était quoi, alors ?

— J'ai surpris un élève en train de vendre de l'herbe. Et je l'ai dénoncé à la fois au proviseur et à la police.

— Randy Wolf, a dit Myron.

Davis a hoché la tête.

— Que s'est-il passé ?

— Son père. Vous connaissez le bonhomme ?

— Je l'ai rencontré.

— Il s'est renseigné à droite et à gauche. Il y avait eu quelques vagues rumeurs sur ma liaison avec cette élève. Il a engagé un détective privé. Et il s'est fait aider d'un autre professeur, Drew Van Dyne. Vu que c'est Van Dyne qui fournissait la drogue à Randy.

— Donc, si Randy était poursuivi, a dit Myron, Van Dyne y perdait également.

— Oui.

— Voyons voir. Jake Wolf a appris votre incartade.

Davis a acquiescé.

— Et il vous a fait chanter pour vous réduire au silence.

— Oh, il a fait mieux que ça.

Myron a regardé son pied. Le sang ne coulait presque

plus. Il aurait fallu l'emmener à l'hôpital, mais il ne voulait pas l'interrompre. Bizarrement, Davis n'avait pas l'air de souffrir de sa blessure. Il avait envie de parler. Il devait passer et repasser ce raisonnement tordu dans sa tête depuis des années, et voilà qu'enfin il avait l'occasion d'en faire part à quelqu'un.

— Jake Wolf me tenait. Une fois qu'on s'engage dans la voie du chantage, on n'en sort plus. Oui, il m'a offert de l'argent. Et j'ai accepté.

Myron a repensé à ce que Wheat Manson lui avait dit au téléphone.

— Vous n'êtes pas uniquement professeur. Vous êtes aussi conseiller d'orientation.

— C'est exact.

— Vous avez accès aux dossiers scolaires des élèves. J'ai vu jusqu'où les parents sont prêts à aller pour faire admettre leur progéniture dans le bon établissement.

— Vous n'avez pas idée, a dit Davis.

— Si. C'était pareil quand j'étais môme. Jack Wolf vous a demandé de modifier les notes de son fils.

— Quelque chose comme ça. Je n'ai touché qu'à la partie administrative de son dossier. Randy voulait aller à Dartmouth. Dartmouth voulait Randy à cause du football. Mais pour cela, il devait faire partie des meilleurs élèves, les dix pour cent qui sont en tête du classement. Ils sont quatre cents dans sa promo. Randy était classé cinquante-troisième – une bonne place, mais pas dans les dix pour cent. Un de ses camarades, un garçon brillant nommé Ray Clarke, était cinquième de la promo. Clarke a été admis parmi les premiers à Georgetown. Je savais qu'il n'allait pas postuler ailleurs…

— Vous avez donc interverti sa place avec celle de Randy ?

— Oui.

Myron s'est rappelé alors les paroles de Randy, comme quoi il avait essayé de récupérer Aimee et que ça lui était retombé dessus.

— Et vous avez fait la même chose pour Aimee Biel. Afin qu'elle soit sûre d'entrer à Duke. C'est Randy qui vous l'a demandé, n'est-ce pas ?

— Oui.

— Quand Randy l'a dit à Aimee, il croyait qu'elle lui en serait reconnaissante. Au lieu de quoi, elle a mené son enquête. Elle a tenté de pénétrer dans l'ordinateur du lycée pour comprendre ce qui s'était passé. Elle a appelé Roger Chang, classé quatrième, pour connaître ses notes et ses activités parascolaires. Elle voulait savoir ce que vous aviez manigancé tous les deux.

— Je ne suis pas au courant de ça.

L'afflux d'adrénaline commençait à baisser. Davis grimaçait de douleur.

— Je n'en ai jamais parlé à Aimee. J'ignore ce que Randy lui a raconté… c'est la question que je lui ai posée quand vous nous avez vus sur le parking du lycée. Il a répondu qu'il n'avait pas cité mon nom. Il lui a seulement dit qu'il allait donner un coup de pouce à son dossier de candidature.

— Mais Aimee a tiré les choses au clair. Du moins, elle a essayé.

— Peut-être bien.

Il a grimacé de plus belle. Mais Myron s'en moquait.

— Bien, venons-en à cette fameuse nuit de samedi, Harry. Pourquoi Aimee m'a-t-elle demandé de la déposer ici ?

La porte de la cuisine s'est ouverte. Erik a jeté un œil dans la pièce.

— Comment ça se passe ?

— Très bien, a dit Myron.

Il s'attendait à ce qu'il se montre impatient, mais Erik s'est retiré sans discuter.

— Il est cinglé, a dit Davis.

— Vous avez des filles, n'est-ce pas ?

— Oui.

Soudain, il a hoché la tête comme s'il venait de comprendre.

— Vous êtes en train de tourner autour du pot, Harry. Votre pied saigne. Vous avez besoin de soins médicaux.

— Je m'en fiche.

— Vous avez fait une bonne partie du chemin. Allez, finissons-en. Où est Aimee ?

— Je ne sais pas.

— Pourquoi est-elle passée ici ?

Il a fermé les yeux.

— Harry ?

Il a répondu doucement :

— Que Dieu me pardonne, je n'en sais rien.

— Vous voulez bien vous expliquer ?

— Elle a frappé à la porte. À une heure pas possible. Il devait être deux ou trois heures du matin. Donna et moi, on était en train de dormir. Elle nous a fait une de ces peurs ! On est allés à la fenêtre. Vous auriez dû voir la tête de ma femme. La confiance que je m'efforçais de rétablir entre nous deux a disparu d'un coup. Elle s'est mise à pleurer.

— Qu'avez-vous fait alors ?

— J'ai renvoyé Aimee.

Il y a eu un silence.

— J'ai ouvert la fenêtre. J'ai dit qu'il était tard. Qu'on pourrait parler lundi.

— Et comment a-t-elle réagi ?

— Elle m'a regardé. Sans mot dire. J'ai bien vu qu'elle était déçue.

Davis a serré les paupières.

— Mais je craignais également qu'elle ne soit en colère.

— Elle est repartie ?

— Oui.

— Et depuis, elle a disparu, a dit Myron. Avant d'avoir pu révéler ce qu'elle savait. Avant d'avoir pu vous détruire. Si votre magouille venait à s'ébruiter, c'en était – comme je vous l'ai dit dans le bureau du proviseur – fini de vous.

— Je sais. J'y ai pensé.

Des larmes coulaient à présent sur les joues de Harry.

— Qu'y a-t-il ? a demandé Myron.

— Ma troisième grosse erreur, a-t-il répondu tout bas.

Myron a senti un frisson glacé lui parcourir l'échine.

— Qu'avez-vous fait ?

— Je ne lui aurais jamais fait de mal. Jamais. Je l'aimais bien.

— Qu'avez-vous fait, Harry ?

— J'étais perdu. Je ne savais pas bien où on en était. Du coup, quand elle a frappé chez moi, j'ai eu peur. J'étais conscient des risques… tout ce que vous avez dit est vrai. Alors j'ai paniqué.

— Qu'avez-vous fait ? a répété Myron.

— J'ai appelé quelqu'un. Sitôt qu'elle est partie. Je croyais qu'il aurait une solution à me proposer.

— Qui avez-vous appelé, Harry ?

— Jake Wolf. J'ai téléphoné à Jake Wolf et lui ai dit qu'Aimee Biel était ici, devant ma porte.

49

Lorsqu'ils sont sortis en courant, Claire s'est avancée à leur rencontre.

— Bon Dieu, qu'est-ce qui s'est passé là-dedans ?

Erik n'a pas ralenti le pas.

— Rentre à la maison, Claire. Au cas où elle appellerait.

Claire a regardé Myron comme pour avoir son avis. Il n'a pas bronché. Erik s'était déjà installé à la place du conducteur – au propre comme au figuré. Myron s'est empressé de se glisser à la place du mort.

— Tu sais aller chez les Wolf ? a-t-il demandé.

— J'y ai emmené ma fille plein de fois.

Erik a appuyé sur l'accélérateur. Myron a scruté son visage. D'ordinaire, son expression était limite hautaine, sourcils froncés et moue de désapprobation. À cet instant, ses traits étaient lisses, paisibles. On s'attendait presque à ce qu'il allume la radio et se mette à siffloter.

— Tu vas te faire arrêter, a dit Myron.

— Ça m'étonnerait.

— Tu crois qu'ils se tairont ?

— Sûrement.

— L'hôpital sera obligé de déclarer la blessure par balle.

Erik a haussé les épaules.

— Et alors, ils diront quoi ? J'ai le droit de comparaître devant un jury de mes pairs. Dans le tas, il y aura forcément des parents avec des enfants ados. Je viendrai à la barre. Je parlerai de ma fille qui a disparu, de la victime qui est professeur de lycée, qui a séduit une élève et trafiqué des dossiers scolaires...

Il n'a pas terminé sa phrase, comme si le verdict était connu d'avance. Myron ne savait pas quoi dire. Il s'est calé dans son siège.

— Myron ?

— Oui ?

— Tout est ma faute, non ? C'est mon aventure qui a servi de catalyseur.

— Je ne crois pas que ce soit aussi simple, a répliqué Myron. Aimee est une forte tête. Ton histoire a peut-être joué, mais quelque part, ça devait arriver. Van Dyne est prof de musique et travaille dans son magasin préféré. Ça lui donne une sorte d'aura, non ? Elle en avait probablement assez de Randy. Aimee a toujours été gentille, non ?

— Une perle, a dit Erik doucement.

— Alors il se peut qu'elle ait eu besoin de se rebeller. C'est normal. Et Van Dyne était là, à portée de main. Je ne dis pas que c'est ça. Mais à mon sens, tu n'es pas le seul responsable.

Erik a hoché la tête – il n'avait pas l'air très convaincu. Il faut dire que Myron n'avait pas cherché à être convaincant. Il a songé à appeler la police, mais pour leur dire quoi ? Et que feraient-ils ? Si ça se trouve,

Jack Wolf avait mis les municipaux dans sa poche. Ils risquaient de l'avertir. D'une manière ou d'une autre, ils se devaient de respecter la procédure. Alors qu'Erik et lui, non.

— Comment crois-tu que les choses se sont déroulées ? a demandé Erik.

— Il nous reste deux suspects, a dit Myron. Drew Van Dyne et Jake Wolf.

Erik a secoué la tête.

— C'est Wolf.

— Comment peux-tu en être aussi sûr ?

— Le lien parental, tu n'as toujours pas capté, hein, Myron ?

— J'ai un fils, Erik.

— Il est en Irak, non ?

Myron n'a rien dit.

— Et que donnerais-tu pour le sauver ?

— Tu connais la réponse.

— Eh oui. C'est pareil pour moi. Et c'est pareil pour Jake Wolf. Il a déjà prouvé jusqu'où il serait capable d'aller.

— Il y a une grosse différence entre le fait de soudoyer un prof pour contrefaire un dossier et…

— … un assassinat ? a achevé Erik à sa place. Ça n'a pas dû commencer de cette façon-là. On commence par lui parler, par essayer de la rallier à votre point de vue. On explique qu'elle aussi pourrait avoir des ennuis, vu la manière dont elle a été admise à Duke et tout. Mais elle ne cède pas. Et soudain, on comprend : c'est le scénario classique du « eux ou nous ». L'avenir de votre fils est entre ses mains. C'est son avenir à elle ou celui de votre fils. Lequel choisit-on ?

— Ce ne sont que des conjectures, a dit Myron.

— Peut-être.

— Tu dois garder l'espoir.

— Pourquoi ?

Myron s'est tourné vers lui.

— Elle est morte, Myron. Tu le sais aussi bien que moi.

— Absolument pas.

— Tu te souviens de ce que tu as dit hier, dans cette impasse ?

— J'ai dit beaucoup de choses.

— Tu as dit que, d'après toi, elle n'avait pas été enlevée au hasard par un déséquilibré.

— Je continue à le penser. Et alors ?

— Réfléchis un peu. Si c'était quelqu'un qu'elle connaissait – Wolf, Davis, Van Dyne, on a l'embarras du choix –, pourquoi l'aurait-il enlevée ?

Myron n'a pas répondu.

— Ils avaient tous une raison pour la faire taire. Réfléchis bien. Tu as dit que ça pouvait être Van Dyne ou Wolf. Personnellement, je parie sur Wolf. Mais d'une façon ou d'une autre, ils craignaient tous les révélations d'Aimee, n'est-ce pas ?

— C'est juste.

— Dans un cas pareil, on n'enlève pas quelqu'un, on le tue.

Il était très calme, les mains à dix heures dix sur le volant. Myron ne savait pas quoi dire. Erik avait résumé la situation d'une manière on ne peut plus rationnelle. Quand on veut réduire quelqu'un au silence, la solution n'est pas de le kidnapper. Cette pensée l'avait effleuré également. Il avait essayé de la chasser, or voilà qu'elle était exhumée en plein jour par l'homme qui, entre tous, était censé espérer une heureuse issue.

— Tel que tu me vois, poursuivait Erik, je suis bien. Tu comprends ? Je me bats. Je lutte pour découvrir la vérité. Quand nous l'aurons retrouvée, si elle est morte, ce sera la fin. Pour moi, j'entends. Je serai fichu. Je me bâtirai une façade. Je continuerai à aller de l'avant pour mes autres enfants. C'est la seule et unique raison pour laquelle je ne me laisserai pas dépérir. À cause de mes autres filles. Une chose est sûre, cependant : ma vie sera terminée. Autant m'enterrer avec Aimee. C'est tout simple, au fond. Je suis mort, Myron. Mais je ne partirai pas en lâche.

— Du calme, a dit Myron. Nous n'en sommes pas encore là.

Tout à coup, il s'est souvenu. Aimee s'était connectée sur Internet. Il allait le rappeler à Erik, histoire de lui remonter le moral. Mais d'abord, il a repassé les événements dans sa tête. Quelque chose clochait. Erik avait soulevé un point intéressant. Compte tenu de ce qu'ils venaient d'apprendre, enlever Aimee n'avait aucun sens... le meilleur moyen de la faire taire était de la tuer.

Était-ce réellement avec Aimee qu'ils avaient échangé des messages sur le Net ? Avait-elle envoyé un SOS à Erin ?

Quelque chose ne collait pas.

Ils ont quitté la route 280 sur les chapeaux de roues. Arrivé dans la rue des Wolf, Erik a écrasé le frein. La voiture a gravi lentement la côte et s'est arrêtée deux maisons plus bas.

— Comment procède-t-on ? a demandé Erik.

— On va frapper à la porte pour voir s'il est là.

Ils sont descendus de voiture. Myron ouvrait la marche. Il a appuyé sur la sonnette qui a émis un trille pompeux, interminable. Erik est resté en arrière, dans le noir. Myron savait qu'il était armé. Il s'est demandé comment faire. Erik avait déjà tiré sur un homme ce soir. Et il semblait prêt à recommencer.

La voix de Lorraine Wolf a résonné dans l'Interphone :

— Qui est-ce ?

— C'est Myron Bolitar, madame Wolf.

— Il est tard. Qu'est-ce que vous voulez ?

Myron s'est rappelé la jupette de tennis et le ton lourd de sous-entendus. Il ne restait plus aucune trace d'ambiguïté à présent. La voix était crispée, cassante.

— Il faut que je parle à votre mari.

— Il n'est pas là.

— Madame Wolf, pouvez-vous ouvrir la porte, s'il vous plaît ?

— Je vais vous prier de partir.

Il a cherché une autre approche.

— J'ai discuté avec Randy tout à l'heure.

Silence.

— À la fête. On a parlé d'Aimee. J'ai également vu Harry Davis. Je suis au courant de tout, madame Wolf.

— Je ne comprends rien à ce que vous dites.

— Ouvrez-moi ou j'irai voir la police.

Nouvelle pause. Il s'est retourné vers Erik. Qui paraissait très à l'aise. Myron n'aimait pas ça.

— Madame Wolf ?

— Mon mari sera de retour dans une heure. Repassez à ce moment-là.

Cette fois, c'est Erik qui a répondu :

— Certainement pas.

Il a sorti son pistolet et, le plaçant contre la serrure, il a tiré. La porte s'est ouverte à la volée. Il s'est rué à l'intérieur, l'arme au poing. Suivi de Myron.

Lorraine Wolf a hurlé.

À l'entrée du salon, les deux hommes se sont immobilisés.

Lorraine Wolf était seule.

L'espace d'un instant, personne n'a bougé. Myron s'est borné à évaluer la situation. Debout au milieu de la pièce, Lorraine portait des gants en latex. C'est la première chose qu'il a remarquée. Des gants en latex jaune canari. Il a regardé ses mains de plus près. Dans une main, elle tenait une éponge, et dans l'autre, un seau jaune assorti à ses gants.

Il y avait une tache humide sur la moquette, à l'endroit qu'elle venait de nettoyer.

Erik et Myron ont tous les deux fait un pas en avant. Et ils ont vu l'eau dans le seau. De l'eau teintée de rose.

Erik a soufflé :

— Oh non…

Myron a voulu le retenir. Trop tard. Une lueur meurtrière dans l'œil, il a poussé un hurlement de bête et s'est jeté sur Lorraine. Elle a crié. Le seau est tombé. Le liquide rose s'est répandu sur la moquette.

Erik a empoigné Lorraine. Ils ont roulé par-dessus le dossier du canapé. Myron, juste derrière eux, ne savait trop comment réagir. S'il faisait un geste brusque, Erik risquait d'appuyer sur la détente. Mais s'il n'intervenait pas…

Erik, qui tenait Lorraine, a collé son arme contre sa tempe. Elle a poussé un cri et lui a attrapé la main. Il n'a pas bronché.

— Qu'avez-vous fait à ma fille ?

— Rien du tout !

Myron a dit :

— Erik, s'il te plaît.

Mais il n'écoutait pas. Myron a sorti son propre pistolet. Erik s'en est aperçu, mais ça n'a pas eu l'air de l'émouvoir.

— Si jamais tu la tues…, a commencé Myron.

— Et alors ? a-t-il crié. Qu'est-ce qu'on a à perdre, Myron ? Regarde autour de toi. Aimee est déjà morte.

Lorraine Wolf s'est exclamée :

— Non !

— Où est-elle, Lorraine ? a demandé Myron.

Elle a pincé les lèvres.

— Lorraine, où est Aimee ?

— Je ne sais pas.

Erik a levé le pistolet. Il allait la frapper avec la crosse.

— Erik, arrête !

Il a hésité. Lorraine l'a regardé dans les yeux. Elle avait peur, mais semblait prête à encaisser le coup.

— Arrête, a répété Myron en s'avançant.

— Elle sait quelque chose.

— Et on va trouver ce que c'est, OK ?

Erik a levé les yeux sur lui.

— Que ferais-tu, toi ? Si c'était quelqu'un que tu aimes ?

Myron s'est rapproché imperceptiblement.

— J'aime Aimee.

— Mais pas comme un père.

— C'est vrai. Seulement, j'ai déjà employé cette méthode. La méthode forte. Ça ne marche pas.

— Ç'a marché avec Harry Davis.

— Oui, d'accord, mais…

— La seule différence, c'est qu'elle est une femme. Lui, je lui ai tiré une balle dans le pied, tu l'as interrogé et tu l'as laissé saigner. Maintenant, on est face à quelqu'un qui est en train de nettoyer du sang, et tout à coup, tu as des scrupules !

Son raisonnement – un raisonnement insensé, dément – n'était pas dénué d'une certaine logique. Eh bien, oui. Si Aimee avait été un garçon. Si Harry Davis avait été une femme jolie et coquette.

Erik a enfoncé le canon du pistolet contre la tempe de Lorraine Wolf.

— Où est ma fille ?

— Je ne sais pas.

— Ce sang que vous étiez en train d'éponger, c'est le sang de qui ?

Il a pointé l'arme sur son pied. Mais le cœur n'y était plus. On le sentait bien. Le visage d'Erik était baigné de larmes. Sa main tremblait.

— Si tu tires sur elle, a dit Myron, ça va brouiller les pistes. Son sang se mélangera avec l'autre. On ne saura jamais ce qui s'est passé ici. Le seul qui ira en prison, ce sera toi.

L'argument ne tenait pas debout, mais ça a refroidi Erik. Son visage s'est affaissé. Il pleurait ouvertement. Mais il n'avait pas lâché le pistolet. Il continuait à viser le pied de Lorraine.

— Respire un bon coup, a dit Myron.

Erik a secoué la tête.

— Non !

Il n'y avait pas un souffle d'air dans la pièce. Le temps s'était arrêté. Erik a dévisagé Lorraine. Elle a soutenu son regard sans ciller. Myron n'avait d'yeux que pour le doigt d'Erik sur la détente.

Il n'avait plus le choix.

Il fallait agir.

Soudain, son téléphone portable a bipé.

Tout le monde a paru redescendre sur terre. Ôtant son doigt de la détente, Erik s'est essuyé le visage avec sa manche.

— Regarde qui c'est.

Myron a jeté un œil sur l'identité de l'appelant. C'était Win. Il a porté le téléphone à son oreille.

— Oui ?

— La voiture de Drew Van Dyne vient juste de s'engager dans l'allée.

50

L'enquêtrice Loren Muse était en train de travailler sur son nouveau dossier, le double homicide d'East Orange, quand son téléphone a sonné. Muse n'a pas été surprise. Elle avait l'habitude de travailler tard, et ses collègues le savaient.

— Muse.

La voix étouffée avait l'air d'être féminine.

— J'ai des informations pour vous.

— Qui est à l'appareil ?

— C'est au sujet de la fille qui a disparu.

— Quelle fille ?

— Aimee Biel.

Erik gardait son arme pointée sur Lorraine Wolf.

— Qu'est-ce que c'est ? a-t-il demandé à Myron.

— Drew Van Dyne vient d'arriver chez lui.

— Ça veut dire quoi ?

— Ça veut dire que nous devrions aller lui parler.

Erik a désigné Lorraine avec son pistolet.

— On ne peut pas la laisser comme ça.

— Je suis d'accord.

Le plus rationnel, se disait Myron, serait qu'Erik reste avec Lorraine pour l'empêcher de donner l'alerte ou de poursuivre son nettoyage. Sauf qu'il ne pouvait pas la laisser seule avec lui dans l'état où il était.

— On n'a qu'à l'emmener, a-t-il suggéré.

Erik a pressé le pistolet contre la tête de Lorraine Wolf.

— Levez-vous.

Elle a obéi. En sortant, Myron a appelé Lance Banner.

— Banner.

— Envoyez vos meilleurs techniciens au domicile de Jake Wolf. Je n'ai pas le temps de vous expliquer.

Et il a raccroché. Dans d'autres circonstances, il aurait peut-être demandé du renfort. Mais avec Win sur place, ce n'était pas utile.

Myron a pris le volant. Erik s'est assis à l'arrière avec Lorraine Wolf, le pistolet toujours pointé sur elle. En jetant un œil dans le rétroviseur, Myron a croisé son regard.

— Où est votre mari ? s'est-il enquis, tournant le volant à droite.

— Il est sorti.

— Pour aller où ?

Elle n'a pas répondu.

— Il y a deux jours, vous avez reçu un coup de fil. À trois heures du matin.

Elle a de nouveau cherché son regard dans le rétroviseur. Et, bien qu'elle n'ait pas hoché la tête, il a eu l'impression qu'elle acquiesçait.

— De Harry Davis. C'est vous qui l'avez pris ou c'est votre mari ?

— C'est Jake, a-t-elle répondu doucement.

— Davis lui a dit qu'Aimee était passée chez lui et qu'il était inquiet. Alors Jake a sauté dans sa voiture.

— Non.

Myron a marqué une pause.

— Qu'est-ce qu'il a fait alors ?

Lorraine s'est tournée vers Erik.

— Nous aimions beaucoup Aimee. Voyons, Erik, elle est sortie deux ans avec Randy.

— Puis elle l'a plaqué, a dit Myron.

— Oui.

— Comment Randy a-t-il réagi ?

— Il était anéanti. Randy tenait à elle. Vous ne croyez tout de même pas que…

Sa voix s'est brisée.

— Je répète ma question, madame Wolf. Qu'a fait votre mari après le coup de fil de Harry Davis ?

Elle a haussé les épaules.

— Que pouvait-il faire ?

Myron n'a rien dit ; il préférait la laisser parler.

— Vous pensez que Jake s'est précipité là-bas pour l'intercepter ? Allons, bon. Même avec une route complètement dégagée, il faut une demi-heure pour aller de Livingston à Ridgewood. Croyez-vous qu'Aimee aurait été encore là quand il serait arrivé ?

Myron a essayé de visualiser le tableau. Harry Davis venait de l'envoyer sur les roses. Serait-elle restée plantée là, dans cette impasse obscure, pendant une demi-heure, voire plus ? Dans quelle mesure était-ce envisageable ?

— Qu'est-il arrivé ensuite ? a-t-il demandé.

Lorraine se taisait.

— Harry Davis vous téléphone. Il panique à cause d'Aimee. Qu'avez-vous fait, Jake et vous ?

Myron a tourné à gauche. Ils étaient maintenant dans

Northfield Avenue, l'une des grandes artères de Livingston. Il a appuyé sur le champignon.

— Et vous, qu'auriez-vous fait ? a-t-elle rétorqué.

Personne n'a répondu. Elle a accroché le regard de Myron dans le rétroviseur.

— Vous avez un fils, a-t-elle poursuivi. Son avenir est en jeu. Il a eu une amie. Une amie charmante. Mais il s'est passé quelque chose. Elle a changé. On ne sait pas pourquoi.

Erik s'est trémoussé sur le siège, mais n'a pas lâché le pistolet.

— Brusquement, elle ne veut plus le voir. Elle a une liaison avec un professeur. Elle frappe aux portes à trois heures du matin. Elle est incohérente et, si elle parle, c'est tout votre univers qui risque de s'écrouler. Qu'auriez-vous fait, monsieur Bolitar ?

Elle a pivoté vers Erik.

— Et si c'était l'inverse – si c'était Randy qui avait largué Aimee et s'était comporté de façon à mettre son avenir en péril, qu'auriez-vous fait, Erik ?

— Je ne l'aurais pas tué.

— Nous ne l'avons pas tuée. On n'a fait que… s'inquiéter. On a parlé, Jake et moi. On se demandait comment on allait gérer ça. On a essayé de planifier. Avant tout, on allait dire à Harry Davis de modifier les dossiers scolaires. De les remettre dans leur état d'origine. Faire comme s'il y avait eu un problème informatique, par exemple. Les gens pourraient avoir des doutes, mais faute de preuves, on s'est dit qu'on était à l'abri. On a envisagé d'autres cas de figure. Je sais bien que pour vous Randy n'est qu'un dealer, mais en fait il servait simplement de contact. Il y en a dans tous les établissements. Je ne cherche pas à l'excuser. Je me souviens, quand j'étais à Middlebury, d'un étudiant qui est devenu un homme politique très en vue – c'était lui, le fournisseur. On fait ses études, et puis on tourne la page. Notre souci, c'était que ça ne se sache pas. Et surtout, nous voulions trouver le moyen de joindre Aimee. Nous allions vous appeler, Erik. Nous pensions que vous réussiriez peut-être à la raisonner. Car il ne s'agit pas seulement de l'avenir de Randy, mais aussi du sien.

Ils n'étaient plus très loin de chez Drew Van Dyne.

— Tout cela est fort intéressant, madame Wolf, a commenté Myron. Mais vous avez omis un détail.

Elle a fermé les yeux.

— C'était le sang de qui, sur votre moquette ?

Pas de réponse.

— Vous m'avez entendu appeler la police. Ils doivent être déjà en route. Ils feront des tests. ADN et autres. Ils finiront par trouver.

Lorraine Wolf a gardé le silence. Ils étaient arrivés dans la rue de Drew Van Dyne. Les maisons ici étaient plus petites, plus vieilles. Les pelouses étaient un peu moins vertes. Les arbustes baissaient la tête. Win avait donné sa position exacte à Myron, sans quoi ce dernier ne l'aurait jamais repéré. Il s'est arrêté, s'est retourné vers Erik.

— Ne bouge pas. J'en ai pour une seconde.

Myron a contourné l'arbre et est tombé sur Win.

— Je ne vois pas la voiture de Van Dyne.

— Elle est dans le garage.

— Depuis combien de temps est-il rentré ?

— Quand est-ce que je t'ai appelé ?

— Il y a dix minutes environ.

Win a hoché la tête.

— Eh bien, vas-y.

Myron a regardé la maison. Elle était plongée dans le noir.

— Il n'y a aucune lumière.

— Je l'avais remarqué.

— Ça fait dix minutes qu'il a rentré sa voiture dans le garage, et il n'est toujours pas à l'intérieur de la maison ?

Win a haussé les épaules.

Ils ont entendu un grincement. La porte du garage s'est ouverte. Un faisceau de phares a balayé leurs visages. La voiture a surgi en trombe. Win a sorti son arme, s'apprêtant à faire feu. Myron a posé la main sur son bras.

— Aimee est peut-être là-dedans.

La Toyota Corolla a foncé dans l'allée et tourné à droite dans un crissement de pneus. Elle a dépassé la voiture avec Erik Biel et Lorraine Wolf à l'arrière. Le conducteur a hésité brièvement, avant d'accélérer.

Myron et Win se sont précipités vers la voiture. Myron s'est installé au volant. Win a pris place à côté. Erik pressait toujours son pistolet contre la tête de Lorraine Wolf.

Win s'est retourné et lui a souri.

— Salut, Erik.

Il s'est penché comme pour lui serrer la main. Au lieu de quoi, il s'est emparé de son arme et la lui a retirée. Le tout n'a pris qu'une fraction de seconde.

Myron a démarré au moment où la voiture de Van Dyne disparaissait au tournant. Win a contemplé le pistolet et, fronçant les sourcils, a vidé le chargeur.

La chasse était ouverte. Elle n'allait pas durer longtemps.

51

Ce n'était pas Drew Van Dyne qui conduisait la voiture.

C'était Jake Wolf.

Jake roulait vite. Il a effectué quelques demi-tours rapides, mais en tout, il a parcouru moins de deux kilomètres. De toute façon, il avait une bonne longueur d'avance. Arrivé à la zone piétonne du côté de l'école Roosevelt, il s'est garé à l'arrière du bâtiment. Puis il a traversé à pied les terrains de foot mal éclairés dans la direction générale du lycée de Livingston. Il se doutait que Myron Bolitar lui filait le train. Mais il savait qu'il l'avait distancé.

Il a entendu les bruits de la fête. Quelques pas de plus, et il a aperçu les lumières. L'air nocturne faisait du bien à ses poumons. Jake a balayé du regard les arbres, les maisons, les voitures dans les allées. Il aimait sa ville. Il aimait la vie qu'il menait ici.

Des rires sont parvenus à ses oreilles. Il a songé à ce qu'il était venu faire là. Déglutissant, il s'est réfugié derrière une rangée de pins dans la propriété voisine. Il a trouvé un poste d'observation entre deux arbres et jeté un œil sur la tente.

Jake Wolf a repéré son fils dans la seconde.

Il était comme ça, Randy. On ne pouvait pas le rater. En toute circonstance, il se détachait du lot. Jake s'est souvenu de son premier entraînement de foot, quand le gamin était en CP. Ils étaient quoi, trois cents, quatre cents mômes à courir et à bondir dans tous les sens comme des molécules dans la chaleur. Jake était arrivé en retard, mais il avait mis moins d'une minute à localiser son fils dans cette marée d'enfants identiques. Comme si un projecteur braqué d'en haut avait laissé une trace lumineuse de chacun de ses pas.

Jake Wolf s'est contenté de le regarder. Randy était en train de parler avec une bande de copains. Ils riaient en l'écoutant. Jake a senti ses yeux déborder. Tout le monde était coupable dans cette histoire. Mais qui avait commencé ? Le Dr Crowley, probablement. Ce minable petit prof d'histoire se faisait appeler « docteur ».

Un bonhomme insignifiant, ce Crowley, voûté, avec une mèche plaquée sur son crâne dégarni. Il haïssait les sportifs. On sentait bien qu'il était jaloux. Un garçon comme Randy, beau, athlétique, irrésistible, devait le renvoyer aux échecs de sa propre adolescence.

C'est comme ça que tout avait commencé.

Randy avait écrit une rédaction formidable sur l'offensive du Têt pour son cours d'histoire. Crowley lui avait mis un C moins. Un putain de C moins. Un copain de Randy, un certain Joel Fisher, avait obtenu un A. Jake avait lu les deux rédactions. Celle de Randy était meilleure. Et il n'était pas le seul à penser ça. Il les avait montrées à toutes sortes de gens, sans préciser laquelle était de Randy, et laquelle de Joel.

— Laquelle est la mieux ? avait-il demandé chaque fois.

Et pratiquement tout le monde était d'accord. Le travail de Randy – celui qui lui avait valu un C moins – était supérieur à celui de son camarade.

On aurait pu croire que c'était un détail sans importance. Eh bien, non. Ce C était tombé alors qu'ils en étaient aux trois quarts de l'année scolaire. Du coup, Randy ne faisait plus partie des meilleurs élèves, les fameux dix pour cent. Or ils avaient été clairs, à Dartmouth. Il devait figurer parmi ces dix pour cent. S'il avait eu un B à la place d'un C, Randy aurait été reçu.

Ç'avait été ça, la différence.

Jake et Lorraine étaient allés voir le Dr Crowley. Ils lui avaient expliqué la situation. Mais il n'avait rien voulu entendre. Il les avait pris de haut, profitant de sa position, et Jake avait dû faire un effort surhumain pour ne pas le passer par la baie vitrée. Cependant, il ne renonçait pas facilement. Il avait engagé un détective privé pour fouiner dans le passé du bonhomme, mais Crowley avait mené une vie tellement banale, tellement misérable, surtout à côté d'un être d'exception comme le fils de Jake, qu'il ne pouvait rien utiliser contre lui.

Si Jake Wolf avait respecté la règle du jeu, ils en seraient restés là. Son fils n'aurait pas eu accès à une université prestigieuse… à cause de ce minus de Crowley.

Et ça, c'était hors de question.

Tout était parti de là.

Jake le regardait sans ciller. Randy, son fils, un soleil autour duquel gravitaient des dizaines de planètes. Il avait un verre à la main. Randy était doté d'une grâce naturelle. D'une prestance qui caractérisait chacun de ses gestes. Debout dans l'ombre, Jake Wolf se demandait s'il existait un moyen de sauver tout cela. C'était peu probable. Autant chercher à retenir de l'eau dans la paume de sa main. Il s'était voulu rassurant pour Lorraine. Il croyait pouvoir se débarrasser du corps dans la maison de Drew Van Dyne. Lorraine était en train de nettoyer la tache. Ç'aurait pu marcher.

Mais c'était compter sans Myron Bolitar. Jake l'avait repéré depuis le garage. Il était piégé. Il avait espéré repartir à toute vitesse, les semer, larguer le cadavre quelque part. Mais en voyant Lorraine sur le siège arrière de la voiture, il avait compris que c'était fini.

Il ferait appel à un bon avocat. Le meilleur. Il en connaissait un en ville. Lenny Marcus, un pénaliste hors pair. Il le contacterait pour mettre les choses au point. Mais au fond de lui, Jake Wolf savait que c'était fini. Pour lui, du moins.

C'est pour ça qu'il était ici. Dans l'ombre. Les yeux rivés sur ce garçon magnifique qu'était son fils. Randy, la seule et unique réussite de sa vie. Son plus précieux trésor. Il n'en demandait pas plus. Cette fascination, il l'éprouvait depuis l'instant où, à la maternité, il avait pour la première fois posé ses yeux sur le nouveau-né. Dès qu'il le pouvait, il allait le voir s'entraîner. Il assistait à chacun de ses matches. Pas seulement pour le soutenir… souvent, il se postait derrière un arbre, se cachant presque, comme en ce moment. Il aimait regarder son fils. Il aimait s'abandonner à ce bonheur simple. Il n'en croyait pas sa chance : comment lui, Jake Wolf, lui qui n'était pas grand-chose quand on y pensait, comment avait-il fait pour engendrer un miracle pareil ? Le monde était impitoyable, et il fallait se battre pour avoir le dessus, mais quelquefois, lorsqu'il regardait Randy, il sentait confusément qu'il y avait autre chose que la loi du plus fort, quelque chose de mieux, des êtres supérieurs, puisqu'il avait un idéal de beauté et de perfection en face de lui.

— Salut, Jake.

Il a fait volte-face.

— Salut, Jacques.

Jacques Harlow, le père d'un très bon ami de Randy, était l'organisateur de la fête. Il s'est approché, et les deux hommes ont contemplé le spectacle pendant presque une minute sans parler.

— C'est incroyable comme le temps passe, a dit Jacques.

Jake a hoché la tête, n'osant pas répondre. Il ne quittait pas son fils des yeux.

— Tu viens boire un verre ?

— Je ne peux pas. J'avais juste un truc à remettre à Randy. Mais merci quand même.

Harlow lui a tapé dans le dos.

— Pas de quoi.

Et il est retourné sur la terrasse.

Jake savourait chaque seconde. En entendant un bruit de pas, il a pivoté et vu Myron Bolitar. Myron avait un pistolet à la main. Jake Wolf a souri et s'est tourné vers son fils.

— Qu'est-ce que vous faites là, Jake ?

— À votre avis, hein ?

Jake n'avait pas envie de bouger, mais il savait que le moment était venu. Il a enveloppé son fils d'un dernier regard. Et voilà. Ce serait la dernière fois qu'il le verrait ainsi. Il aurait voulu lui dire quelque chose, une parole de sagesse, mais les mots n'avaient jamais été son fort.

Alors il a levé les mains.

— Dans le coffre, a dit Jake Wolf. Le corps est dans le coffre de la voiture.

52

Win se tenait à quelques pas derrière Myron. Juste au cas où. Mais il a bien vu que Jake Wolf n'allait pas se carapater. Il se rendait. Pour le moment. Plus tard, il faudrait voir. Il avait déjà eu affaire à des types dans son genre. Ils ne baissaient jamais vraiment les bras. Ils cherchaient une échappatoire, une porte de sortie, une brèche, une manœuvre juridique, tout ce qui se présentait.

Quelques minutes plus tôt, ils avaient localisé la Corolla de Van Dyne sur le parking de la zone commerçante. Myron et Win s'étaient précipités, laissant Lorraine Wolf et Erik Biel dans la voiture. Erik avait encore quelques liens en Nylon qu'il avait achetés chez l'armurier en même temps que ses munitions. Ils ont ligoté les mains de Lorraine derrière son dos en espérant de tout cœur qu'Erik n'allait pas commettre une bêtise.

Une fois que Myron et Win avaient disparu dans le noir, Erik était sorti de la voiture. Il s'était approché de la Corolla, avait ouvert la portière avant. Sans trop savoir ce qu'il faisait. Il fallait juste qu'il fasse quelque chose. Il s'est assis au volant. Il y avait des médiators sur le plancher. Il a pensé à la collection de sa fille, à quel point elle les chérissait. Il l'a revue en train de pincer les cordes, les yeux fermés. Il s'est souvenu de la première guitare d'Aimee, une guitare de pacotille achetée dix dollars dans un magasin de jouets. Elle n'avait que quatre ans. Elle avait gratté les cordes et interprété *Mon beau sapin*, plus dans le style de Bruce Springsteen que dans celui d'une gamine qui allait à l'école maternelle. Claire et lui avaient applaudi comme des fous.

« Aimee, elle est rock », avait déclaré Claire.

Tout le monde souriait alors. Tout le monde était heureux.

Erik a jeté un coup d'œil par la lunette arrière. Lorraine Wolf, il la connaissait depuis deux ans maintenant, depuis qu'Aimee avait commencé à sortir avec son fils. Il l'aimait bien. À dire vrai, il avait même fantasmé sur elle. Il ne serait jamais passé à l'acte. Non, ce n'était qu'une simple attirance pour une jolie femme. Rien de plus naturel.

Il a regardé le siège arrière de la Corolla. Il y avait là des feuilles remplies de partitions écrites à la main. Erik s'est figé. Lentement, il a tendu le bras. Il venait de reconnaître l'écriture d'Aimee. Il a attrapé une feuille, l'a rapprochée de son visage comme si c'était de la porcelaine.

C'est Aimee qui avait écrit ça.

Sa gorge s'est serrée. Il a touché du bout des doigts les mots, les notes. Ce papier, sa fille l'avait tenu entre ses mains. Avec une grimace de concentration, elle avait puisé dans son expérience de la vie pour créer ceci. Une pensée banale somme toute, mais qui soudain prenait une importance capitale. Sa colère s'était évanouie. Elle reviendrait, il en était sûr. Mais en cet instant, il avait juste le cœur gros.

C'est là qu'Erik a décidé d'ouvrir le coffre de la voiture de Van Dyne.

Se retournant vers Lorraine Wolf, il a cru lire quelque chose sur son visage. Il est descendu de la voiture, a fait le tour et, la main sur le hayon, a entrepris de le soulever. En entendant un bruissement dans l'herbe, il a tourné la tête et aperçu Myron qui accourait à lui.

— Erik, attends…

Erik a ouvert le coffre.

La bâche goudronnée. C'est la première chose qu'il a vue. Un objet volumineux enveloppé dans une bâche noire. Ses genoux ont fléchi, mais il a tenu bon. Myron a fait un pas vers lui, mais Erik l'a arrêté d'un geste de la main. Il a essayé d'arracher la bâche. Elle n'a pas bougé. Il a tiré, secoué. Sans résultat. Alors il a paniqué. Sa poitrine se soulevait convulsivement. Il suffoquait.

Sortant son porte-clés, il a planté une clé dans la toile. Un trou est apparu. Il y avait du sang. Il a fendu la bâche et plongé les deux mains en dessous. C'était humide et gluant. Tirant désespérément sur la bâche, Erik la déchirait comme si elle l'emprisonnait et qu'il commençât à manquer d'air.

La vue du visage mort l'a fait reculer.

Myron était à côté de lui maintenant.

— Oh, mon Dieu…

Erik s'est effondré.

— Oh, merci, mon Dieu…

Ce n'était pas sa fille dans le coffre. C'était Drew Van Dyne.

53

Lorraine Wolf a dit :

— Je l'ai tué en état de légitime défense.

On entendait s'approcher les sirènes de la police. Myron, Lorraine et Erik Biel se tenaient devant le coffre. Myron avait appelé les flics. À l'autre bout du terrain de foot, on apercevait les silhouettes de Win et de Jake Wolf. Myron les avait devancés, laissant à Win le soin de s'occuper de leur suspect.

— Drew Van Dyne est venu à la maison, poursuivait-elle. Il a menacé Jake avec son arme. Je l'ai vu. Il hurlait des insanités à propos d'Aimee…

— Du genre ?

— Que Jake se fichait d'elle complètement. Qu'elle n'était qu'une petite traînée pour lui. Qu'elle était enceinte. Il délirait complètement.

— Et alors, qu'avez-vous fait ?

— On a des armes à la maison. Jake aime la chasse. Je suis allée chercher un fusil. J'ai dit à Drew Van Dyne de lâcher son pistolet. Il n'a pas voulu. Du coup…

— Non !

Ça, c'était Jake Wolf. Ils étaient suffisamment près maintenant pour entendre ce que sa femme disait.

— C'est moi qui ai tué Van Dyne !

Tous les regards se sont braqués sur lui. Les sirènes se rapprochaient.

— C'était de la légitime défense, a persisté Jake Wolf. Il m'a menacé avec son arme.

— Pourquoi alors avoir planqué le corps dans le coffre ? a demandé Myron.

— J'avais peur qu'on ne me croie pas. J'allais le ramener chez lui. Puis je me suis rendu compte que c'était absurde.

— À quel moment vous avez compris ça ? a dit Myron. Au moment où vous nous avez vus ?

— Je veux un avocat, a déclaré Jake Wolf. Lorraine, ne dis plus rien.

Erik Biel s'est avancé vers lui.

— Tout ça, je m'en moque. Ma fille. Où est ma fille, bon sang ?

Personne n'a bougé. Personne n'a parlé. Seul le hululement des sirènes a troublé le silence de la nuit.

Lance Banner a été le premier à descendre, mais des dizaines de voitures de police ont envahi le parking de la zone commerçante. Les gyrophares tournaient. Les visages passaient du bleu au rouge. L'effet était étourdissant.

— Aimee, a dit Erik doucement. Où est-elle ?

Myron s'efforçait de garder son calme, de réfléchir à froid. Il a pris Win à part. Win qui, comme d'habitude, demeurait imperturbable.

— Alors, s'est-il enquis, où en sommes-nous ?

— Ce n'est pas Davis, a dit Myron. Nous l'avons interrogé. Ça ne doit pas être Drew Van Dyne. Il a menacé Jake Wolf parce qu'il pensait que c'était lui. Et les Wolf affirment, de manière assez convaincante, je l'avoue, qu'ils n'y sont pour rien.

— Il y a d'autres suspects ?

— Pas à ma connaissance.

— Dans ce cas, a dit Win, il faut réexaminer leurs témoignages.

— Erik croit qu'elle est morte.

Win a hoché la tête.

— C'est bien ce que je dis. Il faut réexaminer leurs témoignages.

— D'après toi, l'un d'eux l'aurait tuée et se serait débarrassé du corps ?

Win n'a pas pris la peine de répondre.

— Mon Dieu.

Myron a jeté un œil en direction d'Erik.

— On se serait trompés depuis le début ?

— Je ne vois pas comment.

Son téléphone portable a bipé. Le numéro était masqué.

— Allô ?

— Loren Muse, du bureau du procureur. Vous vous souvenez de moi ?

— Et comment !

— Je viens d'avoir un appel anonyme. De quelqu'un qui prétend avoir vu Aimee Biel hier.

— Où ça ?

— Dans Livingston Avenue. Sur le siège passager d'une Toyota Corolla. Le conducteur correspond au signalement de Drew Van Dyne.

Myron a froncé les sourcils.

— Vous en êtes sûre ?

— C'est ce que la personne m'a dit.

— Il est mort, Muse.

— Qui est mort ?

— Drew van Dyne.

Erik a rejoint Myron.

Et c'est là que c'est arrivé.

Le portable d'Erik s'est mis à sonner.

Il l'a sorti et, en voyant le numéro, a presque hurlé :

— Oh, mon Dieu…

D'un geste brusque, il a porté le téléphone à son oreille. Il avait les yeux humides. Sa main tremblait si fort qu'il a appuyé sur la mauvaise touche pour répondre. Il a recommencé. Puis, dans un cri strident :

— Allô ?

Myron s'est penché vers lui pour mieux entendre. L'appareil a grésillé, et une voix, une voix larmoyante, familière, a dit :

— Papa ?

Le cœur de Myron s'est arrêté de battre.

Erik avait les traits décomposés, mais son ton était tout paternel :

— Où es-tu, ma chérie ? Est-ce que ça va ?

— Je ne… Je crois que oui. Papa ?

— Tout va bien, chérie. Je suis là. Dis-moi simplement où tu es.

54

Myron a pris le volant. Erik s'est installé à côté de lui. Le trajet n'a pas été long.

Aimee avait dit qu'elle était à la sortie du parc côté lycée… le même parc où Claire l'emmenait quand elle était toute petite. Erik n'avait pas coupé la communication.

— Tout va bien, répétait-il. Papa arrive.

Pour gagner du temps, Myron a pris la place circulaire à contresens. Il est monté deux fois sur le trottoir. Il fallait aller vite. Le parking était vide. Les phares ont dansé dans la nuit et, après un dernier virage, ont éclairé une silhouette solitaire.

Myron a écrasé la pédale de frein.

— Oh, Seigneur, a dit Erik. Seigneur miséricordieux…

Il a sauté de la voiture. Myron l'a suivi en un éclair. Les deux hommes se sont mis à courir. À un moment donné, Myron s'est laissé distancer. Erik a serré sa fille dans ses bras et scruté son visage, comme s'il craignait que ce ne soit qu'un rêve, une apparition qui pouvait s'évanouir à nouveau d'un instant à l'autre.

Myron s'est arrêté pour les regarder. Puis il a sorti son portable et appelé Claire.

— Myron ? Mais que se passe-t-il, à la fin ?

— Elle va bien.

— Quoi ?

— Elle est saine et sauve. On la ramène à la maison.

Dans la voiture, Aimee était groggy.

— Qu'est-ce qui t'est arrivé ? a demandé Myron.

— Je crois…, a-t-elle commencé.

Ses yeux se sont agrandis. Elle avait les pupilles dilatées.

— Je crois qu'on m'a droguée.

— Qui ça, « on » ?

— Je ne sais pas.

— Tu ne sais pas qui t'a enlevée ?

Elle a secoué la tête.

Assis à l'arrière avec Aimee, Erik la tenait dans ses bras. Lui caressait les cheveux. Lui répétait encore et encore que tout allait bien, que c'était fini.

— On devrait peut-être la montrer à un médecin, a dit Myron.

— Non, a dit Erik. On rentre à la maison d'abord.

— Aimee, que s'est-il passé ?

— Elle a vécu l'enfer, Myron, a répondu Erik. Laisse-lui le temps de reprendre son souffle.

— C'est bon, papa.

— Que faisais-tu à New York ?

— J'avais rendez-vous.

— Avec qui ?

— C'était à propos…

Sa voix s'est brisée. Puis :

— C'est dur à expliquer.

— Nous sommes au courant pour Drew Van Dyne, a dit Myron. Et pour ta grossesse aussi.

Elle a fermé les yeux.

— Alors ?

— Je voulais m'en débarrasser.

— Du bébé ?

Aimee a hoché la tête.

— J'avais rendez-vous à l'angle de la 52e et de la Sixième Avenue. Ils avaient une voiture noire. Ils m'ont dit de tirer de l'argent dans le distributeur.

— Qui ?

— Je ne les ai jamais vus. Les vitres étaient teintées. Et ils étaient toujours masqués.

— Masqués ?

— Oui.

— Tu as dit « ils ». Ils étaient plusieurs ?

— Je ne sais pas. J'ai entendu une voix de femme. Ça, j'en suis sûre.

— Pourquoi tu n'es pas allée tout simplement à St. Barnabas ?

Aimee a hésité.

— Je suis fatiguée.

— Aimee ?

— Je ne sais pas, a-t-elle répliqué. Il y a quelqu'un qui a téléphoné de St. Barnabas. Une femme. Si j'étais allée chez eux, mes parents l'auraient su. Une histoire de loi sur la protection de l'enfance. Je… J'ai fait tellement de bourdes. Je voulais juste… Mais d'un seul coup, je ne savais plus. J'ai pris l'argent. J'allais monter dans la voiture. Et puis j'ai paniqué. C'est là que je t'ai appelé, Myron. Il fallait que je parle à quelqu'un. Ç'a été toi, enfin, je sais bien que tu as fait de ton mieux, mais pour finir, j'ai préféré m'adresser à quelqu'un d'autre.

— Harry Davis ?

— Oui. Je connais une fille qui est tombée enceinte. Elle m'a dit que M.D. l'avait beaucoup aidée.

— Assez, a dit Erik.

Ils étaient presque arrivés. Mais Myron n'avait pas envie de lâcher l'affaire.

— Et ensuite ?

— Le reste est un peu flou, a dit Aimee.

— Flou ?

— Je sais que je suis montée dans une voiture.

— Laquelle ?

— Celle qui était venue me chercher à New York, je crois. J'étais tellement démoralisée quand M.D. m'a renvoyée. Je me suis dit : autant aller avec eux. Pour en finir au plus vite. Seulement…

— Seulement quoi ?

— Tout est flou.

Myron a froncé les sourcils.

— Je ne comprends pas.

— J'ai été droguée pratiquement tout le temps. Je ne me souviens pas d'avoir émergé plus de quelques minutes d'affilée. J'étais dans une sorte de cabane en rondins. C'est tout ce que je sais. Il y avait une cheminée en pierre calcaire. Et tout à coup, je me suis retrouvée dans le parc à côté de l'aire de jeu. Je t'ai appelé, papa. Je ne sais même pas… ça fait combien de temps que je suis partie ?

Elle a fondu en larmes. Erik l'a enlacée.

— Tout va bien. Quoi qu'il se soit passé, c'est fini maintenant. Tu n'as plus rien à craindre.

Claire était à l'entrée de la maison. Elle s'est précipitée vers la voiture. Aimee a réussi à descendre, mais elle tenait à peine debout. Avec un cri guttural, Claire s'est jetée sur sa fille.

Ils se sont étreints, ils ont pleuré, ils se sont embrassés tous les trois. Myron se sentait de trop. Ils se sont dirigés vers la maison. Claire s'est retournée et, croisant son regard, a couru vers lui.

Elle a déposé un baiser sur sa joue.

— Merci.

— La police aura quand même besoin de s'entretenir avec elle.

— Tu as tenu parole.

Il n'a rien dit.

— Tu l'as ramenée à la maison.

Et elle est repartie en courant.

Myron les a regardés s'engouffrer à l'intérieur. Il y avait de quoi faire la fête. Aimee était de retour. Saine et sauve.

Cependant, le cœur n'y était pas.

Il est allé au cimetière qui donnait sur la cour de récréation. Le portail était ouvert. Il s'est assis à côté de la tombe de Brenda. La nuit s'est refermée sur lui. Bercé par le ronron de l'autoroute, il a songé à ce qui s'était passé. Au récit d'Aimee. Aimee qui était chez elle, au milieu des siens, tandis que Brenda reposait sous terre.

Quelque temps plus tard, une autre voiture s'est arrêtée à l'entrée du cimetière. Myron a presque souri en voyant apparaître Win. Celui-ci est resté à l'écart, avant de s'approcher finalement de la pierre tombale.

— C'est sympa d'en compter une plutôt côté profits que côté pertes, hein ?

— Pas sûr.

— Pourquoi ?

— Je ne sais toujours pas ce qui s'est passé.

— Elle est en vie. Elle est à la maison.

— Tu crois que c'est suffisant ?

Win a désigné la tombe.

— Si tu pouvais revenir en arrière, voudrais-tu savoir à tout prix ce qui s'est passé ? Ou il te suffirait qu'elle soit en vie et à la maison ?

Fermant les yeux, Myron a tenté d'imaginer le bonheur que ç'aurait été.

— Il me suffirait qu'elle soit en vie et à la maison.

— Tu vois bien, a souri Win. Que demander de plus ?

Myron s'est levé. Il ne connaissait pas la réponse. Tout ce qu'il savait, c'est qu'il était resté suffisamment longtemps en compagnie des fantômes et des morts.

55

La police a pris la déposition de Myron. Lui a posé des questions. Sans rien lui dire en retour. Cette nuit-là, il a dormi dans sa maison de Livingston. Win est resté avec lui. Ça ne lui arrivait pas souvent. Réveillés de bonne heure, ils ont regardé le sport à la télévision en mangeant des céréales.

La vie normale, quoi. Et Dieu que c'était bon.

— Je réfléchissais à ta relation avec Mme Wilder, a dit Win.

— S'il te plaît, non.

— Mais si, justement, je te dois des excuses. Je l'ai mal jugée. C'est vrai qu'elle gagne à être connue. Vue de derrière, surtout.

— Win ?

— Quoi ?

— Je me fiche pas mal de ce que tu penses.

— Non, mon ami, ne dis pas ça. Tu sais très bien que c'est faux.

À huit heures du matin, Myron est allé chez les Biel. À cette heure-ci, ils devaient déjà être debout. Il a frappé doucement. C'est Claire qui a ouvert. Échevelée, vêtue d'un peignoir de bain, elle est sortie et a refermé la porte.

— Aimee dort encore. Cette drogue que ses ravisseurs lui ont administrée, ça l'a mise K-O.

— Tu devrais peut-être l'emmener à l'hôpital.

— Notre ami David Gold… tu vois qui c'est ? Il est médecin. Il est passé hier soir pour l'examiner. Il dit que tout ira bien, une fois que l'effet de la drogue se sera dissipé.

— Et c'est quoi comme drogue ?

Claire a haussé les épaules.

— Va savoir.

Ils restaient sans bouger sur le pas de sa porte. Elle a pris une grande inspiration, regardé à droite et à gauche.

— Myron ?

— Oui.

— À partir de maintenant, je veux que ce soit la police qui s'occupe de cette affaire.

Il n'a rien dit.

— Je ne tiens pas à ce que tu interroges Aimee.

Une note métallique perçait dans sa voix.

— Erik et moi, on aimerait que ça se termine. On a fait appel à un avocat.

— Pourquoi ?

— Nous sommes ses parents. Nous savons comment protéger notre fille.

Sous-entendu : pas lui. Elle n'avait pas besoin de remettre ça sur le tapis : cette première nuit où il avait déposé Aimee sans se préoccuper de son sort. Pourtant, c'est ce qu'elle était en train de faire.

— Je te connais, Myron.

— Ah oui ?

— Tu veux des réponses.

— Pas toi ?

— Je veux que ma fille soit heureuse et en bonne santé. C'est tout ce qui compte.

— Et celui qui a fait ça, tu n'as pas envie de le faire payer ?

— C'était très vraisemblablement Drew Van Dyne. Il est mort. Alors à quoi bon ? L'essentiel, pour nous, c'est qu'Aimee arrive à tourner la page. Dans quelques mois, elle part étudier à l'université.

— Tout le monde parle de l'université comme si c'était le passeport pour la vraie vie, a dit Myron. Comme si les dix-huit premières années n'avaient aucune importance.

— En un sens, c'est vrai.

— C'est de la connerie, Claire. Et son bébé ?

Claire s'est rapprochée de la porte.

— Avec tout le respect que je te dois – et quoi que tu penses de notre décision –, cela ne te regarde pas.

Myron a hoché la tête. Là-dessus, il n'y avait rien à redire.

— Ton rôle est terminé.

La note métallique était toujours là.

— Merci de tout ce que tu as fait. Il faut que je retourne auprès de ma fille maintenant.

Et Claire lui a fermé la porte au nez.

56

Une semaine plus tard, Myron déjeunait chez Baumgart avec Lance Banner et Loren Muse. Il avait commandé du poulet kung pao. Banner avait pris le poisson du jour, et Muse, un sandwich au fromage gratiné.

— Un sandwich au fromage dans un restaurant chinois ? s'est étonné Myron.

La bouche pleine, Loren Muse a haussé les épaules.

Banner mangeait avec des baguettes.

— Jake Wolf plaide la légitime défense, a-t-il déclaré. Drew Van Dyne l'aurait menacé avec son arme. En proférant des accusations délirantes, paraît-il.

— Quelles accusations ?

— Il répétait que Wolf avait fait du mal à Aimee Biel. Quelque chose comme ça. Ils sont tous les deux un peu vagues là-dessus.

— Tous les deux ?

— Avec le témoin vedette de Jake Wolf. Sa femme Lorraine.

— L'autre soir, a dit Myron, Lorraine nous a affirmé que c'est elle qui avait tiré.

— Je pense qu'elle dit la vérité. On a examiné la main de Jake Wolf à la recherche de traces de poudre. Il est clean.

— Et sa femme, vous l'avez examinée aussi ?

— Jake Wolf le lui a défendu, a dit Banner.

— Il se sacrifie donc pour sa femme ?

Banner a regardé Loren Muse et hoché lentement la tête.

— Quoi ? a dit Myron.

— On va y venir.

— Venir à quoi ?

— Écoutez, Myron, je crois que vous avez raison, a répondu Banner. Jake Wolf cherche à protéger les siens. D'un côté, il invoque la légitime défense. Et on a des preuves dans ce sens. Van Dyne était connu de nos services. Et il avait une arme sur lui… avec un permis à son nom. De l'autre côté, Wolf est prêt à aller en prison pour dédouaner sa femme et son fils.

— Son fils ?

— Il veut une garantie comme quoi son fils pourra aller à Dartmouth. Et il demande que Randy soit lavé de tout soupçon, que ce soit en rapport avec le meurtre, l'affaire du trafic d'influence ou ses liens possibles avec Van Dyne et la drogue.

— Eh bien… a dit Myron.

Quelque part, c'était logique. Jake Wolf était un âne, mais Myron avait remarqué la façon dont il regardait son fils à la fête.

— Il essaie encore de sauver l'avenir de Randy.

— Ouais.

— Vous croyez qu'il va y arriver ?

— Aucune idée, a dit Banner. Dartmouth ne relève

pas de notre juridiction. S'ils veulent revoir sa candidature, à mon avis ils ne se gêneront pas.

— L'attitude de Jake Wolf, a observé Myron, c'est presque admirable.

— Je dirais plutôt tordu, a ajouté Banner.

Myron a regardé Loren Muse.

— Vous êtes bien silencieuse, vous.

— Parce que je pense que Banner se trompe.

Lance Banner a froncé les sourcils.

— Je ne me trompe pas.

Loren a posé son sandwich et s'est essuyé les mains.

— Déjà, vous n'allez pas mettre la bonne personne en prison. Les analyses prouvent que Jake Wolf n'a pas tué Drew Van Dyne.

— Il dit qu'il portait des gants.

Loren a froncé les sourcils à son tour.

— Elle n'a pas tort, a dit Myron.

— Ah, merci, Myron.

— Attendez, je suis dans votre camp. Lorraine Wolf m'a déclaré avoir tué Drew Van Dyne. N'est-ce pas elle qu'on devrait juger ?

Loren Muse s'est tournée vers lui.

— Je n'ai jamais dit que c'était Lorraine Wolf.

— Pardon ?

— Quelquefois, c'est la solution la plus évidente qui est la bonne.

Myron a secoué la tête.

— Je ne vous suis plus.

— Revenez un instant en arrière, a dit Muse.

— À quel moment, précisément ?

— Le commencement. Edna Skylar dans les rues de New York.

— OK.

— Peut-être qu'on a vu juste depuis le début. Depuis son coup de fil.

— Je ne comprends toujours pas.

— Edna Skylar a confirmé ce qu'on savait déjà : que Katie Rochester avait fait une fugue. Et on a cru la même chose concernant Aimee Biel, non ?

— Et alors ?

Loren a gardé le silence.

— Minute. Vous êtes en train de dire qu'Aimee a fugué ?

— Il reste encore beaucoup de questions sans réponse.

— Eh bien, posez-les.

— À qui ?

— Comment ça, à qui ? Mais à Aimee Biel.

— On a essayé.

Loren a souri.

— L'avocat d'Aimee ne nous a pas laissés lui parler.

Myron s'est redressé sur son siège.

— Vous ne trouvez pas ça bizarre ?

— Ses parents voudraient qu'elle tourne la page.

— Pourquoi ?

— Parce qu'elle a vécu une expérience traumatisante, a dit Myron.

Loren Muse s'est bornée à le regarder. Lance Banner aussi.

— Cette histoire qu'elle vous a racontée, a repris Loren. Le fait d'avoir été droguée et séquestrée dans une cabane en rondins.

— Oui, eh bien ?

— Il y a des lacunes dans son récit.

Un picotement glacé est parti de la nuque de Myron et s'est propagé le long de son échine.

— Quelles lacunes ?

— Tout d'abord, l'appel anonyme que j'ai reçu. La personne qui l'a vue se balader en voiture avec Drew Van Dyne. Si Aimee a été kidnappée, comment expliquez-vous ça ?

— Votre témoin s'est trompé.

— D'accord. Cette femme m'a donné la marque et le modèle de la voiture, et a décrit Drew Van Dyne dans les moindres détails. Mais bon, elle a pu se tromper.

— On ne peut pas se fier à des informateurs anonymes, a protesté Myron.

— Parfait, passons à la lacune numéro deux. Cette histoire d'avortement en pleine nuit. Nous avons contacté St. Barnabas. Personne ne lui a parlé de la notification parentale. Qui plus est, ce n'est pas vrai. La loi a pu changer, mais d'une façon ou d'une autre, elle…

— … a dix-huit ans, l'a interrompue Myron.

Dix-huit ans. Une adulte. L'âge, encore.

— Absolument. Et ce n'est pas tout.

Myron attendait.

— Lacune numéro trois : on a relevé des empreintes digitales d'Aimee au domicile de Drew Van Dyne.

— Elle était sa maîtresse. Évidemment qu'il y avait ses empreintes. Mais elles pouvaient dater de plusieurs semaines.

— On a trouvé des empreintes sur une canette de soda. Qui est toujours sur le comptoir de la cuisine.

Myron n'a rien dit, mais au fond de lui, il se sentait ébranlé.

— Tous vos suspects – Harry Davis, Jake Wolf, Drew Van Dyne –, nous avons enquêté minutieusement sur eux. Aucun n'aurait pu commettre un prétendu kidnapping.

Loren Muse a écarté ses mains.

— C'est donc le vieil axiome à l'envers. Quand on a

éliminé toutes les autres possibilités, on en revient à la première solution, la plus évidente.

— Vous pensez qu'Aimee a fugué.

Loren Muse a haussé les épaules, changeant de position sur sa chaise.

— Vous avez là une jeune femme en plein désarroi. Elle est enceinte d'un professeur. Son père a une maîtresse. Elle est mêlée à un scandale, une histoire de dossiers scolaires trafiqués. Il y a de quoi se sentir aux abois, non ?

Myron était presque d'accord et ça l'a surpris.

— Il n'y a pas de preuves matérielles – pas le début du commencement d'une preuve – qu'Aimee a été enlevée. Réfléchissez-y, du reste. Qui aurait intérêt à l'enlever ? Quel serait le mobile du kidnappeur ? Généralement, dans un cas comme celui-ci, il s'agit d'une agression sexuelle. Or on sait que ce n'est pas ça. Son médecin a bien voulu nous le confirmer. Il n'y a pas eu de traumatisme physique ou sexuel. Et a-t-on demandé une rançon ? Non.

Myron retenait son souffle. C'était exactement ce qu'Erik lui avait dit. Pour faire taire Aimee, on ne l'aurait pas enlevée. On l'aurait tuée. Pourtant, elle était en vie. Donc…

Loren Muse ne lâchait pas le morceau :

— Pourquoi l'aurait-on kidnappée, Myron ?

— Je ne sais pas. Mais ce distributeur de billets ? Comment l'expliquez-vous ?

— Le fait que les deux filles aient utilisé le même ?

— Oui.

— Je ne sais pas, a-t-elle dit. Peut-être que c'était une coïncidence, après tout.

— Allons, Muse !

— Bon, très bien, je vous retourne la question.

Elle a pointé le doigt sur lui.

— Comment cet épisode du distributeur s'inscrit-il dans un scénario de kidnapping ? Qui l'aurait su ? Wolf ? Davis, Van Dyne ?

Myron a deviné où elle voulait en venir.

— Il y a autre chose, a-t-il objecté. Ce coup de fil depuis un taxiphone dans le métro. Ou ses messages sur Internet.

— Tout ça ne fait que confirmer la thèse de la fugue, a rétorqué Loren. Si quelqu'un l'avait enlevée comme elle le prétend, pourquoi aurait-il pris le risque d'appeler d'un téléphone public ? Pourquoi lui aurait-il permis de se connecter à Internet ?

Myron a secoué la tête. Oui, son raisonnement tenait la route. Simplement, il se refusait à l'accepter.

— Alors, c'est ça, le fin mot de l'histoire ? Ce n'est pas Davis. Ce n'est ni Wolf, ni Van Dyne, ni personne. Aimee Biel s'est enfuie, point à la ligne ?

Loren Muse et Lance Banner ont échangé un regard.

— Oui, c'est notre hypothèse de travail, a dit Banner finalement. Et n'oubliez pas une chose : elle n'a enfreint aucune loi. Que des gens aient souffert, qu'il y ait même eu un mort, le problème n'est pas là. La loi n'interdit pas la fugue.

Loren se taisait à nouveau. Myron n'aimait pas beaucoup ça.

— Quoi ? a-t-il aboyé.

— Rien. Ce que Lance vient de dire là… Tout se recoupe. Ça expliquerait même pourquoi les parents d'Aimee ne veulent pas qu'on lui parle. Ils ne tiennent pas à ce que ça s'ébruite : son aventure avec un professeur, sa grossesse, son implication, que ça leur plaise ou non, dans une magouille à propos de ses résultats scolaires. Alors étouffer l'affaire, la faire passer pour une victime… Ils ont trouvé la parade.

— Mais ?

Loren a regardé Banner. Il a secoué la tête avec un soupir. Elle s'est mise à jouer avec sa fourchette.

— Jake et Lorraine Wolf se sont tous les deux accusés du meurtre de Drew Van Dyne.

— Et après ?

— Ça ne vous surprend pas ?

— Non. Et on vient de dire pourquoi. C'est Lorraine qui l'a tué. Jake s'est dénoncé pour la protéger.

— Et le fait qu'ils aient tenté de faire disparaître les traces et de déplacer le corps ?

Myron a haussé les épaules.

— C'est une réaction naturelle, non ?

— Même si on tue en état de légitime défense ?

— Dans leur cas, oui. Il ne fallait rien laisser paraître. Si Van Dyne était retrouvé mort sous leur toit, légitime défense ou pas, on aurait fini par savoir la vérité sur Randy. La drogue, les magouilles, tout.

Loren a hoché la tête.

— C'est la thèse officielle. C'est ce que croit Lance. Et c'est probablement comme ça que ça s'est passé.

Myron s'efforçait de dissimuler son impatience.

— Mais ?

— Peut-être que c'est ça, et peut-être pas. Peut-être que Jake et Lorraine ont trouvé le corps en rentrant chez eux.

Myron a cessé de respirer. Chacun de nous a une sorte de ressort en lui. Il peut ployer. Il peut se tendre. Mais parfois, quand on tire trop fort, on frôle le point de rupture. Si ça lâche, on casse. On se brise en deux. Myron connaissait Aimee depuis toujours. En cet instant, s'il avait bien compris à quoi Loren Muse voulait en venir, il était à deux doigts de la cassure.

— Qu'est-ce que vous racontez, bon sang ?

— Peut-être que les Wolf ont trouvé le corps en rentrant. Et qu'ils ont cru que c'était Randy.

Elle s'est penchée en avant.

— Van Dyne lui fournissait de la drogue. Il lui avait piqué sa petite copine. Alors, en voyant le corps, papa et maman ont pu penser que c'était Randy qui l'avait tué. Du coup, ils ont paniqué et chargé le cadavre dans sa voiture.

— Quoi, vous pensez que c'est Randy qui a tué Van Dyne ?

— Non. Ce sont *eux* qui l'ont pensé. Randy a un alibi.

— Et vous cherchez à prouver quoi ?

— Si Aimee Biel n'a pas été kidnappée, a dit Muse, si elle a fugué pour rejoindre Drew Van Dyne, peut-être qu'elle était avec lui dans cette maison. Et peut-être, seulement peut-être, qu'Aimee, notre petite fille perdue, a décidé de tourner définitivement la page. Elle était prête à larguer les amarres, à partir vivre sa vie ailleurs, sauf que ce type, ce Drew Van Dyne, ne l'entendait pas de cette oreille…

Myron a fermé les yeux. Le ressort qui était en lui… La contrainte était trop forte. Il s'est repris, a secoué la tête.

— Vous vous trompez.

— C'est possible.

— Cette gamine, je la connais depuis toujours.

— Je sais, Myron. C'est une jeune fille charmante, n'est-ce pas ? Et les charmantes jeunes filles, ça ne tue pas.

Il a revu Aimee en train de rire de lui dans son

sous-sol, d'escalader la cage à poules quand elle avait trois ans. Il l'a revue soufflant les bougies sur son gâteau d'anniversaire. Il l'a revue sur scène, dans un spectacle scolaire, quand elle était en quatrième. Et il a senti la moutarde lui monter au nez.

— Vous vous trompez !

Myron attendait sur le trottoir, en face de leur maison. Erik est sorti le premier. Il avait la mine sombre, crispée. Claire et Aimee ont suivi. Aimee l'a aperçu la première. Elle a souri et l'a salué d'un signe de la main. Myron a scruté ce sourire. Il ne le trouvait guère différent de celui qu'il lui avait connu sur le terrain de jeu. Ou dans son sous-sol, il y avait quelques semaines.

Rien n'avait changé.

Sauf que maintenant, ce sourire-là lui donnait la chair de poule.

Il a dévisagé Erik, puis Claire. Ils avaient le regard dur, protecteur, mais au-delà de l'épuisement, de la résignation, on y lisait quelque chose de primaire, d'animal. Erik et Claire marchaient aux côtés de leur fille. Mais sans la toucher. C'est ce qui a frappé Myron. Ils ne touchaient pas leur propre fille.

— Salut, Myron ! a crié Aimee.

— Salut.

Elle a traversé la rue en courant. Ses parents n'avaient pas bougé. Myron non plus. Aimee s'est jetée à son cou, le renversant presque. Il s'est efforcé de la serrer dans ses bras. Mais il n'y arrivait pas. Elle s'est cramponnée à lui.

— Merci, a-t-elle murmuré.

Il n'a rien dit. Son étreinte était forte, chaleureuse. Guère différente d'avant.

Et pourtant, il avait hâte de se dégager.

Myron en avait gros sur le cœur. Dieu de miséricorde ! il avait envie qu'elle le lâche. Cette fille qu'il aimait depuis si longtemps, il souhaitait qu'elle parte au plus vite. La prenant par les épaules, il l'a repoussée doucement.

Claire était juste derrière elle. Elle a dit à Myron :

— Il faut qu'on fonce. On se voit bientôt.

Il a hoché la tête. La mère et la fille se sont éloignées. Erik attendait près de la voiture. Myron les a suivies des yeux. Claire était à côté de sa fille, mais elle ne la touchait toujours pas. Aimee est montée dans la voiture. Erik et Claire se sont regardés. Ils n'avaient pas dit un mot. Aimee était assise à l'arrière. Ils se sont installés à l'avant. Rien d'anormal jusqu'ici, mais Myron a eu l'impression qu'ils gardaient leurs distances vis-à-vis d'Aimee… Peut-être se demandaient-ils qui était cette étrangère qui vivait chez eux.

Ils savent, s'est-il dit.

Et, tandis que la voiture disparaissait au coin de la rue, une pensée lui a traversé l'esprit :

Il n'avait pas tenu sa promesse.

Il ne leur avait pas ramené leur bébé.

Leur bébé ne reviendrait pas.

57

Quatre jours plus tard

Le mariage de Jessica Culver et de Stone Norman a été célébré en grande pompe.

Myron était au bureau quand il a lu le compte rendu dans le journal. Esperanza et Win étaient là aussi. Debout devant un miroir en pied, Win travaillait son swing de golf. C'était devenu une manie chez lui. Esperanza guettait la réaction de Myron.

— Ça va ? lui a-t-elle demandé.

— Oui.

— Vous vous rendez compte que le fait qu'elle soit casée est ce qui pouvait vous arriver de mieux ?

— Oui.

Myron a reposé le journal.

— J'ai pris conscience d'une chose que j'aimerais partager avec vous.

Win a suspendu son geste.

— Mon bras n'est pas assez tendu.

Esperanza l'a fait taire.

— C'est quoi ?

— J'ai toujours cherché à fuir ce que je considère maintenant comme mon instinct naturel. Vous savez, le fait de jouer les héros. Tous les deux, vous m'avez mis en garde. Et je vous ai écoutés. Seulement j'ai compris une chose. Je dois le faire. J'échouerai parfois, bien sûr, mais je réussirai souvent. Je ne veux plus me voiler la face. Je ne veux pas verser dans le cynisme. Je veux aider les gens. Et c'est ce que j'ai l'intention de faire.

Win a pivoté vers lui.

— Tu as fini ?

— Oui.

Win a regardé Esperanza.

— Il faut qu'on applaudisse ?

— Je pense que oui.

Se levant, Esperanza a tapé dans ses mains avec ferveur. Win a lâché son club et s'est fendu d'un applaudissement poli de golfeur.

Myron s'est incliné.

— Merci infiniment, vous êtes un public formidable, n'oubliez pas votre serveuse en sortant, tenez, essayez notre plat du jour.

La Grosse Cyndi a passé la tête par la porte. Elle avait un peu forcé sur le rouge à joues ce matin et ressemblait à un feu tricolore.

— Ligne deux, monsieur Bolitar.

Elle a battu des cils… Imaginez deux scorpions sur le dos, se débattant pour se relever.

— C'est votre nouvelle chérie, a-t-elle ajouté.

Myron a pris le téléphone.

— Bonjour, vous !

— Tu viens à quelle heure ? a demandé Ali.

— Je devrais être là vers sept heures.

— Une pizza et un DVD avec les mômes, ça te va ?

Myron a souri.

— Super !

Il a raccroché, toujours en souriant. Win et Esperanza ont échangé un regard.

— Quoi ? a dit Myron.

— Vous êtes tellement nunuche quand vous êtes amoureux, a répondu Esperanza.

Il a consulté sa montre.

— C'est l'heure.

— Bonne chance, a dit Esperanza.

Myron s'est tourné vers Win.

— Tu veux venir ?

— Non, mon ami. Sur ce coup-là, c'est à toi de jouer.

Myron s'est levé. Il a embrassé Esperanza sur la joue. Puis serré Win dans ses bras. Bien que surpris par son geste, Win s'est laissé faire. Myron a repris le chemin du New Jersey. La journée était radieuse. Le soleil brillait comme au premier jour de sa création. Myron a tripoté les boutons de la radio. Chaque fois, il est tombé sur une de ses chansons préférées.

Il y a des jours comme ça.

Il n'a pas pris la peine de s'arrêter sur la tombe de Brenda. Il s'est dit qu'elle comprendrait. Les actes parlent d'eux-mêmes, etc.

Après s'être garé sur le parking du centre médical St. Barnabas, Myron est monté voir Joan Rochester. Elle était assise sur son lit, prête à partir.

— Comment vous sentez-vous ?

— Bien, a dit Joan.

— Je suis désolé de ce qui vous est arrivé.

— Il n'y a pas de quoi.

— Vous rentrez chez vous ?

— Oui.

— Et vous avez renoncé à porter plainte ?

— C'est exact.

Myron s'en était douté.

— Votre fille ne pourra pas se cacher éternellement.

— Je sais.

— Qu'allez-vous faire ?

— Katie est rentrée à la maison hier soir.

Tant pis pour le happy end. Myron a fermé les yeux. Ce n'était pas ce qu'il aurait voulu entendre.

— Elle s'est disputée avec Rufus. Du coup, elle est revenue. Dominick lui a pardonné. Tout ira bien maintenant.

Ils se sont regardés. Non, tout n'irait pas bien. Et ils le savaient l'un comme l'autre.

— J'aimerais vous aider, a dit Myron.

— Vous ne pouvez pas.

Peut-être qu'elle avait raison.

On aide ceux qu'on peut aider. C'est ce que disait Win. Mais on tient toujours, *toujours*, ses promesses. C'est pour ça qu'il était ici. Pour tenir sa promesse.

Il a rencontré le Dr Edna Skylar dans le couloir du service de cancérologie. Il avait espéré la trouver dans son bureau, mais tant pis, il fallait faire avec.

Edna Skylar a souri en le voyant. Elle était très peu maquillée. Sa blouse blanche était toute fripée. Et elle ne portait pas de stéthoscope autour du cou.

— Bonjour, Myron.

— Bonjour, docteur Skylar.

— Appelez-moi Edna.

— Ça marche.

— J'allais partir.

Elle a pointé le pouce vers l'ascenseur.

— Qu'est-ce qui vous amène par ici ?

— Vous, en fait.

Elle avait un stylo derrière l'oreille. Elle l'a pris, a

griffonné une note sur une feuille de température, l'a remis à sa place.

— Ah bon ?

— Vous m'avez appris quelque chose la dernière fois que je suis venu ici.

— Quoi donc ?

— On avait parlé de patients méritants, souvenez-vous. Des purs, par opposition aux souillés. Vous avez été très honnête avec moi. Sur vos préférences en la matière.

— Parler ne coûte rien, a-t-elle acquiescé. Mais tout compte fait, j'ai prêté serment. Je soigne aussi ceux que je n'aime pas.

— Je sais, oui. Mais voyez-vous, vous m'avez fait réfléchir. Parce que j'étais comme vous. Je voulais aider Aimee Biel parce que je la croyais… bref.

— Innocente ? a dit Skylar.

— Sans doute.

— Et vous avez découvert qu'elle ne l'était pas.

— Mieux que ça, a répondu Myron. J'ai appris que vous vous étiez trompée.

— Sur quoi ?

— On ne peut pas juger les gens comme ça. On devient cynique. On s'attend au pire. Et on finit par ne voir que des ombres. Vous savez qu'Aimee Biel est de retour ?

— J'ai entendu ça, oui.

— Tout le monde pense qu'elle a fugué.

— Ça aussi, je l'ai entendu.

— Du coup, personne ne l'a écoutée. Je veux dire, écoutée vraiment. Une fois ce postulat admis, Aimee Biel n'était plus innocente. Vous comprenez ? Même ses parents. Ils prenaient tellement ses intérêts à cœur, ils tenaient tellement à la protéger qu'ils n'ont pas su voir la vérité.

— Quelle vérité ?

— La présomption d'innocence. On devrait pouvoir s'y référer aussi en dehors d'une cour de justice.

Edna Skylar a regardé ostensiblement sa montre.

— Je ne suis pas sûre de bien comprendre à quoi vous faites allusion.

— J'ai cru en cette fille toute sa vie. Ai-je eu tort ? Était-ce un leurre ? Tout compte fait, ses parents avaient raison : c'est à eux de la protéger, pas à moi. Du coup, j'ai pu prendre du recul. J'étais prêt à risquer de connaître la vérité. J'ai attendu de pouvoir parler à Aimee seul à seule. Je lui ai demandé de tout me raconter. Car il y avait trop de lacunes dans la version des faits qui faisait d'elle une fugueuse qui aurait assassiné son amant. L'histoire du distributeur, pour commencer. Ce coup de fil depuis un taxiphone, ensuite. Je ne voulais pas mettre un couvercle par-dessus pour qu'elle puisse continuer à vivre sa vie. J'ai donc discuté avec elle. Je me suis rappelé à quel point je l'aimais. Et j'ai fait quelque chose de vraiment très étrange.

— Quoi ?

— Je suis parti du principe qu'Aimee disait la vérité. Dans ce cas-là, deux choses étaient sûres. Primo, son ravisseur était une femme. Et une femme qui savait que Katie Rochester avait retiré de l'argent dans un distributeur de la 52e Rue. Les seules personnes qui répondaient à ces deux critères ? Katie Rochester. Ce n'était pas elle. Loren Muse. Sûrement pas. Et vous-même.

— Moi ?

Edna Skylar s'est mise à ciller.

— Vous parlez sérieusement ?

— Vous vous souvenez, quand je vous ai appelée

pour que vous consultiez le dossier médical d'Aimee ? Pour voir si elle était enceinte ?

Edna a de nouveau regardé sa montre.

— Je n'ai vraiment pas le temps, là.

— Je vous ai dit qu'il ne s'agissait pas d'une personne innocente, mais de deux.

— Oui, eh bien ?

— Juste avant, j'avais demandé le même service à votre mari. Comme c'était sa spécialité, j'avais pensé que ça lui serait plus facile. Mais il a refusé.

— Stanley est très à cheval sur le règlement, a dit Edna.

— Je sais. Seulement, il m'a appris une chose intéressante. Avec les nouvelles lois sur l'informatique, l'ordinateur pointe chaque fois qu'on accède au dossier d'un patient. On peut voir le nom du médecin qui a consulté le dossier. Ainsi que la date et l'heure.

— Exact.

— J'ai regardé le dossier d'Aimee. Et devinez ce que j'ai trouvé ?

Le sourire d'Edna commençait à pâlir.

— Vous, docteur Skylar, avez consulté ce dossier quinze jours *avant* mon coup de téléphone. Pourriez-vous m'expliquer pourquoi ?

Elle a croisé les bras.

— Ce n'était pas moi.

— L'ordinateur s'est trompé ?

— Il arrive parfois que Stanley oublie son code. Il a dû utiliser le mien.

— Je vois. Il oublie son propre code, mais se souvient du vôtre.

Penchant la tête, Myron s'est rapproché imperceptiblement.

— Vous croyez qu'il le confirmera sous serment ?

Edna n'a pas répondu.

— Là où vous avez été maligne, a-t-il repris, c'est quand vous m'avez parlé de votre fils. Celui qui vous posait des problèmes depuis le jour de sa naissance. Vous m'avez dit que c'était toujours un bon à rien, vous vous souvenez ?

Un petit gémissement, un gémissement de douleur, s'est échappé des lèvres d'Edna. Ses yeux se sont remplis de larmes.

— Mais vous n'avez jamais mentionné son nom. Vous n'aviez aucune raison de le faire, d'ailleurs. Et personne n'avait à le savoir. Ça ne faisait pas partie de l'enquête. Je ne connais pas le nom de la mère de Jake Wolf. Ni celui de la mère de Harry Davis. Mais lorsque j'ai vu le dossier médical d'Aimee, j'ai mené une petite enquête de mon côté. Votre premier mari, docteur Skylar, s'appelait Andrew Van Dyne, n'est-ce pas ? Et le nom de votre fils était Drew Van Dyne.

Fermant les yeux, elle a inspiré profondément à plusieurs reprises. Puis elle a haussé les épaules d'un air qui se voulait nonchalant, mais qui ne trompait personne.

— Et alors ?

— C'est bizarre, vous ne trouvez pas ? Quand je vous ai parlé d'Aimee Biel, vous ne m'avez jamais dit que votre fils la connaissait.

— Mon fils, je le voyais de loin en loin. Je n'étais absolument pas au courant de sa relation avec Aimee Biel.

Myron a eu un large sourire.

— Vous avez réponse à tout, hein, Edna ?

— Je ne fais que dire la vérité.

— Je ne vous crois pas. C'était encore une coïncidence. Que de coïncidences, nom d'un chien ! C'est ce qui me tracassait depuis le début. Deux filles enceintes dans le même lycée. OK, il n'y a pas de quoi en faire un plat. Mais tout le reste – l'une et l'autre qui fuguent, qui retirent de l'argent dans le même distributeur… Admettons, une fois de plus, qu'Aimee ait dit la vérité. Admettons que quelqu'un – une femme – lui ait donné rendez-vous à cet endroit précis. Cette femme mystérieuse lui aurait demandé de tirer de l'argent dans ce distributeur. Pourquoi ? Pourquoi aurait-elle fait ça ?

— Je ne sais pas.

— Bien sûr que si, vous le savez, Edna. Parce qu'il ne s'agit en aucun cas de coïncidences. Vous avez tout orchestré. Les deux filles utilisant le même distributeur ? Il n'y a qu'une explication à cela. La ravisseuse – vous, Edna – voulait qu'on établisse un lien entre la disparition d'Aimee et celle de Katie Rochester.

— Et pourquoi aurais-je fait ça ?

— Parce que la police était persuadée que Katie Rochester avait fugué… entre autres, grâce à votre témoignage. Mais Aimee Biel, c'était différent. Elle n'avait pas un père violent et mafieux, déjà. Sa disparition risquait de faire du bruit. Le meilleur moyen – le seul – d'empêcher le branle-bas de combat était de faire croire à une fugue.

Ils se tenaient l'un en face de l'autre. Edna Skylar a esquissé un pas de côté, comme pour contourner Myron. Il s'est déplacé également, lui barrant le passage. Elle l'a regardé.

— Vous avez un micro sur vous, Myron ?

Il a levé les bras.

— Fouillez-moi.

— Pas la peine. Tout ceci est absurde.

— Revenons à cette journée dans Manhattan. Vous marchez dans la rue avec Stanley. C'est là que le destin se charge de vous donner un coup de pouce. Vous apercevez Katie Rochester, exactement comme vous l'avez déclaré à la police. Vous comprenez qu'elle n'a pas été kidnappée et qu'elle ne semble pas en danger. Katie vous supplie de ne rien dire. Vous obéissez. Pendant trois semaines, vous n'en parlez à personne. Vous reprenez le cours normal de votre existence.

Myron a scruté son visage.

— Vous me suivez jusque-là ?

— Je vous suis.

— Alors pourquoi ce revirement ? Pourquoi, au bout de trois semaines, appelez-vous votre vieux pote Ed Steinberg ?

Elle a replié les bras.

— À vous de me le dire.

— Parce que votre situation a changé, pas celle de Katie.

— Comment ?

— En parlant de votre fils, vous avez dit que vous aviez baissé les bras. Peut-être que c'est vrai, je ne sais pas. Mais vous étiez en contact avec Drew. Il vous a dit qu'il était tombé amoureux d'Aimee Biel. Et il a dû vous dire qu'elle était enceinte.

— Vous pouvez le prouver ?

— Non. C'est juste une supposition. Mais pas le reste. Vous avez consulté le dossier médical d'Aimee sur l'ordinateur. Ça, nous le savons. Vous avez constaté qu'en effet, elle était enceinte. Qui plus est, vous avez découvert qu'elle avait l'intention d'avorter. Drew n'était pas au courant. Il croyait qu'ils s'aimaient et allaient se marier. Sauf qu'Aimee, elle, voulait en finir. Drew Van Dyne n'avait été qu'un accident de parcours. Un accident bête, mais comme il en arrive souvent dans l'adolescence. Désormais, Aimee ne songeait qu'à son départ pour l'université.

— Une raison suffisante, semble-t-il, pour que Drew veuille la kidnapper, a dit Edna.

— Oui, n'est-ce pas ? Si seulement il n'y avait que ça. Mais moi, j'étais obnubilé par ces coïncidences. Le distributeur de billets. Qui était au courant ? Vous avez appelé votre vieil ami Ed Steinberg pour lui soutirer des informations. Il vous a répondu. Et pourquoi pas ? L'affaire ne relevait pas de la justice. Quand il a mentionné ce distributeur de la Citibank, vous vous êtes dit que c'était ça, la pierre angulaire de votre édifice. Tout le monde allait penser qu'Aimee avait fugué à son tour. Et c'est exactement ce qui s'est passé. Puis vous avez contacté Aimee. Vous avez dit que vous travailliez à l'hôpital, ce qui est la stricte vérité, et qu'elle devait se faire avorter en cachette. Vous lui avez fixé ce rendez-vous à New York. Elle vous attend au coin de la rue. Vous arrivez en voiture. Vous lui dites de tirer de l'argent au distributeur. Aimee s'exécute. Là-dessus, elle panique. Elle voudrait réfléchir. Vous voilà prête à vous saisir d'elle, une seringue à la main, quand brusquement elle se sauve. Elle m'appelle. Je viens la chercher. Je la conduis à Ridgewood. Vous nous suivez… C'est votre voiture que j'ai vue tourner cette nuit-là dans l'impasse. Quand elle se fait envoyer sur les roses par Harry Davis, vous êtes toujours là à guetter. Après ça, elle ne se rappelle plus grand-chose. Elle affirme avoir été droguée. Ça tombe sous le sens : son esprit serait ainsi plongé dans la confusion. Les symptômes correspondent assez bien aux effets du Propofol. Vous connaissez ce médicament, Edna ?

— Évidemment. Je suis médecin. C'est un anesthésique.

— Et vous avez déjà eu l'occasion de l'employer avec vos patients ?

Elle a hésité.

— Oui.

— Eh bien, c'est ça qui causera votre perte.

— Ah oui ? Et comment ?

— J'ai d'autres preuves, indirectes, celles-là. L'histoire du dossier médical, par exemple. On voit que non seulement vous l'avez consulté à une date antérieure, mais que vous ne l'avez même pas ouvert quand je vous ai appelée. C'était inutile, vous saviez déjà qu'elle était enceinte. Je dispose également de relevés téléphoniques. Vous avez eu un échange de coups de fil avec votre fils.

— Et alors ?

— Et alors, voilà. Je peux prouver que vous lui avez téléphoné au lycée tout de suite après ma première visite. Harry Davis se demandait comment Drew était au courant avant même qu'il ne l'ait abordé. Facile : vous l'avez appelé pour le prévenir. Et ce coup de fil à Claire, depuis le taxiphone dans la 23e Rue… là, vous en avez fait trop. C'est gentil d'avoir voulu rassurer les parents, seulement, pourquoi Aimee serait-elle allée téléphoner à l'endroit même où Katie Rochester avait été aperçue ? Nous avons également contrôlé l'état de votre EZ Pass. Vous vous êtes rendue à Manhattan. Vous avez emprunté le Lincoln Tunnel vingt minutes avant ce coup de téléphone.

— Tout cela peut se discuter, a dit Edna.

— Certes. Mais là où vous vous êtes grillée, c'est avec cette affaire du Propofol. Vous pouvez rédiger des ordonnances ; cependant, vous êtes aussi obligée de le commander. La police, à ma demande, a déjà examiné votre bureau. Vous avez acheté des tonnes de Propofol, mais personne ne s'explique où il est passé. Aimee a subi des analyses. Elle en a encore dans le sang. Vous comprenez ?

Edna a inspiré profondément et retenu son souffle, avant de l'exhaler.

— Et vous avez un mobile pour ce prétendu kidnapping, Myron ?

— Vous tenez vraiment à ce qu'on joue à ce jeu-là ?

Elle a haussé les épaules.

— On y a bien joué jusqu'ici.

— Parfait. Le mobile. C'est la question qu'on s'est tous posée. Pourquoi aurait-on kidnappé Aimee ? On a cru d'abord que c'était pour la faire taire. Votre fils risquait de perdre son poste. Le fils de Jake Wolf, lui, avait tout à perdre. Harry Davis, ma foi, avait beaucoup à perdre aussi. Mais l'enlever n'aurait servi à rien. D'autre part, il n'y a pas eu de demande de rançon, pas d'agression sexuelle, rien. Alors je me suis creusé la cervelle : pour quelle raison peut-on kidnapper une jeune fille ?

— Et ?

— Vous avez parlé des innocents.

— C'est vrai.

Il y avait de la résignation dans son sourire. Edna Skylar savait déjà ce qu'il allait dire, mais elle ne flanchait pas.

— Or, y a-t-il plus innocent que le futur enfant de votre fils ?

Elle a peut-être acquiescé, il n'en était pas certain.

— Continuez.

— Vous l'avez dit vous-même en parlant de vos patients. C'était une question de priorité. Il s'agissait de sauver des innocents. Vos motivations étaient presque pures, Edna. Vous vouliez sauver votre propre petit-fils ou petite-fille.

Se retournant, Edna Skylar a jeté un coup d'œil dans le couloir. Quand elle a regardé Myron, son sourire triste avait disparu. Curieusement, son visage était dénué de toute expression.

— Aimee était enceinte de trois mois, a-t-elle commencé.

Sa voix aussi avait changé. Elle était douce, et distante en même temps.

— Si j'avais pu la garder encore un mois ou deux, il aurait été trop tard pour avorter. En repoussant sa décision, je sauvais cet enfant à naître. Est-ce un crime ?

Myron n'a rien dit.

— Vous avez vu juste. Je voulais qu'on rapproche la disparition d'Aimee de celle de Katie Rochester. La situation, bien sûr, jouait déjà en ma faveur. Elles étaient toutes les deux dans le même lycée, et toutes les deux enceintes. Du coup, j'y ai ajouté le distributeur de billets. J'ai tout fait pour que ça ait l'air d'une fugue. Mais pas pour les raisons que vous évoquez... pas parce que c'est une gentille fille issue d'une bonne famille. C'est même plutôt l'inverse.

Myron a hoché la tête – il comprenait mieux à présent.

— Si la police avait ouvert une enquête, elle aurait pu découvrir sa liaison avec votre fils.

— C'est ça.

— Aucun des suspects ne possédait une cabane en rondins. Mais vous, Edna, vous en avez une. Avec une cheminée en pierre calcaire, exactement comme Aimee l'a décrite.

— Vous n'avez pas perdu votre temps.

— C'est sûr.

— J'avais tout prévu. Elle aurait été bien traitée.

J'aurais surveillé le développement du fœtus. J'ai appelé ses parents pour les rassurer. J'avais pensé à ce genre d'indices... pour montrer qu'Aimee avait fugué et qu'elle était saine et sauve.

— Comme la connexion à Internet ?

— Oui.

— Comment avez-vous eu son pseudo et son mot de passe ?

— C'est elle qui me les a donnés sous l'emprise du médicament.

— Vous portiez un masque quand vous étiez avec elle ?

— Je dissimulais mon visage, oui.

— Et le nom du garçon dont Erin était tombée amoureuse, Mark Cooper ? Vous l'avez eu comment ?

Edna a haussé les épaules.

— C'est elle qui me l'a dit aussi.

— Ce n'était pas la bonne réponse. Mark Cooper est un garçon qu'on surnommait Galère. Encore une chose qui m'a mis la puce à l'oreille.

— Elle est futée, la petite, a dit Edna. Mais tout de même. Je l'aurais gardée pendant quelques mois. Puis je l'aurais relâchée. Elle aurait raconté la même histoire, son histoire d'enlèvement.

— Et personne ne l'aurait crue.

— Elle aurait eu le bébé, Myron. C'est tout ce qui m'intéressait. Mon plan aurait fonctionné. Une fois qu'elle a appris ce retrait d'argent au distributeur, la police a opté pour l'hypothèse de la fugue. Et elle a clos le dossier. Les parents, eh bien, ce sont des parents. Leurs inquiétudes, on les a classées dans la même rubrique que celles des Rochester.

Elle l'a regardé dans les yeux.

— Seulement, il y a eu un hic.

Myron a écarté les bras.

— La modestie m'empêche de le nommer.

— Alors, je vais le faire. Le hic, c'était vous, Myron. Vous avez brouillé mes plans.

— Vous n'allez pas me traiter de trouble-fête, hein ?

— Vous trouvez ça drôle ?

— Non, Edna. Je ne trouve pas ça drôle du tout.

— Je ne voulais faire de mal à personne. Bon, d'accord, cet épisode risquait d'incommoder Aimee. Voire de la traumatiser, bien que je sois très bonne en matière de dosages médicamenteux. J'aurais veillé à son confort et au bien-être de l'enfant. Ses parents, évidemment, allaient vivre l'enfer. Si j'arrivais à les convaincre qu'elle avait fugué – et qu'elle allait bien –, je me disais que ce serait plus facile pour eux. Pesez donc le pour et le contre. Même s'ils devaient tous souffrir un peu, j'allais sauver une vie, comprenez-vous ? Je vous l'ai dit, j'ai échoué avec Drew. Je ne me suis pas occupée de lui. Je ne l'ai pas protégé.

— Et vous n'alliez pas commettre la même erreur avec son enfant.

— Absolument.

Patients et visiteurs, médecins et infirmières allaient et venaient dans le couloir. Un tintement s'est fait entendre au-dessus. Quelqu'un est passé avec un énorme bouquet de fleurs. Myron et Edna ne voyaient rien.

— Vous me l'avez dit au téléphone, a poursuivi Edna. Quand vous m'avez demandé de consulter le dossier d'Aimee. Protéger les innocents. C'est ce que je voulais faire. Mais quand elle a disparu, vous vous êtes senti responsable. Vous vous êtes cru obligé de la retrouver. Vous avez commencé à fouiner.

— Et, comme je brûlais, vous avez essayé de sauver les meubles. Du coup, vous l'avez laissée partir.

— Je n'avais pas le choix. Tout allait à vau-l'eau.

— Vous n'allez pas me dire que c'est ma faute ?

— Non, mais ce n'est pas la mienne non plus, a-t-elle rétorqué, la tête haute. Je n'ai tué personne. Je n'ai pas demandé à Harry Davis de trafiquer les dossiers de ses élèves. Je n'ai pas demandé à Jake Wolf de soudoyer qui que ce soit. Je n'ai pas demandé à Randy Wolf de vendre de la drogue. Je n'ai pas dit à mon fils de coucher avec une élève. Et je n'ai pas dit à Aimee Biel de tomber enceinte de lui.

Myron se taisait.

— Vous voulez qu'on aille plus loin ?

Sa voix est montée d'un cran.

— Je n'ai pas dit à Drew de menacer Jake Wolf avec une arme. Au contraire. J'ai essayé de le calmer, mais je ne pouvais pas lui avouer la vérité. Peut-être que j'aurais dû. Seulement, Drew a toujours été un tel désastre. Je lui ai juste dit de ne pas s'inquiéter et qu'Aimee allait bien. Mais il n'a pas écouté. Il a cru que Jake Wolf s'en était pris à elle. Moi, je pense que la femme de Wolf dit la vérité. Elle a tiré sur lui en état de légitime défense. C'est comme ça que mon fils est mort. Mais je n'y suis pour rien.

Ses lèvres tremblaient, mais elle s'est efforcée de se ressaisir. Elle n'allait pas s'effondrer. Elle n'allait pas manifester sa faiblesse, même si tout remontait à la surface maintenant, même si elle n'avait pas seulement échoué dans son projet, mais, ce faisant, avait provoqué la mort de son propre fils.

— Tout ce que je voulais, c'était sauver la vie de cet enfant. Comment aurais-je pu faire autrement ?

Myron continuait à se taire.

— Alors ?

— Je ne sais pas.

— S'il vous plaît !

Edna s'est emparée de son bras comme si c'était une bouée de sauvetage.

— Que va-t-elle faire, pour le bébé ?

— Ça non plus, je ne le sais pas.

— Vous ne pourrez rien prouver.

— Ce sera à la police de décider. Moi, je voulais juste tenir ma promesse.

— Quelle promesse ?

Myron a jeté un œil dans le couloir.

— C'est bon, vous pouvez venir.

En voyant apparaître Aimee Biel, Edna a étouffé une exclamation et porté la main à sa bouche. Erik était là aussi. Avec Claire. Ils tenaient leur fille par les épaules.

Myron s'est éloigné en souriant. Il avait la démarche légère. Dehors, le soleil brillait. La radio diffusait ses morceaux préférés. Il avait enregistré toute la conversation – il avait menti à Edna là-dessus –, et il remettrait la cassette à Banner et Muse. Peut-être qu'ils ouvriraient une enquête. Ou peut-être pas.

Chacun fait ce qu'il peut.

Erik a hoché la tête quand Myron est passé devant lui. Claire a tendu la main. Il y avait des larmes de gratitude dans ses yeux. Myron a effleuré ses doigts, mais ne s'est pas arrêté. Leurs regards se sont croisés, et il l'a revue adolescente, lycéenne, dans la salle d'étude.

Tout cela n'avait plus aucune espèce d'importance.

Il avait fait une promesse à Claire. Il avait promis de lui ramener son bébé.

Et finalement, après tout ce temps, il avait tenu parole.

Remerciements

Depuis six ans, la question qui me poursuit dans toutes mes tournées est : « Quelle taille faites-vous ? » La réponse est : Un mètre quatre-vingt-dix. Mais l'autre question récurrente est : « Quand est-ce qu'ils reviennent, Myron et toute sa bande ? » La réponse est : Maintenant. J'ai toujours dit que je ne forcerais pas leur retour, que j'attendrais d'avoir la bonne idée. Eh bien, l'idée, je l'ai eue, mais votre soutien et votre enthousiasme m'ont inspiré et touché. Mon premier remerciement va donc à ceux qui avaient hâte de retrouver Myron, Win, Esperanza, la Grosse Cyndi, El Al et le reste de l'équipe. J'espère que ça vous a plu. Quant à ceux d'entre vous qui ne voient pas de quoi je parle, il y a sept autres romans avec Myron Bolitar pour héros. Vous trouverez toutes les informations sur *harlancoben.com.*

Ceci est mon quatrième livre en collaboration avec Mitch Hoffman en tant qu'éditeur et Lisa Johnson en tant que tout le reste. L'un et l'autre sont rock. Brian Tart, Susan Petersen Kennedy, Erika Kahn, Hector DeJean, Robert Kempe – comme tout le monde chez

Hutton – sont rock aussi. Merci également à Jon Wood, Susan Lamb, Malcolm Edwards, Aaron Priest et Lisa Erbach Vance.

David Gold m'a aidé en matière de recherche médicale sur un tas de livres. Cette fois-ci, son nom est cité parmi les personnages du roman. Tu es un bon ami, David.

Christopher J. Christie, procureur fédéral auprès de l'État du New Jersey, me fournit d'excellents éléments juridiques, tarabiscotés à souhait. Je connais Chris depuis qu'on a joué au foot ensemble, à l'âge de dix ans. Bizarrement, il omet de le mentionner sur son CV.

Merci à la famille Clarke – Ray, Maureen, Andrew, Devin, Jeff et Garrett – de m'avoir soufflé cette idée. Les garçons m'ont toujours parlé ouvertement de ce que c'est que d'être gamin, ado et enfin jeune homme. Je les en remercie.

Pour finir, merci à Linda Fairstein, Dyan Machan et, bien sûr, Anne Armstrong-Coben. Trop belles et trop intelligentes, c'est ça, votre problème à toutes les trois.

Collection Thriller

Des livres pour serial lecteurs

Profilers, détectives ou héros ordinaires, ils ont décidé de traquer le crime et d'explorer les facettes les plus sombres de notre société. Attention, certains de ces visages peuvent revêtir les traits les plus inattendus… notamment les nôtres.

Vos enquêteurs favoris vous donnent rendez-vous sur www.pocket.fr

THRILLER

ENQUÊTES
À HAUTS RISQUES

Harlan Coben
Du sang sur le green

Myron Bolitar n'aime pas le golf. Pourtant, c'est sur les greens de l'US Open qu'il va dénicher son nouveau client : le fils du leader de l'épreuve a été enlevé, et la famille demande à Myron de résoudre discrètement l'affaire. Derrière l'ambiance feutrée des club-houses, la réalité se révèle autrement plus sordide, voire franchement crapuleuse. Pas sûr que cette histoire change l'opinion de Myron sur la petite balle blanche…

Pocket n° 13 150

Harlan Coben
Faux rebond

La superstar du basket, Greg Downing, a disparu. Myron Bolitar a pour mission de le retrouver. Pour cela, il réintègre une équipe professionnelle, les Dragons du New Jersey : la partie s'annonce très serrée…

Pocket n° 12544

Pour en savoir plus : www.pocket.fr

Harlan COBEN ▶
Innocent

Un ami en danger. Une bagarre qui dégénère. Un accident. À vingt ans, Matt Hunter est devenu un assassin. Treize ans plus tard, il mène enfin une vie paisible avec la femme qu'il aime, Olivia, enceinte de leur premier enfant. Et puis un jour, sur son portable, il reçoit une vidéo d'Olivia dans une chambre d'hôtel en compagnie d'un inconnu. Un nouveau cauchemar commence…

Pocket n° 13286

◀ Harlan COBEN
Juste un regard

Et si votre vie n'était qu'une vaste imposture ? Si l'homme que vous avez épousé il y a dix ans n'était pas celui que vous croyez ? Si tout votre univers s'effondrait brutalement ? Pour Grace Lawson, il aura suffi d'un seul regard sur une vieille photo pour que tout s'écroule. Ses souvenirs, son mariage, ses amis : tout n'était qu'un tissu de mensonges…

Pocket n° 12897

Pour en savoir plus : www.pocket.fr

Peter JAMES ▸
La mort leur va si bien

« Cher Monsieur Bryce,
Hier soir, vous avez accédé à un site que vous n'étiez pas autorisé à visiter. Vous avez de nouveau essayé d'y accéder ce soir. Nous n'apprécions pas les visiteurs non sollicités. Si vous parlez à la police de ce que vous avez vu ou si vous essayez encore d'accéder à ce site, ce qui va arriver à votre ordinateur arrivera à votre femme, Kellie, à votre fils, Max et à votre fille, Jessica. Regardez et réfléchissez bien. »

Pocket n° 13419

◂ John KATZENBACH
Une histoire de fous

Francis, vingt ans, schizophrène et sujet à des accès de violence, est interné dans un hôpital psychiatrique. Lorsqu'une jeune infirmière est violée et sauvagement assassinée, l'un des pensionnaires, réputé très violent, est inculpé. Mais les autres patients évoquent en murmurant la vision d'un « Ange » vêtu de blanc. Vingt ans plus tard, le passé revient hanter Francis. Avec pour seuls outils un crayon et les murs de son logement, il tente de retracer l'histoire de cette époque cauchemardesque...

Pocket n° 13174

Pour en savoir plus : www.pocket.fr

◀ Franck THILLIEZ
Deuils de miel

Après la mort de sa femme et de sa fille, difficile pour le commissaire Sharko de se remettre au travail. Un meurtre atroce, à la limite du rite barbare, va cependant le ramener violemment à la réalité. Serial killer ? Secte apocalyptique ? Épuisé, blessé, Sharko entame un long voyage vers les tréfonds de l'âme humaine.

Pocket n° 13121

Lisa UNGER ▶
Cours, ma jolie

Jeune journaliste new-yorkaise, Ridley Jones reçoit un matin la photo d'une enfant de deux ans accompagnée de ces simples mots : « Es-tu ma fille ? » Ridley presse de questions son entourage. Résultat : ses parents se ferment, ses amis doutent, et, peu à peu, toutes ses certitudes se dérobent. Et si sa vie n'était qu'un mensonge ?

Pocket n° 13412

Pour en savoir plus : www.pocket.fr

Faites de nouvelles découvertes sur
www.pocket.fr

- Des 1ers chapitres à télécharger
- Les dernières parutions
- Toute l'actualité des auteurs
- Des jeux-concours

Il y a toujours
un **Pocket** à découvrir

Impression réalisée sur Presse Offset par

47768 – La Flèche (Sarthe), le 05-06-2008
Dépôt légal : mars 2008
Suite du premier tirage : juin 2008

POCKET – 12, avenue d'Italie - 75627 Paris cedex 13

Imprimé en France